Los Placeres de la Buena Mesa

Directora de Proyecto   Angela Rahaniotis

Revisora   Sylvie Beaudoin

Diseño Gráfico y Presentación   Zapp

**Coordinador
Culinario**   Chef Yvan Bélisle

Fotografía   Michel Bodson

Estilista   Murielle Bodson

© 1992 por Tormont Publications Inc.
338 Saint-Antoine St. East
Montreal, Quebec, Canada H2Y 1A3
Tel. (514) 954-1441
Fax (514) 954-1443

TODOS LOS DERECHOS RESERVADOS. Ninguna parte
de esta obra puede ser reproducida, almacenada en un sistema
o transmitida en manera alguna, ni por ningún medio, ya sea
electrónico, mecánico, fotográfico, sonoro, magnético u otro,
sin tener previo consentimiento por escrito del editor.

ISBN 2-89429-048-9

Impreso en Canadá

RON KALENUIK

Los Placeres de la Buena Mesa

TORMONT

Prólogo

Si usted es una de esas personas a quienes les encanta la buena comida, pero que no les gusta pasar muchas horas en la cocina, entonces *Los Placeres de la Buena Mesa* es el libro de recetas que usted estaba esperando.

Aún teniendo docenas de libros de recetas, siempre hay uno o dos que son sus preferidos cuando trata de buscar inspiración.

Espero que *Los Placeres de la Buena Mesa* pase a formar parte de ese grupo preferido de libros de cocina. He seleccionado cuidadosamente las recetas para tener la seguridad de que usted automáticamente recurrirá a él cada vez que desee preparar una comida rápida o una más elegante.

Gusté de la buena comida desde que era pequeño y disfruté enormemente observando fascinado una exposición sobre la fabricación del chocolate en Niágara Falls, mi ciudad natal. Desde entonces, he trabajado como Chef profesional durante más de 15 años en los mejores restaurantes y hoteles de Norteamérica.

En esa época aprendí a conocer las preferencias de las personas. Y ésas son precisamente las recetas que he incluído en *Los Placeres de la Buena Mesa*.

Encontrará recetas para algunos de los platillos clásicos, al igual que aquéllas tradicionales que nunca pasan de moda. Como el arroz con leche. Aprenderá a llenar su casa con el aroma del pan recién horneado y a preparar algunos de los maravillosos platillos regionales e internacionales que cada vez se hacen más populares.

En realidad, creo que por años encontrará información útil y tentadoras recetas, mismas que le inspirarán aun durante los días en que no tenga verdaderas ganas de cocinar. Por lo tanto, le invito a disfrutar conmigo ¡*Los Placeres de la Buena Mesa*!

Ron Kalenuik

INDICE

Entremeses

Hasta hace poco tiempo, los chefs franceses rehusaban la idea de servir entremeses, pues consideraban que echaban a perder el apetito. Los italianos tenían su antipasto, los rusos su famosa *zakuska*, en cambio una buena comida francesa comenzaba apenas con una sopa sencilla, a fin de dejar lugar para el plato principal.

Hoy en día, afortunadamente, todos los buenos cocineros saben que un entremés bien seleccionado o una variedad interesante de aperitivos, despertará el apetito y establecerá el tono para el resto de la comida.

Esperamos que la selección de entremeses presentados en este capítulo le abra el apetito y estimule su interés para consultar los capítulos siguientes.

Encontrará una selección de entremeses calientes o fríos, tanto tradicionales como modernos. Hemos incluido también algunas deliciosas recetas de dips para fiestas.

No olvide que los entremeses deben seleccionarse en función de un menú equilibrado, tanto en valor nutritivo, como en textura y sabor. Debe "oponer" los entremeses demasiado ricos a una comida más bien ligera, o un primer plato exótico a un plato principal más bien sencillo.

O puede emplear un método diferente, y preparar una comida o una fiesta completa basándose en una selección de recetas de este capítulo solamente. ¡Y así estará listo para un gran comienzo!

Bote de Jamón y Queso

4 porciones

1	hoja masa de hojaldre (congelada)
1	yema de huevo
1	cucharada leche
170 g.	(*6 onzas*) jamón Selva Negra en rebanadas delgadas
2	cucharadas mermelada de duraznos
2	cucharadas mostaza preparada
¾	taza queso Havarti, rallado

Precalentar el horno a 180 °C (*350 °F*).

Descongelar la masa de hojaldre. Mezclar la yema de huevo con la leche.

Untar los extremos de la masa con el huevo.

Doblar la masa por la mitad a lo largo. Cerrar los extremos.

Abrir el centro para formar un bote. Colocar jamón en el fondo y en los lados.

Mezclar la mermelada de duraznos con la mostaza. Untar el jamón con la mezcla. Espolvorear con el queso rallado. Untar los lados de la masa con huevo.

Hornear durante 10 ó 12 minutos o hasta que tenga un color café dorado.

Bote de Jamón y Queso

Mangos en Prosciutto

6 porciones

2	mangos medianos
12	tiras de prosciutto
3	limones

Pelar y rebanar los mangos en 12 pedazos iguales.

Envolver cada pedazo con una tira delgada de prosciutto.

Cortar los limones en cuartos.

Colocar los mangos en una fuente y colocar los pedazos de limón alrededor.

Rodajas de Queso con Almendras

22-24 rodajas

1	taza almendras peladas
3	cucharadas mantequilla
115 g.	(*4 onzas*) queso crema
115 g.	(*4 onzas*) queso Havarti, rallado
2	cucharadas pimiento morrón enlatado, cortado en trocitos finos
2	cucharaditas jugo de limón
1	cucharadita sal
1	cucharadita salsa inglesa
½	cucharadita paprika

Saltear las almendras en la mantequilla, luego cortarlas en pedacitos pequeños.

En un procesador de alimentos, mezclar los quesos con el resto de los ingredientes.

Formar un rollo. Colocar las almendras en una hoja de papel de cera. Pasar el rollo de queso sobre las almendras y envolverlo con el papel de cera.

Refrigerar durante 2 horas. Quitar el papel de cera y cortar en rodajas iguales.

Ostiones al Horno

24 bocaditos

24	ostiones
4	cucharadas jugo de limón
1	cucharadita sal
½	cucharadita pimienta
1	cucharadita de perejil, picado
12	tiras de tocino

Abrir los ostiones y sacarlos de las conchas.

Mezclar el jugo de limón y los condimentos.

Verter el jugo de limón sobre los ostiones. Marinar durante 15 minutos.

Envolver cada ostión con la mitad de una tira de tocino. Sujetar con un palillo de dientes.

Asar a la parrilla, en el horno, hasta que el tocino esté crujiente.

Bocaditos de Salchichas y Piña

8 porciones

16	salchichas, cortadas por la mitad y cocidas
32	trozos de piña, fresca o enlatada
2	cucharaditas maicena
½	taza jugo de piña

Usando palillos de dientes, ensartar una mitad de salchicha y un trozo de piña. Dejar a un lado.

Mezclar la maicena con el jugo de piña.

Calentar en una cacerola a fuego lento hasta que espese.

Colocar los bocaditos en un plato y éste sobre un calientaplatos.

Verter la salsa sobre los bocaditos.

Rodajas de Queso con Almendras y Bocaditos de Salchichas y Piña

Empanadillas de Carne de Res Molida

24 bocaditos

1½	cucharadita sal
4	tazas de harina cernida
¾	taza de mantequilla
1	taza agua
450 g.	(*1 libra*) carne de res magra, molida
3	papas, en rebanadas delgadas
1	cebolla, en rebanadas delgadas
¼	cucharadita pimienta negra
1	cucharada agua

Precalentar el horno a 180 °C (*350 °F*).

Mezclar ½ cucharadita de sal con la harina. Incorporar la mantequilla a la mezcla. Agregar 1 taza de agua y amasar para obtener una masa firme.

Extender la masa con el rodillo hasta 0,3 cm. (*⅛ pulg.*) de espesor. Cortar círculos de 15 cm. (*6 pulg.*) de ancho.

Mezclar la carne molida, las papas, la cebolla, el resto de la sal, la pimienta y 1 cucharada de agua.

Dividir la mezcla en porciones iguales. Colocar sobre cada círculo una porción de la mezcla.

Doblar cada círculo por la mitad. Cerrar los bordes con un tenedor.

Hornear durante 1¼ hora.

1

Extender la masa y cortar los círculos de 15 cm. (*6 pulg.*) de ancho.

2

Colocar una porción de la mezcla sobre cada círculo.

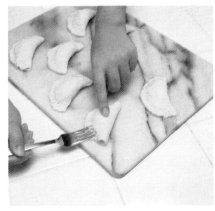

3

Doblar cada círculo por la mitad y cerrar los bordes con un tenedor.

4

Hornear durante 1¼ hora.

Wontons de Jamón y Queso

24 bocaditos

170 g.	*(6 onzas)* jamón, picado
170 g.	*(6 onzas)* queso Cheddar, en cubitos
24	masas wonton
1	huevo, batido
4	tazas *(1 L)* aceite

Mezclar el jamón con el queso. Colocar ½ cucharada en cada wonton. Untar los lados con huevo.

Doblar las masas wonton en forma de triángulos. Cerrar los bordes.

Calentar el aceite a 190 °C *(375 °F)*. Freír los wontons en aceite hasta que estén dorados. Servir calientes con una salsa al gusto.

Wontons de Pollo al Curry

24 bocaditos

225 g.	*(½ libra)* pollo, cocido y en cubitos
3	cucharadas cebolla, finamente picada
3	cucharadas apio, finamente picado
2	cucharaditas curry en polvo
¼	taza mayonesa
24	masas wonton
1	huevo, batido
4	tazas *(1 L)* aceite

Mezclar el pollo cocido con la cebolla y el apio. Agregar el curry a la mayonesa.

Mezclar el pollo y las verduras junto con el curry y la mayonesa.

Colocar ¾ de cucharada del relleno en el centro de cada wonton.

Untar con huevo. Doblar en forma de triángulos y cerrar los bordes.

Calentar el aceite a 190 °C *(375 °F)*.

Freír los wontons hasta que estén dorados.

Servir calientes con una salsa al gusto.

Wontons de Pollo al Curry

Camarones con Hierbas y Especias

8 porciones

1 kg.	(*2¼ libras*) camarones crudos, pelados y desvenados
1	receta caldo Court Bouillon (ver *Sopas*)
¼	taza mantequilla
1	cucharadita ajo en polvo
¼	taza tomates hechos puré
1	taza jugo de tomate
¾	taza agua
¼	cucharadita albahaca
¼	cucharadita orégano
¼	cucharadita tomillo
1	cucharadita sal
½	cucharadita pimienta negra
¼	cucharadita pimienta de Cayena
½	cucharadita paprika
½	taza jerez

Cocer los camarones en el Court Bouillon. Sacarlos del líquido y dejar enfriar completamente.

Derretir la mantequilla en una cacerola. Agregar el ajo en polvo, el puré de tomate, el jugo de tomate y el agua.

Cocer a fuego lento durante 5 minutos; agregar el resto de los ingredientes.

Cocer a fuego lento durante 5 minutos más. Vaciar en un tazón. Colocar los camarones alrededor del tazón.

La salsa puede usarse como un dip.

Ostiones Rockefeller

6 porciones

1½	docena ostiones
¼	taza mantequilla
284 g.	(*10 onzas*) espinacas, limpias y picadas
2	cucharadas perejil, seco
3	cucharadas cebollitas de Cambray, finamente picadas
2	cucharadas jugo de limón
2	dientes de ajo, finamente picados
1	cucharadita sal
2	cucharaditas pimienta negra
1	taza pan molido

Precalentar el horno a 180 °C (*350 °F*).

Abrir los ostiones. Soltar la carne de la concha, pero sin sacarla.

Calentar la mantequilla en una cacerola. A fuego lento, saltear delicadamente las espinacas. Retirar del fuego.

Agregar el resto de los ingredientes; mezclar bien. Colocar los ostiones en un refractario. Colocar 1 cucharada de la mezcla encima de cada ostión.

Hornear durante 35 minutos.

Servir calientes.

Camarones Helados con Mayonesa de Mostaza

6 porciones

1	huevo
3	cucharadas jugo de limón
3	cucharadas mostaza Dijon
1	cucharadita azúcar
1	pizca de pimienta
¼	cucharadita sal
1	taza aceite de oliva
1 kg.	(*2¼ libras*) camarones, pelados, desvenados, cocidos y refrigerados

En una licuadora, mezclar el huevo con el jugo de limón, la mostaza y los condimentos.

Con la máquina funcionando, verter lentamente el aceite.

Vaciar en un tazón y distribuir los camarones en rededor.

Champiñones Rellenos

Fritada de Ancas de Rana

6 porciones

24	pares de ancas de rana
2	huevos, bien batidos
¼	cucharadita sal
¼	cucharadita pimienta de Cayena
¼	taza crema espesa
½	taza harina
1	taza pan molido fino
4	tazas (*1 L*) aceite
½	taza Salsa de Miel y Mostaza (ver *Salsas*)

Separar las ancas de rana.

En un tazón, mezclar los huevos, la sal, la pimienta de Cayena y la crema.

Colocar la harina y el pan molido en tazones separados.

Espolvorear las ancas de rana con harina. Luego pasarlas por la mezcla de huevo y después por el pan molido.

Calentar el aceite a 190 °C (*375 °F*).

Freír las ancas de rana en el aceite alrededor de 5 minutos o hasta que estén doradas.

Colocar en una bandeja y servir con salsa.

Champiñones Rellenos

36 bocaditos

36	sombreretes grandes de champiñones
¼	taza mantequilla
¼	taza queso crema, a temperatura ambiente
¼	taza carne de jaiba, picada
¼	taza camarones pequeños, cocidos y picados
1	pizca nuez moscada
	sal y pimienta

Saltear los champiñones en la mantequilla a fuego máximo, alrededor de 3 minutos.

Batir el queso crema hasta que quede suave. Incorporar la carne de jaiba, los camarones, la nuez moscada y los condimentos.

Rellenar cada sombrerete con un poco de la mezcla de mariscos; colocarlos en una charola de horno.

Cocinar al horno, bajo la parrilla precalentada hasta que comiencen a burbujear.

Albóndigas de Coctel

36-48 albóndigas

225 g.	(½ *libra*) carne de res magra, molida
115 g.	(¼ *libra*) carne de cerdo, molida
115 g.	(¼ *libra*) carne de cordero, molida
½	taza pan molido
½	taza jerez
1	cebolla pequeña, finamente picada
1	huevo, batido
1	diente de ajo, finamente picado
1	cucharada perejil, seco
½	cucharadita sal
½	cucharadita pimienta
½	cucharadita orégano
½	cucharadita albahaca
½	cucharadita tomillo

Salsa

1	taza salsa de tomate picante
½	taza jalea de manzana
1	cucharadita paprika
1	cucharadita albahaca

Precalentar el horno a 180 °C (*350 °F*).

Mezclar bien todas las carnes molidas. Incorporar el resto de los ingredientes.

Formar pequeñas bolas. Hornear durante 12 minutos o hasta que estén listas.

Mezclar en una cacerola la salsa de tomate, la jalea y los condimentos.

Calentar lentamente sin dejar hervir.

Colocar las albóndigas en un platón, vaciar sobre ellas la salsa y servir.

Almejas Casino

24 bocaditos

2	docenas almejas pequeñas, limpias
1	huevo, duro
¼	taza mantequilla
3	cebollas, finamente picadas
½	cucharadita orégano
½	cucharadita sal
½	cucharadita pimienta
½	taza pan molido
4	tiras de tocino, picadas

Precalentar el horno a 200 °C (*400 °F*).

Sacar las almejas de sus conchas. Guardar las conchas.

En un procesador de alimentos, picar en forma gruesa la carne de las almejas y el huevo.

Derretir la mantequilla en una cacerola y agregar la mezcla de almejas y las cebollas. Saltear hasta que estén blandas.

Mezclar los condimentos con el pan molido. Incorporar a la mezcla de almejas.

Colocar con una cuchara la mezcla en las conchas. Cubrir con el tocino.

Hornear durante 20 minutos o hasta que estén doradas.

Servir con una salsa de tomate picante.

Caracoles con Prosciutto

24 bocaditos

24	caracoles grandes, enlatados
1	receta caldo Court Bouillon (ver *Sopas*)
6	tiras de prosciutto
¼	taza mantequilla
1	cucharadita ajo, finamente picado
½	cucharadita perejil
½	cucharadita jugo de limón

Precalentar el horno a 260 °C (*500 °F*).

Escurrir y lavar los caracoles. Cocer a fuego lento durante 10 minutos en el Court Bouillon. Escurrir y enfriar.

Mientras los caracoles están cociéndose, cortar cada tira de prosciutto en 4 partes.

Suavizar la mantequilla y agregarle el ajo, perejil y jugo de limón.

Envolver cada caracol en una tira de prosciutto. Sujetar con un palillo de dientes.

Colocar una pequeña brocheta en cada cavidad del plato para caracoles.

Poner un poco de mantequilla con ajo en cada caracol.

Hornear durante 5 minutos. Servir con Pan de Ajo con Queso, (ver *Quesos*).

Mini Pizzas

6 porciones

6	panquecitos ingleses
¼	cucharadita orégano
¼	cucharadita tomillo
¼	cucharadita albahaca
¼	cucharadita sal

Mini pizzas

¼	cucharadita pimienta
1	taza salsa de tomate (ver *Salsas*)
12	rebanadas de salame
1	taza queso de hebra, rallado
12	rebanadas de tomate
½	pimiento verde, en cubitos
24	trozos de piña

Precalentar el horno a 200 °C (*400 °F*).

Cortar los panquecitos por la mitad.

Mezclar los condimentos con la salsa de tomate.

Extender 2 cucharaditas de salsa en cada mitad de panquecito. Cubrir la salsa con 1 rebanada de salame. Espolvorear con queso.

Cubrir el queso con una rebanada de tomate, un poco de pimiento verde y 2 trozos de piña por cada mitad de panquecito.

Hornear de 5 a 7 minutos o hasta que el queso se derrita.

Brochetas de Mariscos

6 porciones

6	tiras de tocino
12	callos de hacha grandes
12	camarones gigantes, pelados y desvenados
12	champiñones medianos, enteros
12	tomates miniatura
1	taza Salsa Teriyaki (ver *Salsas*)

Cortar las tiras de tocino por la mitad. Envolver cada callo de hacha con un pedazo de tocino.

En cada brocheta, ensartar alternando 2 camarones, 2 callos de hacha, 2 champiñones y 2 tomates.

Asar bajo la parrilla, 5 minutos por cada lado, untando con Salsa Teriyaki.

Servir calientes.

Camarones en Salsa de Arándanos

6 porciones

675 g.	(*1½ libra*) camarones, pelados y desvenados
1	receta caldo Court Bouillon (ver *Sopas*)
1	cucharada maicena
⅛	cucharadita sal
1	cucharadita jugo de limón
¾	taza azúcar
1	taza agua
2	tazas arándanos

Cocer los camarones en el caldo Court Bouillon. Escurrir y refrigerar.

Incorporar la maicena, sal, jugo de limón y azúcar al agua.

Calentar hasta que suelte el hervor.

Agregar los arándanos y cocer a fuego lento durante 10 minutos. Refrigerar.

Vaciar la salsa en un platón y colocar los camarones encima.

Caracoles

4 porciones

24	sombreretes de champiñones
2	cucharadas mantequilla de ajo
24	caracoles
1	paquete (*125 g.*) queso crema
2	cucharadas mantequilla de ajo
1	taza queso de hebra, rallado
1	taza queso suizo, rallado
1	taza queso Cheddar fuerte, rallado
	Pan de Ajo con Queso (ver *Quesos*)

Saltear los sombreretes de champiñones en la primera cantidad de mantequilla a fuego alto.

Colocar un caracol en cada cavidad del plato para caracoles. Cubrir con 1 cucharadita de queso crema y un sombrerete de champiñón.

Poner ¼ cucharadita de mantequilla de ajo sobre cada caracol.

Colocar los platos bajo la parrilla precalentada hasta que estén burbujeantes.

Mezclar los quesos rallados y espolvorear sobre cada plato. Volver a colocar bajo la parrilla solamente para que se derrita el queso.

Servir muy calientes con Pan de Ajo con Queso.

Ostiones Remique

6 porciones

½	taza salsa de tomate picante
½	taza salsa picante de rábano blanco
1	taza queso Cheddar fuerte, rallado
1	taza queso de hebra, rallado
1	taza queso Manchego, rallado
36	ostiones
2	tazas pan molido fino

Precalentar el horno a 230 °C (*450 °F*).

Mezclar la salsa de tomate con la salsa de rábano blanco. Mezclar los quesos rallados.

Abrir los ostiones; escurrirlos. Desechar la concha plana de arriba y soltar la carne.

Colocar sobre cada ostión en la concha 1 cucharadita de la mezcla de salsa de tomate picante y espolvorear con queso.

Cubrir con el pan molido y hornear hasta que el queso esté dorado.

1

Abrir los ostiones y escurrirlos.

2

Desechar la concha plana de arriba y soltar la carne.

3

Colocar sobre cada ostión en la concha 1 cucharadita de la mezcla de salsa de tomate picante y espolvorear con queso.

4

Cubrir con el pan molido y hornear hasta que el queso esté dorado.

Mejillones al Vapor

8-10 porciones

1 kg.	(2¼ libras) mejillones
1	cebolla, finamente picada
1	zanahoria, en rebanadas
1	tallo de apio, en rebanadas
1	taza vino blanco
2	tazas agua
8	granos de pimienta
1	hoja laurel
1	cucharadita sal
2	ramitas de perejil
1	taza miel líquida
1	cucharada ajo en polvo

Limpiar los mejillones y sacarles las barbas.

En una olla grande, colocar la cebolla, zanahoria, apio, vino, agua, y los condimentos. Calentar hasta que suelte el hervor.

Agregar los mejillones y tapar. Cocer al vapor durante 5 minutos o hasta que los mejillones se abran; desechar cualquiera que no se abra.

Mientras los mejillones están cocinándose al vapor, calentar la miel en una cacerola y agregarle, batiendo, el ajo en polvo. Asegurarse de que no queden grumos.

Escurrir bien los mejillones. Colocar en una fuente grande.

Verter la miel sobre los mejillones y revolver bien.

Servir con pan francés o Pan de Ajo con Queso (ver *Quesos*).

Mejillones al Vapor

Huevos al Té

12 porciones

12	huevos grandes
½	taza salsa soya
115 g.	(4 onzas) té suelto
2	cucharaditas sal
¼	cucharadita nuez moscada
¼	cucharadita clavo, molido
¼	cucharadita canela

Hervir los huevos en suficiente agua que los cubra, durante 10 minutos.

Mezclar la salsa soya con el té, la sal, nuez moscada, clavo y canela.

Sacar los huevos. Romper las cáscaras golpeando suavemente con una cucharita y volver a colocar en el agua.

Verter la mezcla de salsa soya en el agua. Tapar y cocer a fuego lento de 45 a 60 minutos.

Dejar enfriar en el líquido. Colocar en el refrigerador durante dos días.

Pelar los huevos. Cortar por la mitad y servir.

Dip de Aguacate

2 1/4 tazas

1	aguacate maduro
1	paquete (*250 g.*) queso crema o ricotta
1/2	taza mayonesa
1	cucharada jugo de limón
1	cucharadita perifollo
1	cucharadita albahaca
1	cucharadita cebollines
1/2	cucharadita sal

Pelar el aguacate, rebanarlo y hacerlo puré. Acremar el aguacate con el queso.

Incorporar el resto de los ingredientes. Servir con verduras, papas fritas, camarones, etc.

Dip de Curry

1 1/2 taza

1	taza mayonesa
3	cucharadas salsa de tomate picante
1	cucharada curry en polvo
1	cucharada salsa inglesa
1	cucharada cebolla, finamente picada
1/4	cucharadita sal
1/4	cucharadita pimienta

Mezclar bien todos los ingredientes.

Usar con mariscos fríos, papas fritas, verduras o alimentos fritos.

Dip de Roquefort y Dip de Curry

Dip de Roquefort

2 tazas

90 g.	(*3 onzas*) queso Roquefort o azul
1	paquete (*250 g.*) queso crema
1/2	taza crema agria
1/4	cucharadita cebolla en polvo

Desmoronar el queso.

Mezclar todos los ingredientes.

Usar para las verduras que acompañan las alas de pollo fritas o cualquier otra fritura.

Dip de Cebolla

2 tazas

1	paquete (*250 g.*) queso crema, a temperatura ambiente
1	taza crema agria
1	sobre de sopa de cebolla en polvo
2	cucharadas cebollines, picados
1	cucharadita perifollo, seco
1	cucharadita paprika
1	cucharadita salsa inglesa

Combinar todos los ingredientes; batir hasta formar una crema.

Servir con verduras frescas o papas fritas.

Dip Mexicali

7 tazas

2	tazas crema agria
1	taza queso crema
1	cucharadita chile en polvo
¼	cucharadita tomillo
¼	cucharadita albahaca
¼	cucharadita pimienta
1	cucharadita sal
2	cebollitas de Cambray, picadas
2	tazas salsa de tomate picante
1½	taza queso Cheddar mediano, rallado
1	cebolla, picada
1	pimiento verde, picado

Mezclar bien la crema agria y el queso crema.

Agregar los condimentos y las cebollitas a la salsa de tomate y mezclar todo con la crema agria.

Espolvorear el queso Cheddar por encima.

Cubrir esparciendo cebolla y pimiento verde. Servir con tostaditas de maíz.

Variante: Freír 115 g. (4 onzas) de tocino picado hasta que quede crujiente; escurrir. Esparcir sobre el queso Cheddar.

Dip para Verduras

2 tazas

¼	taza crema espesa
1	paquete (*250 g.*) queso crema
¼	taza jerez
2	cucharadas cebolla, finamente picada
¼	cucharadita sal
¼	cucharadita mostaza en polvo
¼	cucharadita perifollo
¼	cucharadita albahaca
¼	cucharadita cebollines
¼	cucharadita paprika

Mezclar la crema, el queso y el jerez. Agregar la cebolla y los condimentos. Mezclar bien.

Servir con verduras crudas.

Dip Mexicali, Dip de Cebolla y Dip para Verduras

Patés

Los patés son básicamente una combinación de carne molida, condimentos y agentes aglutinantes, cocidos en un molde.

Los mousses son similares pero son más delicados que los patés y por lo general utilizan pescado o verduras y se les agrega gelatina.

Los patés varían de muy sencillos a complejos, pero mientras más se dedique a prepararlos, más le atraerá probar otras recetas. No se desaliente si la receta parece complicada, solamente dedíquele todo el tiempo que sea necesario y obtendrá resultados dignos de sus esfuerzos.

Sugerencias para lograr éxito con los patés

A) Cuando la receta necesite tocino, colóquelo entre dos hojas de papel de cera y adelgácelo con el rodillo, teniendo cuidado de no romperlo. Escáldelo para quitarle el sabor ahumado.

B) Cuando utilice un procesador de alimentos, enfríe el tazón, las cuchillas y los ingredientes y trabaje con cantidades pequeñas cada vez.

C) Si la receta exige cocer en baño maría, coloque el molde en un recipiente más grande con agua y mantenga el nivel del agua a dos tercios del borde del molde.

D) Colocar un peso sobre el paté después de cocerlo le da una textura más densa. Coloque el peso 30 minutos después de haber sacado el molde del horno.

E) Los patés deben cubrirse con una capa de grasa, preferiblemente lonja de cerdo (lardo), antes de cocerlos.

F) Quite todas las membranas y los vasos sanguíneos de cualquier clase de hígado, antes de usarlo en un paté.

Mousse de Camarones y Salmón

10 porciones

1	cucharada gelatina sin sabor
¼	taza vino blanco
1½	taza consomé de pollo o pescado
½	taza mayonesa
1	cucharadita sal
¼	cucharadita nuez moscada
1	cucharadita paprika
½	cucharadita pimienta
1	cucharada ralladura de cáscara de limón amarillo
1	cucharada cebolla, finamente picada
½	taza apio, finamente picado
1½	taza camarones cocidos, finamente picados
½	taza galletas saladas, finamente molidas
1	taza crema espesa
2	tazas salmón cocido, desmenuzado

Mousse de Camarones y Salmón

Disolver la gelatina en el vino. Agregar el consomé y calentar hasta que suelte el hervor.

Medir ¾ de taza de caldo. Verter en un molde de hacer pan ligeramente engrasado de 22 x 12 cm. (*9 x 5 pulg.*). Dejar cuajar en el refrigerador.

En un tazón grande, combinar la mayonesa, sal, nuez moscada, paprika, pimienta, cáscara de limón, cebolla y apio.

Agregar ¾ de taza de caldo, en forma envolvente.

Incorporar los camarones, las galletas saladas y la crema.

En otro tazón, mezclar el salmón con el resto del caldo.

Verter la mitad de la mezcla de camarones en el molde de pan, cubrir con la mezcla de salmón.

Luego vaciar el resto de la mezcla de camarones encima del salmón.

Refrigerar de 5 a 6 horas o toda la noche. Desmoldar y servir.

Paté de Pollo y Pistaches

20 porciones

150 g.	(*⅓ libra*) puntas de espárragos
1 kg.	(*2¼ libras*) pollo deshuesado y sin piel
2	huevos
2	tazas crema espesa
1	cucharadita sal
½	cucharadita pimienta
1	taza pistaches, sin sal, sin cáscaras

Precalentar el horno a 160 °C (*325 °F*).

Escaldar los espárragos. Escurrirlos y secarlos.

Pasar el pollo por un procesador de alimentos hasta que quede muy suave.

Agregar los huevos, crema, sal y pimienta. Mezclar bien. Agregar los pistaches a mano.

Forrar un molde de 22 x 12 cm. (*9 x 5 pulg.*) con papel de aluminio. Dejar sobresalir un poco sobre los bordes. Enmantequillar el aluminio.

Verter la mitad de la mezcla de pollo en el molde. Colocar encima los espárragos. Vaciar el resto de la mezcla.

Enmantequillar un pedazo de papel de cera y colocarlo con el lado enmantequillado hacia el mousse. Colocar en un refractario grande con 4 cm. (*1½ pulg.*) de agua.

Hornear durante 40 minutos. Sacar. Colocar un peso liviano encima durante 2 horas.

Refrigerar. Desmoldar y servir.

Paté de Champaña

20 porciones

1 kg.	(*2¼ libras*) hígados de pollo
450 g.	(*1 libra*) carne de salchicha
450 g.	(*1 libra*) carne de ternera magra
1	diente de ajo, finamente picado
1	cucharadita mejorana
1	cucharadita tomillo
1	cucharadita sal
1	cucharadita paprika
3	huevos, ligeramente batidos
½	taza champaña

Precalentar el horno a 190 °C (*375 °F*).

Pasar las carnes por un procesador de alimentos hasta que queden finamente molidas.

Mezclar las carnes con el ajo y los condimentos. Agregar los huevos y el champaña. Engrasar ligeramente un molde de 22 x 12 cm. (*9 x 5 pulg.*) y llenar con la mezcla.

Hornear durante 2 horas. Sacar el paté; colocar un peso encima (2 ladrillos). Enfriar. Refrigerar y servir.

Paté de Pato con Naranja

20 porciones

1 kg.	(*2¼ libras*) carne de pato
225 g.	(*½ libra*) pechuga de pollo, cortada en tiras de 2,5 cm. (*1 pulg.*)
225 g.	(*½ libra*) carne de cerdo magra, cortada en tiras de 2,5 cm. (*1 pulg.*)
340 g.	(*¾ libra*) tocino
1	hígado de pato
2	cebollitas de Cambray, finamente picadas
1¼	taza jugo de naranja
⅔	taza licor de naranja
2	cucharaditas sal
1	cucharada granos de pimienta verde
⅓	taza pan molido fino
3	huevos, batidos
2	tazas chabacanos, finamente picados
½	taza pistaches (*opcional*)

Precalentar el horno a 180 °C (*350 °F*).

Pasar por el procesador de alimentos el pato, el pollo y el cerdo hasta que queden suaves. (Un poco cada vez).

Luego procesar la mitad del tocino y el hígado de pato hasta formar una pasta suave.

En un tazón grande, mezclar bien las carnes, cebollitas, jugo, licor, sal, granos de pimienta, pan molido y huevos. Agregar los chabacanos y los pistaches.

Forrar un molde grande para pan con el resto del tocino. Vaciar la mezcla con una cuchara.

Enmantequillar un pedazo de papel de cera. Colocarlo sobre la mezcla con el lado enmantequillado hacia abajo.

Cocinar en baño maría durante 1½ hora. Sacar del horno y dejar reposar durante 30 minutos. Colocar un peso encima durante toda la noche.

Refrigerar durante 5 días.

Desmoldar; retirar el tocino. Quitar el exceso de grasa.

Cortar en rebanadas y servir.

Paté de Queso y Verduras

16-20 porciones

2	tazas brócoli
2	tazas zanahorias, peladas y en cubitos
3	cucharadas mantequilla
1	cebolla, finamente picada
115 g.	(*4 onzas*) champiñones
2	cucharadas gelatina sin sabor
1	taza jerez
1	taza consomé de pollo
2	tazas queso Havarti, rallado
½	taza mayonesa
1	taza crema espesa
1	cucharada ralladura de cáscara de limón amarillo
½	taza pan molido
1	cucharadita sal
½	cucharadita pimienta
1	cucharadita paprika

Hervir el brócoli y las zanahorias hasta que queden blandas. Pasar por un procesador de alimentos y picar finamente.

Calentar la mantequilla; saltear la cebolla y los champiñones rebanados. Vaciar en un tazón grande. Agregar las zanahorias y el brócoli.

Disolver la gelatina en el jerez. Agregar al consomé de pollo; calentar hasta que suelte el hervor. Enfriar, sin refrigerar.

Incorporar el resto de los ingredientes. Agregar las verduras. Vaciar en un molde ligeramente enmantequillado.

Refrigerar de 4 a 6 horas o durante toda la noche.

Desmoldar y servir.

1

Saltear la cebolla y los champiñones en la mantequilla y vaciar en un tazón grande con las zanahorias y el brócoli.

2

Disolver la gelatina en el jerez y agregar al consomé de pollo.

3

Vaciar la mezcla en un molde ligeramente enmantequillado.

4

Refrigerar de 4 a 6 horas, o durante toda la noche, luego desmoldar y servir.

Timbal de Salmón Ahumado con Crema de Langosta

4 porciones

225 g.	(*½ libra*) filete de salmón ahumado
¾	taza crema, batida
1	cucharadita mantequilla
2	cucharadas chalotes, en cubitos
¼	taza crema espesa
170 g.	(*6 onzas*) carne de langosta cocida, picada
½	cucharadita sal
¼	cucharadita pimienta
	granos de pimienta verde

Precalentar el horno a 140 °C (*275 °F*).

Cortar el salmón en cubitos; refrigerar bien y pasar por el procesador de alimentos.

Batiendo, incorporar la crema batida. Mantener la mezcla fría.

Calentar la mantequilla en una cacerola. Agregar los chalotes y cocer hasta que estén blandos.

Agregar la crema y dejar espesar. Colar bien a través de un cedazo.

Agregar la langosta, sal y pimienta. Dejar enfriar. Engrasar bien 4 moldes de timbal. Cubrir el fondo y los lados con un poco de la mezcla de salmón.

Vaciar la mezcla de langosta en el molde y poner encima el resto del salmón.

Cocer en baño maría durante 15 minutos.

Servir con salsa Mornay (ver *Salsas*) y adornar con granos de pimienta verde.

Paté de Hígados de Pollo y Manzanas

16-20 porciones

1 kg.	(*2¼ libras*) hígados de pollo
225 g.	(*½ libra*) carne de cerdo, molida
1	cucharadita sal
¼	cucharadita pimienta
450 g.	(*1 libra*) manzanas, mondadas y cortadas en cubitos finos
¼	taza aguardiente de manzana
1	taza crema espesa
3	huevos, batidos
½	taza pan molido fino
8	tiras de tocino

Precalentar el horno a 180 °C (*350 °F*).

Pasar por el procesador de alimentos los hígados de pollo, el cerdo, sal y pimienta hasta que queden muy suaves.

En un tazón grande, mezclar las manzanas, el aguardiente, crema, huevos y pan molido.

Incorporar la carne.

Forrar un molde de 22 x 12 cm. (*9 x 5 pulg.*) con papel de aluminio. Engrasar el aluminio.

Colocar una capa de tocino sobre el aluminio y agregar la mezcla.

Enmantequillar un papel de cera y colocarlo encima, con el lado enmantequillado hacia abajo.

Cocer en baño maría durante 2 horas. Sacar del horno y colocar un peso encima.

Refrigerar toda la noche con los pesos. Quitar los pesos.

Refrigerar de 3 a 4 días. Desmoldar. Retirar el tocino y quitar el exceso de grasa.

Rebanar y servir.

Paté con Pimienta Negra y Coñac

Paté con Pimienta Negra y Coñac

10 porciones

280 g.	(*10 onzas*) hígado de cerdo
280 g.	(*10 onzas*) hígado de ternera
340 g.	(*¾ libra*) tocino
1	cebolla pequeña, finamente picada
2	huevos
1	cucharadita sal
½	cucharadita pimienta de Jamaica
¼	cucharadita canela
¼	cucharadita jengibre
2	cucharadas mantequilla
2	cucharadas harina
1	taza crema espesa
¼	taza coñac
½	taza consomé de pollo
340 g.	(*¾ libra*) lonja de cerdo (lardo), en rebanadas delgadas
2	tazas granos de pimienta negra, machacados

Precalentar el horno a 180 °C (*350 °F*).

Limpiar bien los hígados (quitarles los vasos sanguíneos, piel, etc.).

Moler o pasar por el procesador de alimentos los hígados y el tocino hasta dejarlos bien molidos. Moler o pasar la cebolla por el procesador de alimentos.

Batir los huevos, agregar los condimentos en forma envolvente.

Calentar la mantequilla, agregar la harina y formar una pasta. Cocer durante 2 minutos. No dejar dorar.

Agregar la crema, coñac y consomé de pollo. Cocer a fuego lento hasta que espese.

Dejar que la mezcla de la crema se enfríe; agregarle los huevos en forma envolvente.

Agregar el hígado molido y la cebolla molida y batir hasta que todo quede bien mezclado.

Forrar un molde con la mitad de la lonja de cerdo.

Vaciar la mezcla en el molde. Colocar el resto de la lonja encima. Cubrir con papel de aluminio.

Cocer en baño maría durante 1½ hora. Quitar el papel de aluminio y enfriar.

Cuando esté completamente frío, desmoldar.

Retirar la lonja y quitar el exceso de grasa. Cubrir los lados, los extremos, el fondo y la parte superior con los granos de pimienta.

Rebanar y servir.

Sopas

No hay nada como un buen plato de sopa casera para darle a una comida un toque familiar y hogareño. La sopa nos hace sentir que la persona que preparó la comida realmente se preocupa por sus comensales.

La sopa además tiene un carácter mágico. Todos sabemos que hay algo de verdad en la antigua creencia de que la sopa es el alimento ideal para los enfermos. En efecto, al cocer la sopa a fuego lento, las vitaminas y los nutrimentos se disuelven en el caldo mismo y son más fáciles de asimilar.

Caldos para Sopas y Salsas

El caldo es la esencia de una buena sopa o salsa. Si el caldo es débil, el producto final también lo será. Los mejores caldos se logran con ingredientes frescos, cocidos a fuego lento.

Este capítulo incluye recetas para caldos de res, pollo, pescado y verduras, todos los cuales serán útiles para su repertorio culinario básico.

Tipos Básicos de Sopa

Las **cremas** pueden ser preparadas con cualquier número de ingredientes, incluyendo verduras, pescado o carne, y espesadas con maicena y suavizadas con leche o crema. La mayoría de las cremas son servidas de modo que los ingredientes queden reducidos a un puré de consistencia suave.

Las **sopas de mariscos** generalmente se refieren a cremas preparadas a base de mariscos y a las cuales se agrega vino o jerez.

Las **sopas de pescado y mariscos** son similares a las cremas pero los ingredientes no son convertidos en puré.

Los **purés** generalmente son preparados a base de legumbres secas (tales como frijoles, lentejas o chícharos). Las legumbres secas también sirven como agente espesador y a menudo son cocidas en caldos de sabor fuerte (jamón, cordero) y a veces se les agrega crema.

Los **caldos** se caracterizan por ser de sabor fuerte, algunas veces se sirven solos, pero más a menudo se utilizan como base para otras sopas. Los caldos más comunes son los de res, pollo, pescado, tomate y verduras.

Los **consomés** son caldos de sabor fuerte y rico, los cuales han sido colados para que queden completamente claros. Algunas veces se les agrega pastas, verduras, carne o lo que la imaginación sugiera.

Crema de Tomate y Arroz

8 porciones

½	taza mantequilla
1	cebolla pequeña, finamente picada
1	zanahoria grande, finamente picada
2	tallos de apio, finamente picados
4	tazas (1 L) caldo de pollo
3	tazas tomates hechos puré
1	taza tomates, picados
1	taza harina

4	tazas (1 L) crema espesa
1	taza arroz cocido
¼	cucharadita pimienta
1	cucharadita sal

En una olla, calentar la mantequilla.

Agregar las verduras y saltearlas hasta que estén blandas.

En una cacerola, calentar el caldo, el puré de tomate y los tomates.

Agregar la harina a las verduras salteadas. Cocer durante 2 minutos.

Agregar la crema y cocer a fuego lento hasta que quede muy espesa. Incorporar lentamente, batiendo, el caldo de tomate a la crema.

Agregar el arroz y los condimentos.

Servir inmediatamente.

Crema de Tomate y Arroz

Caldo de Res o de Pollo

6-7 tazas (1,5 L)

¼	taza margarina (para el caldo de res solamente)
1 kg.	(*2¼ libras*) huesos de res o huesos de pollo con carne
10	tazas agua fría
2	tallos de apio, picados en forma gruesa
2	zanahorias, picadas en forma gruesa
1	cebolla, picada en forma gruesa
½	cucharadita sal
¼	cucharadita pimienta
1	pizca tomillo
1	pizca hojas de orégano, secas
1	pizca salvia

En una olla de hierro, dorar en la margarina los huesos de res a fuego lento, durante 30 minutos, revolviendo ocasionalmente. (Los huesos de pollo no necesitan ser dorados.)

Agregar agua y el resto de los ingredientes; cocer a fuego lento, sin tapar, durante 3 o 4 horas, sacando cualquier grasa o espuma que aparezca en la superficie.

Sacar la carne, los huesos y las verduras. Pasar por un cedazo.

Enfriar el caldo y quitar la grasa de la superficie.

Ambos caldos tienen mejor sabor después de 24 horas de reposo. Utilizar según se necesite.

Caldo de Pescado

8 tazas (2 L)

2,2 kg.	(*5 libras*) pescado, menudencias y huesos
1	cebolla, cortada en cubitos
3	zanahorias, en cubitos
3	tallos de apio, en cubitos
2	hojas de laurel
3	ramitas de perejil
1	diente de ajo
1	cucharada sal
10	granos de pimienta
12	tazas (*3 L*) agua

Cortar el pescado en pedazos pequeños. Colocar en una olla grande. Agregar las verduras y los condimentos. Cubrir con agua.

Calentar suavemente sin hacer hervir. Cocer a fuego lento durante 2 horas. Mientras se está cociendo, quitar cualquier espuma que pueda formarse en la superficie.

Pasar por un cedazo y luego a través de una estopilla.

Utilizar según se necesite.

Caldo de Verduras

6-8 tazas (1,5 – 2 L)

¼	taza mantequilla
2	cebollas, en cubitos
6	zanahorias, en cubitos
4	tallos de apio, en cubitos
1	diente de ajo, machacado
450 g.	(*1 libra*) tomates, en cubitos
2	cucharadas perejil
10	granos de pimienta
1	cucharadita tomillo
2	hojas de laurel
2	cucharaditas sal
12	tazas (*3 L*) agua

En una olla, calentar la mantequilla.

Saltear las cebollas, zanahorias, apio y ajo hasta que queden blandos.

Agregar los tomates, condimentos y agua.

Cocer a fuego lento hasta que el agua disminuya a la mitad.

Colar y usar según se necesite.

Caldo Court Bouillon

16 tazas (4 L)

16	tazas (*4 L*) agua
1	cucharada granos de pimienta verde
1	cucharada sal
1	cebolla, rebanada
2	zanahorias, picadas
1	tallo de apio, picado
1	limón, cortado por la mitad
1	taza vino blanco
1	ramillete de hierbas*

Combinar todos los ingredientes.

Hacer hervir durante 10 minutos.

Colar a través de una estopilla. Guardar el líquido.

Usar el líquido para cocinar pescado y mariscos.

* Un ramillete de hierbas incluye: tomillo, mejorana, granos de pimienta, hoja de laurel y perejil, atados en una estopilla.

Sopa de Chícharos

8 porciones

⅓	taza mantequilla
¼	taza cebolla, finamente picada
¼	taza apio, finamente picado
¼	taza zanahorias, finamente picadas
⅓	taza harina
4	tazas (*1 L*) caldo de pollo
115 g.	(*¼ libra*) jamón cocido, en cubitos
2	tazas chícharos, congelados
2	tazas crema ligera

En una olla, calentar la mantequilla.

Saltear la cebolla, el apio y las zanahorias hasta que estén blandos.

Agregar la harina y cocinar durante 2 minutos.

Agregar el caldo de pollo, el jamón y los chícharos.

Cocer a fuego lento durante 10 minutos.

Agregar la crema; cocer a fuego lento por 10 minutos más.

Servir caliente.

Sopa de Chícharos

Sopa de Arvejas Amarillas Partidas

8 porciones

1	taza arvejas amarillas, partidas
2	cucharadas mantequilla
1	cebolla, finamente picada
1	zanahoria, finamente picada
2	tallos de apio, finamente picados
1	hueso de jamón
4	tazas (*1 L*) caldo de pollo
2	tazas agua
4	tazas tomates, picados
¼	cucharadita pimienta
1	taza crema espesa

Remojar las arvejas toda la noche.

Derretir la mantequilla en una olla.

Saltear la cebolla, zanahoria y apio.

Agregar el hueso de jamón, el caldo de pollo, el agua y las arvejas. Cocer a fuego lento hasta que las arvejas estén blandas.

Sacar el hueso de jamón. Agregar los tomates y la pimienta.

Cocer a fuego lento durante 10 minutos más.

Agregar la crema y cocer a fuego lento durante 2 minutos más.

Vichyssoise

6 porciones

4	poros
¼	taza mantequilla
1½	taza papas, peladas y en rebanadas finas
4	tazas (*1 L*) caldo de pollo
1	taza crema espesa
½	cucharadita sal
¼	cucharadita pimienta
1	cucharada cebollines, finamente picados

Recortar los poros. Desechar la raíz y las puntas de los tallos hasta dejarlos a 5 cm. (*2 pulg.*) más arriba de la parte blanca.

Rebanar y lavar los poros. Cortar en cubitos.

Calentar la mantequilla en una cacerola de 8 tazas (*2 L*) de capacidad.

Saltear los poros durante 5 minutos. No dejar dorar. Agregar las papas y el caldo de pollo.

Tapar y cocer a fuego lento hasta que las papas estén blandas. Pasar por un cedazo o molinillo de alimentos.

Volver a calentar y agregar la crema, sal y pimienta. Servir aderezada con los cebollines.

La vichyssoise generalmente se sirve fría.

Sopa de Arándanos y Plátanos

6 porciones

4	plátanos
3	cucharadas de jugo de limón
6	tazas (*1,5 L*) de jugo de manzana
¼	taza de azúcar
1½	cucharada de maicena
½	cucharadita de canela
2½	tazas crema espesa
2	tazas arándanos

En un procesador de alimentos, hacer puré los plátanos con el jugo de limón.

Colocar en una olla y calentar hasta que suelte el hervor con 3½ tazas de jugo de manzana. Agregar el azúcar, y dejar a un lado.

Mezclar la maicena con el resto del jugo de manzana.

Agregar a la sopa. Cocer a fuego lento durante 2 minutos. Retirar del fuego y enfriar en el refrigerador.

Agregar la canela a la crema. Incorporar la mezcla a la sopa, batiendo. Agregar los arándanos.

Servir en tazones de sopa helados.

Gazpacho

6 porciones

2	dientes de ajo, finamente picados
2	pimientos verdes, en cubitos pequeños
3	tallos de apio, en cubitos pequeños
1	cebolla, en cubitos pequeños
3	tazas tomates, pelados, sin semillas y picados
3	tazas caldo de pollo
1	cucharada sal
1	cucharadita paprika
½	cucharadita pimienta negra triturada
1	cucharada salsa inglesa
1	pepino, en cubitos pequeños
3	cucharadas jugo de limón
3	cucharadas aceite de oliva
½	pepino, en rebanadas

En un procesador de alimentos, mezclar el ajo, la mitad de los pimientos verdes, la mitad del apio y la mitad de las cebollas con los tomates.

Vaciar en un tazón grande. Incorporar el caldo de pollo, los condimentos, el pepino en cubitos, el jugo de limón y el aceite.

Agregar el resto de los pimientos verdes, del apio y de las cebollas.

Refrigerar durante 24 horas. Vaciar en tazas de sopa heladas.

Adornar con rebanadas de pepino.

Vichyssoise y Sopa de Arándanos y Plátanos

Estofado de Ostiones

8 porciones

115 g.	(¼ *libra*) tocino, picado
3	cucharadas mantequilla
4	papas, peladas y en cubitos
1	cebolla, en cubitos
2	zanahorias, en cubitos
2	tallos de apio, en cubitos
3	cucharadas harina
4	tazas (*1 L*) caldo de pescado
2	tazas crema espesa
2	tazas ostiones, sin concha

En una cacerola, saltear el tocino y sacar el exceso de grasa.

Derretir la mantequilla y saltear las verduras.

Agregar la harina y formar una pasta.

Agregar el caldo de pescado y la crema. Revolver y cocer a fuego lento.

Agregar los ostiones y cocer a fuego lento durante 30 minutos.

Sopa de Pollo y Arroz a la Antigua

8 porciones

2	cucharadas mantequilla
1	cebolla, finamente picada
2	tallos de apio, finamente picados
2	zanahorias grandes, finamente picadas
3	tazas pollo, cocido y en cubitos
8	tazas (*2 L*) caldo de pollo
1½	taza arroz, cocido
2	cucharadas perejil, picado

En una olla, calentar la mantequilla, agregar la cebolla, apio y zanahorias. Saltear hasta que estén blandos.

Agregar el pollo y el caldo. Cocer a fuego lento durante 15 minutos.

Agregar el arroz y el perejil. Cocer a fuego lento durante 5 minutos más.

Servir muy caliente.

Sopa de Tomate

6 porciones

1	cucharada aceite
¼	taza cebollas, finamente picadas
¼	taza apio, finamente picado
¼	taza pimiento verde, finamente picado
4	tazas tomates, picados
1	hoja de laurel
¼	cucharadita tomillo
¼	cucharadita mejorana
¼	cucharadita pimienta triturada
1	cucharadita sal
1	cucharadita perejil, picado
4	tazas (*1 L*) caldo de pollo

Calentar el aceite en una cacerola. Agregar las cebollas, apio, pimiento verde y saltear hasta que queden blandos.

Agregar los tomates, condimentos y caldo de pollo.

Hacer hervir; bajar a fuego lento y cocer durante 5 minutos.

Sacar la hoja de laurel y servir.

Sopa de Cebolla Gratinada

8 porciones

1	pan francés, tipo baguette, de aprox. 7 cm. (*3 pulg.*) de diámetro
3	cucharadas mantequilla
2	tazas cebollas, en rebanadas finas
¼	taza harina
5	tazas (*1,5 L*) caldo de res, ligero
	sal y pimienta
¾	taza queso Cheddar mediano, rallado
¾	taza queso suizo, rallado
¼	taza queso Parmesano, rallado

Precalentar el horno a 160 °C (*325 °F*).

Cortar el pan francés en rebanadas de aproximadamente 1,5 cm. (*½ pulg.*) de grueso.

Hornear de 25 a 30 minutos o hasta que el pan esté seco y ligeramente dorado. Dejar a un lado.

Derretir la mantequilla en una cacerola; cocer las cebollas a fuego bajo, revolviendo ocasionalmente hasta que las cebollas tengan un color café dorado, más o menos 30 minutos.

Espolvorear la harina sobre las cebollas y cocer, revolviendo, durante 2 minutos.

Agregar el caldo, la sal y la pimienta; cocer a fuego lento durante más o menos 30 minutos.

Poner la sopa en los tazones de servir y colocar encima una rebanada de pan tostado. Mezclar los quesos y espolvorear sobre el pan.

Meter al horno, bajo la parrilla precalentada hasta que burbujee y quede ligeramente dorada.

1

Derretir la mantequilla en una cacerola y cocer las cebollas a fuego lento hasta que adquieran un color café dorado, más o menos 30 minutos. Espolvorear la harina y cocer, revolviendo, durante 2 minutos.

2

Agregar el caldo de res, la sal y la pimienta y cocer a fuego lento durante aproximadamente 30 minutos.

3

Poner la sopa en los tazones de servir, y colocar encima una rebanada de pan tostado y espolvorear con los quesos.

4

Meter al horno, bajo la parrilla precalentada hasta que burbujee y quede ligeramente dorada.

Sopa de Poros

Crema de Pollo y Champiñones

8 porciones

⅓	taza mantequilla
115 g.	(*4 onzas*) champiñones, rebanados
⅓	taza harina
1½	taza pollo, cocido y en cubitos
3	tazas caldo de pollo
2	tazas crema espesa
¼	cucharadita pimienta
1	cucharadita sal
2	cucharadas perejil, picado

En una olla, calentar la mantequilla. Agregar los champiñones y saltear hasta que estén blandos.

Agregar la harina y cocer durante 2 minutos.

Agregar el pollo, el caldo, la crema, los condimentos y el perejil.

Cocer a fuego lento durante 15 minutos.

Servir caliente.

Sopa de Poros

8 porciones

1 kg.	(*2¼ libras*) pollo de estofado
8	tazas (*2 L*) caldo de pollo
6-7	poros, parte blanca solamente
2	cucharadas mantequilla

Cocer a fuego lento el pollo en el caldo de pollo durante 2½ horas.

Agregar agua para mantener el mismo nivel de líquido. Sacar el pollo y colar el caldo.

Deshuesar el pollo. Picar la carne en cubitos. Cortar los poros en tiras delgadas.

Calentar la mantequilla en una olla. Saltear los poros en la mantequilla hasta que queden blandos.

Agregar la carne y el caldo. Calentar hasta que hierva.

Servir muy caliente.

Bouillabaisse (Sopa de Pescado a la Provenzal)

Bouillabaisse (Sopa de Pescado a la Provenzal)

8 porciones

²/₃	taza aceite
1	zanahoria, finamente picada
2	cebollas, finamente picadas
450 g.	(*1 libra*) pescado blanco sin espinas
450 g.	(*1 libra*) lucio sin espinas
450 g.	(*1 libra*) perca sin espinas

o 1,4 kg.	(*3 libras*) cualquier pescado firme
1	hoja de laurel
1½	taza tomates, pelados, sin semillas y picados
¼	taza jerez
4	tazas (*1 L*) caldo de pollo o pescado
1	docena almejas
1	docena mejillones
2	docenas camarones, pelados y desvenados
1	taza carne de jaiba o langosta
2	pimientos morrones enlatados, en cubitos
2	cucharaditas sal

½	cucharadita paprika
½	cucharadita azafrán

Calentar el aceite en una olla grande o en una olla de hierro. Agregar las zanahorias y las cebollas. Saltear hasta que estén blandas.

Cortar el pescado en tiras de 2,5 cm. (*1 pulg.*). Echarlas a la olla y cocer durante 5 minutos.

Agregar la hoja de laurel, los tomates, el jerez y el caldo de pescado. Tapar y cocer a fuego lento durante 20 minutos. No dejar hervir.

Agregar los mariscos, pimientos morrones y condimentos.

Cocer a fuego lento durante 10 minutos más.

Salmagundi

8 porciones

½	taza mantequilla
1	zanahoria, en cubitos
2	tallos de apio, en cubitos
1	cebolla, en cubitos
3	papas grandes, peladas y en cubitos
⅓	taza harina
1	taza tomates, picados
8	tazas (*2 L*) caldo de pescado
½	taza vino blanco
1	cucharadita sal
½	cucharadita pimienta
1	cucharadita curry en polvo
450 g.	(*1 libra*) pescado blanco, cocido y desmenuzado

En una olla ordinaria o de hierro, calentar la mantequilla.

Agregar la zanahoria, apio, cebolla y papas y saltear hasta que estén blandos.

Agregar la harina y formar una pasta. No dejar que se dore.

Agregar los tomates, el caldo, el vino y los condimentos.

Hacer hervir durante 5 minutos. Agregar el pescado. Cocer a fuego lento durante 5 minutos más.

Sopa de Pimientos y Queso Crema

8-10 porciones

2	pimientos verdes grandes, en cubitos
1	cebolla española, picada finamente
3	tallos de apio, en rabanadas finas
3	tazas champiñones, rebanados
¼	taza mantequilla
¼	taza harina
6	tazas (*1,5 L*) caldo de res
250 g.	(*1 paquete*) queso crema
2	tazas rósbif, cocido y en rebanadas
1	taza fettuccine cocidos, cortados en forma gruesa
	sal y pimienta

Saltear las verduras en la mantequilla a fuego mediano hasta que queden blandas.

Espolvorear con harina y cocer, revolviendo, durante 2 minutos.

Gradualmente agregar el caldo y cocer a fuego lento hasta que la sopa se haya espesado ligeramente. Agregar el queso y revolver hasta que se derrita.

Agregar las rebanadas de rósbif; cocer a fuego lento y bajo durante 5 minutos, revolviendo constantemente. Agregar la pasta.

Condimentar al gusto y servir inmediatamente.

Sopa Puchero

8-10 porciones

1	cebolla mediana, finamente picada
2	zanahorias medianas, ralladas en forma gruesa
2	tallos de apio, en rabanadas finas
1½	taza champiñones, rebanados
3	papas medianas, ralladas en forma gruesa
¼	taza mantequilla
½	taza harina
6	tazas (*1,5 L*) caldo de pollo
2	tazas leche
250 g.	(*1 paquete*) queso crema
2	cucharadas curry en polvo
2	tazas pollo cocido, en cubitos
	sal y pimienta

Saltear las verduras en la mantequilla a fuego mediano, revolviendo a menudo, hasta que estén blandas pero no doradas.

Espolvorear con harina y cocer, revolviendo, durante 2 minutos. Gradualmente agregar el caldo y la leche. Cocer a fuego lento.

Agregar el queso y revolver hasta que se derrita. Agregar el curry y el pollo; cocer a fuego lento durante 5 minutos.

Sazonar al gusto.

Sopa de Callos de Hacha y Vino de Marsala

8 porciones

¼	taza mantequilla
1	cebolla pequeña, finamente picada
2	zanahorias, finamente picadas
2	tallos de apio, finamente picados
450 g.	(*1 libra*) callos de hacha, pequeños
½	taza harina
3	tazas caldo de pollo
3	tazas crema ligera
1	taza vino de Marsala

En una olla, calentar la mantequilla. Saltear la cebolla, zanahorias y apio hasta que queden blandos.

Agregar los callos de hacha y saltear durante 3 minutos.

Espolvorear con harina y cocer durante 2 minutos.

Agregar el caldo, crema y vino.

Cocer a fuego lento durante 15 minutos. Servir caliente.

Sopa de Callos de Hacha y Vino de Marsala

Sopa Nelusko (Crema de Pollo y Almendras)

8 porciones

3	cucharadas mantequilla
½	taza apio, finamente picado
1	cebolla pequeña, finamente picada
3	cucharadas harina
4	tazas (*1 L*) caldo de pollo
1	taza crema ligera
¼	taza almendras molidas
1	taza carne de pollo, cocida y en cubitos
⅓	taza crema espesa
¼	cucharadita paprika

En una cacerola de 2 litros, calentar la mantequilla.

Saltear el apio y la cebolla hasta que estén blandos.

Agregar la harina y formar una pasta. No dejar dorar.

Agregar el caldo de pollo, la crema ligera y cocer a fuego lento durante 15 minutos.

Agregar las almendras, la carne de pollo y la crema espesa.

Cocer a fuego lento durante 5 minutos más.

Adornar con paprika.

Sopa de Almejas

10-12 porciones

115 g.	(¼ *libra*) tocino, picado
½	taza mantequilla
1	taza cebollas, en cubitos
1	taza apio, en cubitos
1	taza zanahorias, en cubitos
3	tazas papas, en cubitos
1	taza harina
4	tazas (*1 L*) caldo de pescado o caldo de almejas
3	tazas almejas, picadas
3	tazas crema espesa
¼	cucharadita pimienta
½	cucharadita tomillo
1	cucharadita sal

En una olla grande, freír el tocino hasta que quede crujiente. Escurrir la grasa.

Agregar la mantequilla y las verduras. Saltear hasta que queden blandas.

Incorporar la harina. Cocer durante 2 minutos. Agregar el resto de los ingredientes. Hacer hervir.

Reducir el calor. Cocer a fuego lento hasta que espese, más o menos de 15 a 20 minutos. Revolver frecuentemente.

Sopa de Langosta

8 porciones

¼	taza mantequilla
½	taza apio, finamente picado
½	taza cebollas, finamente picadas
¼	taza harina
2	tazas caldo de pescado
3	tazas crema espesa
1	cucharadita sal
¼	cucharadita pimienta blanca
¼	taza jerez tipo crema
450 g.	(*1 libra*) carne de langosta, cocida
8	pinzas de langosta, cocidas

Calentar la mantequilla en una cacerola. Agregar el apio y las cebollas. Saltear hasta que queden blandos. Agregar la harina y revolver hasta formar una pasta. No dejar dorar.

Agregar el caldo de pescado y la crema. Cocer a fuego lento durante 15 minutos. Agregar la sal, pimienta, jerez y carne de langosta. Cocer a fuego lento 5 minutos más.

Pasar por un cedazo o procesador de alimentos hasta que quede suave.

Adornar con las pinzas de langosta.

Sopa de Pollo y Elote

8 porciones

¼	taza mantequilla
1	cebolla, en cubitos
4	papas, peladas y en cubitos
2	zanahorias, en cubitos
2	tallos de apio, en cubitos
1	taza granos de elote, congelados
¼	taza harina
4	tazas (*1 L*) caldo de pollo
2	tazas crema espesa
2	tazas pollo, cocido y en cubitos
1	cucharada perejil, seco

Derretir la mantequilla en una cacerola. Saltear las verduras hasta que queden blandas.

Agregar la harina y revolver hasta formar una pasta.

Agregar el caldo y la crema. Cocer a fuego lento durante 20 minutos. Agregar el pollo y seguir cociendo a fuego lento durante 5 minutos más.

Espolvorear con perejil seco y servir.

NOTA: Para sopa de jaiba o camarones, reemplazar la langosta por la carne preferida.

Sopa de Cebollines y Queso

4 porciones

¼	taza mantequilla
¼	taza cebollines, finamente picados
2	cucharadas perejil, picado
¼	taza harina
2	tazas caldo de pollo
2	tazas crema espesa
½	taza queso azul, desmoronado

En una cacerola, calentar la mantequilla, agregar los cebollines y el perejil. Cocer suavemente durante 2 minutos.

Incorporar la harina. Continuar cociendo durante 2 minutos más.

Agregar el caldo y la crema. Hacer hervir. Reducir el calor y cocer a fuego lento durante 10 minutos.

Desmoronar el queso y agregarlo. Cocer a fuego lento durante 5 minutos más.

Sopa de Cebollines y Queso

Sopa de Res y Verduras a la Antigua

8 porciones

Sopa de Res y Verduras a la Antigua

450 g.	(*1 libra*) carne de res, en cubitos
2	cucharadas cebada
8	tazas (*2 L*) caldo de res
3	cucharadas mantequilla
1	cebolla, en cubitos
2	zanahorias, rebanadas
3	tallos de apio, en cubitos
2	tazas tomates, sin semillas y picados
1	cucharadita sal
½	cucharadita pimienta
1	cucharadita albahaca
3	cucharadas salsa soya
1	cucharada salsa inglesa
1	cucharadita paprika

Hacer hervir suavemente la carne de res y la cebada en el caldo durante 30 minutos. Quitar cualquier espuma que aparezca en la superficie.

En una cacerola, derretir la mantequilla y saltear las verduras.

Agregar los tomates y los condimentos.

Vaciar la mezcla en el caldo y cocer a fuego lento durante ½ hora más.

Consomé

8 porciones

2	tazas caldo de res
2	tazas caldo de pollo
2	tazas tomates, pelados, sin semillas y picados
1	cebolla, en cubitos
2	zanahorias, en cubitos
3	tallos de apio, en cubitos
1	ramillete de hierbas
1	clara de huevo, con cáscara

Combinar todos los ingredientes, excepto la clara de huevo, y cocer a fuego lento. No dejar hervir.

Tapar durante una hora. Colar a través de una muselina o estopilla.

Batir la clara de huevo y agregar a la sopa, batiendo. Agregar la cáscara de huevo y cocer a fuego lento otros 10 minutos.

Colar nuevamente a través de una muselina o estopilla. Servir.

Sopa de Pollo y Arroz a la Florentina

Sopa de Pollo y Arroz a la Florentina

8 porciones

1½	cucharada mantequilla
170 g.	(*6 onzas*) espinacas, picadas
8	tazas (*2 L*) caldo de pollo
2	tazas carne de pollo, en cubitos
1½	taza arroz cocido

Calentar la mantequilla en una olla. Saltear las espinacas durante 2 minutos.

Agregar el caldo de pollo y la carne de pollo. Cocer a fuego lento durante 10 minutos.

Agregar el arroz, cocer a fuego lento 5 minutos más.

Servir caliente.

Sopa de Brócoli y Cheddar

6-8 porciones

4	tazas brócoli en cubitos
3	cucharadas mantequilla
¼	taza harina
5	tazas (*1,25 L*) caldo de pollo
1	taza leche
1	taza crema para batir
1	taza queso Cheddar mediano, rallado
	sal y pimienta

Saltear el brócoli en la mantequilla a fuego mediano hasta que esté blando.

Espolvorear con harina y cocer, revolviendo, durante 2 minutos. Gradualmente ir agregando el caldo y la leche; calentar para cocer a fuego lento solamente.

Incorporar la crema y el queso. Dejar que el queso se derrita en la sopa; sazonar al gusto y servir con cubitos de pan tostado encima.

PARA LA SOPA DE BROCOLI Y CHAMPIÑONES: Agregar 3 tazas de champiñones rebanados y reemplazar el queso Cheddar por queso Parmesano.

Sopa de Huevo

8 porciones

6	tazas (*1,5 L*) caldo de pollo
2	huevos
2	cucharadas agua
⅓	taza chícharos, congelados

Hacer hervir el caldo de pollo.

Batir los huevos en el agua.

Agregar los chícharos a la sopa. Vaciar los huevos a chorrito tenue.

Cocer durante 2 minutos.

Servir.

Crema de Zanahoria y Calabaza de Castilla

10-12 porciones

⅓	taza mantequilla
2	tazas zanahorias ralladas
⅓	taza harina
4	tazas (*1 L*) caldo de pollo
1	cucharada jugo de limón
2	tazas puré de calabaza de Castilla
¼	cucharadita jengibre
¼	cucharadita nuez moscada
3	tazas crema espesa

En una olla, calentar la mantequilla.

Saltear las zanahorias hasta que estén blandas.

Agregar la harina y cocer durante 2 minutos.

Agregar el caldo, jugo de limón, puré de calabaza y los condimentos.

Cocer a fuego lento durante 10 minutos. Agregar la crema; cocer a fuego lento durante 15 minutos adicionales.

Servir inmediatamente.

Sopa de Arándanos Agrios y Frambuesas

8 porciones

4	tazas arándanos agrios
4	tazas (*1 L*) jugo de manzana
2	tazas frambuesas
¼	taza azúcar
2	cucharadas jugo de limón
½	cucharadita canela
2	tazas crema ligera
2	cucharadas maicena

Lavar los arándanos. Calentarlos en el jugo de manzana; cocer a fuego lento durante 10 minutos. Pasar a través de un cedazo.

Hacer pasar las frambuesas a través del mismo cedazo. Desechar lo que queda en el cedazo y poner nuevamente a hervir.

Incorporar el azúcar, jugo de limón y canela. Agregar 1½ taza de crema. Mezclar la maicena con el resto de la crema.

Agregar a la sopa; cocer a fuego lento durante 5 minutos. Servir caliente o fría.

Sopa de Arándanos Agrios y Frambuesas

Sopa de Moras

6 porciones

4	tazas moras
4	manzanas, descorazonadas, peladas y en cubitos
4	tazas (*1 L*) jugo de manzana
3	cucharadas azúcar
¼	cucharadita canela
1	cucharada maicena
3	cucharadas agua

Seleccionar las moras – desechar los tallos y las que estén machucadas.

Colocar las moras y las manzanas en una olla. Vaciar el jugo de manzana. Cocer a fuego lento durante 20 minutos.

Aplastar con un moledor de puré de papas. Pasar a través de un cedazo.

Agregar el azúcar y la canela. Mezclar la maicena con el agua. Agregar a la sopa. Calentar hasta que hierva. Retirar y servir caliente o fría.

Si se sirve fría, se puede agregarle un poco de crema para batir.

Ensaladas y Aderezos

Las ensaladas son una buena oportunidad para expresar su creatividad. Puede salir en busca de las verduras más frescas, incluyendo algunas de las variedades más exóticas que ahora están disponibles en la mayoría de los mercados, y combinarlas de muchas maneras de modo que cada ensalada que prepare tenga un sabor diferente. Puede experimentar con hierbas frescas y aun algunas de las flores comestibles que están aumentando en popularidad.

Sin embargo, cualesquiera que sean los ingredientes que usted seleccione, existen algunas reglas sencillas que usted debe seguir. Elija las verduras que sean tiernas y tan frescas como sea posible. Ponga atención tanto en su color, su forma y su textura como en su sabor.

Tan pronto como llegue con las verduras a la casa, lávelas y guárdelas no muy apretadas en el compartimiento de las verduras de su refrigerador. Se aconseja preparar las ensaladas casi al último momento, usando ingredientes fríos y agregando el aderezo al momento de servirlas. Solamente agregue suficiente aderezo como para humedecer la ensalada.

Los aderezos básicos para ensaladas son la mayonesa y la vinagreta – todos los otros son variaciones de uno de éstos. El aceite debe ser ligero y sabroso, y combinado con jugo de limón, vinagre de frambuesa o vinagre de distintos sabores. Las hierbas y especias deben ser frescas y escogidas de modo que sus sabores realcen el producto final.

Es preferible servir las ensaladas en platos bien helados. Simplemente colóquelos en el congelador durante 30 minutos antes de servir.

Las ensaladas pueden dividirse en cuatro categorías básicas:

Las **entradas** deben ser ligeras y suficientes sólo para abrir el apetito. Seleccione los ingredientes que preparen el ambiente para los platillos siguientes.

Las **ensaladas como acompañamiento** son servidas con el plato principal. No deben ser ni tan dulces ni tan ácidas que apaguen el sabor del plato principal. También pueden ser servidas después del plato principal, al estilo europeo, para preparar el paladar para gustar el próximo plato.

Las **ensaladas como plato principal** deben ser nutritivas y sabrosas. Estas ensaladas deben incluir más que verduras y ofrecer suficiente variedad para satisfacer el apetito al igual que los requerimientos nutritivos.

Las **ensaladas de postre** están diseñadas para finalizar la comida con algo dulce, y por lo general incluyen fruta o gelatina.

Ensalada Niçoise

Ensalada Niçoise

4 porciones

¾	taza aceite
¼	taza vinagre
1	cucharadita sal
½	cucharadita pimienta
½	cucharadita mostaza en polvo
2	cucharadas jugo de limón
8	papas, peladas, cocidas y en cubitos
1	cebolla pequeña, en cubitos pequeños
225 g.	(½ *libra*) ejotes verdes, escaldados
4	hojas de lechuga
4	tomates, pelados y partidos en cuartos
4	huevos duros, partidos en cuartos
10	aceitunas negras, sin hueso
8	filetes de anchoas
1	cucharada albahaca, picada

Combinar el aceite, vinagre, sal, pimienta, mostaza y jugo de limón.

Verter ¼ del aderezo sobre las papas. Refrigerar durante 1 hora.

Mezclar la cebolla con los ejotes verdes.

Verter ¼ del aderezo sobre los ejotes y refrigerar durante 1 hora.

Añadir los ejotes a las papas y revolver.

Colocar las hojas de lechuga en los platos. Servir porciones iguales de ensalada sobre las hojas.

Acomodar los tomates, huevos, aceitunas y anchoas en la ensalada.

Vaciar un poco más de aderezo sobre éstos. Espolvorear con albahaca y servir.

Ensalada Caliente de Tomate y Pollo

4 porciones

¼	taza jugo de limón
½	taza aceite
2	cucharadas perejil, picado
1	cucharadita sal
¼	cucharadita tomillo
¼	cucharadita orégano
¼	cucharadita pimienta
3	cucharadas aceite de oliva
2	dientes de ajo, finamente picados
450 g.	(*1 libra*) pollo deshuesado, en tiras
24	tomates miniatura, en mitades
170 g.	(*6 onzas*) queso feta, en cubitos
1	cabeza de lechuga romana, picada

Mezclar el jugo de limón, aceite, perejil, sal, tomillo, orégano y pimienta.

Calentar el aceite de oliva en una sartén. Añadir el ajo y saltear durante 2 minutos.

Agregar el pollo y dorarlo. Añadir el aderezo y calentar durante 1 minuto.

Añadir los tomates y el queso. Calentar un minuto más.

Colocar la lechuga en el plato. Vaciar a cucharadas el pollo, los tomates y el queso con aderezo sobre la lechuga.

Servir inmediatamente.

Ensalada Agridulce de Verduras Ralladas

6 porciones

2	tazas col, rallada
1	taza zanahorias, ralladas
2	tazas calabacitas, ralladas
4	tazas brotes de bambú
½	taza cebollitas de Cambray, picadas
½	taza mayonesa
3	cucharadas vinagre de sidra
1	cucharadita sal
1	cucharadita azúcar
¼	cucharadita pimienta

Mezclar las verduras en un tazón o platón grande.

Mezclar la mayonesa con el vinagre y los condimentos.

Verter sobre las verduras.

Ensalada Agridulce de Verduras Ralladas

Champiñones Pequeños Marinados con Hierbas Finas

6 porciones

2	dientes de ajo, machacados
1	cucharada aceite
⅓	taza aceite
1	cucharada jugo de limón
2	cucharadas perejil, picado
1	cucharada orégano
1	cucharada albahaca dulce
1 kg.	(2¼ *libras*) champiñones pequeños

Calentar el ajo en 1 cucharada de aceite. Saltear durante 1 minuto.

Añadir el resto de los ingredientes y vaciar sobre los champiñones.

Refrigerar durante 6 horas o hasta el otro día.

Ensalada de Mariscos con Curry

6 porciones

1	taza mayonesa
2	cucharadas jugo de limón
2	cucharaditas curry en polvo
½	cucharadita sal
½	taza apio, finamente picado
½	taza tomates, sin semillas y picados
½	taza pimiento verde, finamente picado
4	tazas fideo, quebrado y cocido
1	taza salmón, cocido y desmenuzado
1	taza callos de hacha (muy pequeños)
1	taza camarones pequeños

Mezclar la mayonesa, el jugo de limón y los condimentos.

Mezclar el apio, los tomates, pimiento verde y fideo. Mezclar todo con el aderezo.

Colocar en un platón. Colocar una capa de salmón, callos de hacha y camarones respectivamente.

Ensalada de Papas con Queso Ahumado

6 porciones

2	tazas queso ahumado, en cubitos
3	tazas papas, cocidas y en cubitos
2	tallos de apio, en cubitos pequeños
3	cebollitas de Cambray, finamente picadas
2	huevos duros, rallados
1	taza jamón, cocido y en cubitos
2	cucharadas jugo de limón
1	taza mayonesa
½	cucharadita sal
¼	cucharadita pimienta

Mezclar el queso, las papas, el apio, cebollitas, huevos y jamón.

Mezclar el jugo de limón y la mayonesa con los condimentos.

Vaciar sobre la ensalada y revolver.

Refrigerar durante 1 hora. Servir.

Ensalada de Diente de León

6-8 porciones

8	tazas hojas de diente de león, lavadas y recortadas
1½	taza champiñones, rebanados
2	tomates, cortados en cuartos
¼	taza pan tostado, en cubitos
¼	taza almendras, en tiritas y tostadas
½	taza vinagreta italiana para ensalada
½	taza queso Havarti, rallado en forma gruesa

Combinar las hojas de diente de león, los champiñones, tomates, pan tostado en cubitos y las almendras.

Añadir la vinagreta italiana y revolver. Espolvorear con queso.

Ensalada de Fruta con Limón

6 porciones

1	piña fresca
¼	taza jugo fresco de limón
¾	taza aceite
2	cucharaditas ralladura de cáscara de limón
1	cucharadita sal
1	cucharadita pimienta, triturada
2	cucharadas perejil, picado
2	naranjas
450 g.	(*1 libra*) uvas frescas, sin semillas
1	melón
6	hojas de lechuga romana

Pelar, descorazonar y cortar en cubitos la piña.

Mezclar el jugo de limón, el aceite, la cáscara de limón y los condimentos.

Incorporar los cubitos de piña al aderezo.

Cortar las naranjas en secciones. Cortar las uvas por la mitad. Sacar bolitas del melón con una cuchara especial.

Mezclar el resto de la fruta con la piña. Marinar durante 30 minutos.

Colocar las hojas de lechuga romana en los platos.

Dividir la ensalada en porciones iguales sobre la lechuga.

1

Pelar, descorazonar y cortar en cubitos la piña.

2

Cortar las naranjas en secciones.

3

Usando una cuchara especial, sacar bolitas del melón.

4

Colocar las hojas de lechuga romana en los platos y dividir la ensalada en porciones iguales sobre la lechuga.

Ensalada de Peras Jennifer

8 porciones

Aderezo

1	taza mayonesa
½	taza crema agria
¼	taza azúcar glass

Ensalada

10	peras no peladas, descorazonadas y en cubitos
½	taza almendras rebanadas, ligeramente tostadas
1	taza queso Cheddar suave, en cubitos
2	tazas tomates, sin semillas, en cubitos
	lechuga desmenuzada

Combinar los ingredientes del aderezo; mezclar bien y refrigerar.

Mezclar las peras, almendras, queso y tomates; revolver suavemente con el aderezo.

Servir en nidos de lechuga desmenuzada.

Ensalada de Peras Jennifer

Ensalada de Pasta Agridulce

6 porciones

225 g.	(½ *libra*) pasta rotini multicolor
3	cebollitas de Cambray, en cubitos
½	taza champiñones, rebanados
1	pimiento verde, en cubitos
¼	taza almendras, tostadas
4	tiras de tocino, en cubitos
2	cucharadas cebolla, finamente picada
3	cucharadas azúcar
3	cucharadas vinagre
½	taza agua
1 ⅓	taza mayonesa

Hervir la pasta rotini «al dente»; ponerla bajo la llave del agua fría hasta que se enfríe. Escurrir bien.

Añadirle las cebollitas, los champiñones, el pimiento verde y las almendras.

Freír el tocino en una sartén. Agregarle la cebolla y cocer hasta que esté blanda.

Incorporar el azúcar, el vinagre y el agua. Hacer hervir y dejar que reduzca el líquido a la mitad.

Incorporar la mayonesa, batiendo y retirar del fuego. Enfriar.

Verter el aderezo sobre la ensalada. Mezclar bien. Servir.

Ensalada de Pasta y Mariscos

6 porciones

6	camarones gigantes, abiertos por la mitad
225 g.	(*½ libra*) pasta rotini multicolor
6	corazones de alcachofas, en escabeche
2	cucharadas alcaparras
1	cucharadita semillas de apio
3	cucharadas pimiento morrón enlatado
1	pimiento rojo, en cubitos finos
225 g.	(*½ libra*) camarones pequeños, cocidos
213 g.	(*7,5 onzas*) salmón enlatado, escurrido
225 g.	(*8 onzas*) elotes miniatura, enlatados y escurridos
60 g.	anacardos (nueces de la India)

Precalentar el horno a 180 °C (*350 °F*).

Cocer al horno los camarones gigantes durante 10 minutos. Enfriar.

Hervir la pasta rotini en agua con sal, «al dente».

Dejar bajo el agua fría hasta que se enfríe. Escurrir bien.

Colocar en un tazón grande.

Agregar los corazones de alcachofas, alcaparras, semillas de apio, pimiento morrón y pimiento rojo; revolver bien.

Incorporar el aderezo, (ver *aderezo* en la columna de la derecha).

Colocar encima los camarones pequeños, el salmón, los elotes miniatura, los anacardos y los camarones gigantes.

Aderezo

¼	taza Salsa de Frambuesas (ver *Salsas*)
½	taza mayonesa
½	taza crema espesa
2	cucharadas azúcar glass
1	cucharadita pimienta negra

Combinar bien todos los ingredientes.

Usar según se necesite.

Ensalada de Pasta y Mariscos

Ensalada Montecristo

6 porciones

Aderezo

1	taza mayonesa
1	cucharadita mostaza Dijon
½	cucharadita estragón fresco, picado o ¼ cucharadita estragón seco

Ensalada

1	taza carne de langosta, cocida y en cubos
1	taza papas cocidas, en cubitos
1	taza champiñones, rebanados
1	taza queso suizo, rallado en forma gruesa
4	huevos duros, picados en forma gruesa
	hojas de lechuga romana
1	tomate, cortado en secciones

Combinar los ingredientes del aderezo; mezclar bien y refrigerar.

Combinar la langosta, papas, champiñones, queso y huevos.

Revolver suavemente con el aderezo y colocar con cuidado en las hojas de lechuga romana.

Adornar con secciones de tomate.

Ensalada Sueca de Pepino con Crema Agria

6 porciones

1	cucharada azúcar
1	cucharadita sal
1	taza crema agria
3	cucharadas cebollitas de Cambray, finamente picadas
2	cucharadas vinagre
6	pepinos, pelados y en rebanadas muy delgadas
1	lechuga pequeña

Combinar el azúcar, la sal, crema agria, cebollitas de Cambray y vinagre.

Agregar a los pepinos.

Refrigerar por varias horas.

Servir en un tazón adornado con hojas de lechuga colocadas alrededor.

Ensalada de Zanahorias con Miel

6 porciones

4	tazas zanahorias, ralladas
2	manzanas, peladas descorazonadas y en cubitos
½	taza pasas
½	taza piñones
¼	taza jugo de limón
¼	taza miel de abeja
¼	cucharadita canela

En un tazón, combinar las zanahorias, manzanas, pasas y piñones.

Mezclar el jugo de limón, la miel y la canela.

Vaciar sobre la ensalada.

Servir fría.

Pollo Ahumado Verónica

Ensalada de Corazones de Palmito

2 porciones

225 g.	*(8 onzas)* corazones de palmito, escurridos
	hojas de lechuga
¼	taza aceite
2	cucharadas jugo de limón
2	cucharaditas cebollitas de Cambray, finamente picadas
2	cucharaditas pimiento morrón enlatado, finamente picado
1	cucharadita pimienta, recién molida
1	cucharadita azúcar sin refinar

Colocar los corazones de palmito en las hojas de lechuga.

Mezclar el aceite, jugo de limón, cebollitas, pimiento morrón y pimienta.

Verter sobre los corazones.

Espolvorear con azúcar. Servir.

Pollo Ahumado Verónica

6 porciones

3	tazas pollo ahumado, en cubitos
1	taza uvas verdes, sin semillas
½	taza anacardos (nueces de la India)
⅓	taza mayonesa
⅓	taza yogurt con sabor a limón
3	cucharadas miel de abeja
2	cucharaditas pimienta negra, triturada
6	hojas de lechuga romana
6	racimos de uva

Mezclar el pollo, las uvas y los anacardos.

Mezclar la mayonesa con el yogurt, la miel y la pimienta.

Incorporar el aderezo a la mezcla de pollo.

Acomodar las hojas de lechuga en los platos.

Dividir la ensalada en porciones iguales y colocar sobre las hojas.

Adornar con los racimos de uvas.

Ensalada de Callos de Hacha con Espinacas

4 porciones

8	tiras de tocino, en cubitos
225 g.	(½ libra) callos de hacha, muy pequeños
¼	taza aceite
3	cucharadas vinagre de vino tinto
2	cucharaditas mostaza Dijon
1	cucharadita pasta de anchoas
¼	cucharadita pimienta negra, triturada
90 g.	(3 onzas) champiñones, rebanados
280 g.	(10 onzas) espinacas

Saltear el tocino. Agregar los callos de hacha y cocer hasta que estén blandos.

Agregar el aceite, vinagre, mostaza, pasta de anchoas y pimienta. Revolver y calentar.

Mezclar los champiñones con las espinacas. Vaciar la salsa sobre las espinacas.

Esperar a que las hojas se marchiten y servir inmediatamente.

Ensalada César

6-8 porciones

3	dientes grandes de ajo
3	filetes de anchoas, escurridos
1	cucharadita sal condimentada
¼	cucharadita mostaza en polvo
1	gota salsa Tabasco
1	cucharada salsa inglesa
4	cucharaditas vino tinto
2	cucharadas jugo de limón
⅓	taza vinagre blanco
2	yemas de huevo
1	taza aceite vegetal
2	cabezas de lechuga romana
1	taza pan tostado, en cubitos
450 g.	(1 libra) tocino cocido, desmoronado
¾	taza queso Romano, rallado

En un procesador de alimentos con cuchillas de acero, picar finamente el ajo y los filetes de anchoas.

Con la máquina funcionando, agregar la sal, la mostaza, la salsa Tabasco, la salsa inglesa, el vino tinto, el jugo de limón y el vinagre.

Añadir las yemas de huevo y procesar hasta que estén bien mezcladas. Con la máquina funcionando, agregar lentamente el aceite.

Desmenuzar la lechuga y mezclarla con los cubitos de pan tostado y el tocino. Revolver con el aderezo. Agregar el queso y revolver nuevamente.

Camarones, Jaiba y Tomates a la Vinagreta

6 porciones

225 g.	(½ libra) camarones gigantes, cocidos
225 g.	(½ libra) carne de jaiba, cocida
4	tomates, pelados, sin semillas y picados
1	cebolla pequeña, finamente picada
1	diente de ajo, finamente picado
½	cucharadita sal
½	cucharadita pimienta
½	cucharadita mejorana
½	cucharadita hojas de albahaca
½	cucharadita mostaza en polvo
3	cucharadas jugo de limón
¼	taza vinagre
¾	taza aceite
6	hojas de lechuga
2	cucharadas perejil, picado

Mezclar los camarones, jaiba, tomates, cebolla y ajo.

Mezclar las hierbas y especias con el jugo de limón, el vinagre y el aceite.

Verter la vinagreta sobre la ensalada de mariscos. Tapar y refrigerar durante 2 horas.

Colocar las hojas de lechuga en platos helados, vaciar con una cuchara la ensalada en las hojas.

Espolvorear con perejil y servir.

Ensalada de Salmón Amoldada

6 porciones

1	cucharada gelatina sin sabor
¼	taza agua fría
¾	taza mayonesa
3	cucharadas jugo de limón
2	cucharaditas sal
1	cucharadita pimienta blanca
1	cebolla pequeña, finamente picada
1	zanahoria, finamente picada
1	tallo de apio, finamente picado
1¼	taza salmón cocido, desmenuzado
2	cucharadas mantequilla
12	camarones gigantes, pelados, desvenados y cocidos

Remojar la gelatina en el agua durante 10 minutos.

Mezclar con la mayonesa, jugo de limón y condimentos.

Agregar, en forma envolvente, las verduras y el salmón. Vaciar en un molde enmantequillado.

Regrigerar de 3½ a 4 horas. Desmoldar y adornar con los camarones. Servir.

Ensalada de Salmón Amoldada

Ensalada Mixta de Frijoles

8 porciones

450 g.	(*1 libra*) frijoles rojos, enlatados
450 g.	(*1 libra*) habas, enlatadas
225 g.	(*½ libra*) frijoles blancos, remojados durante la noche
450 g.	(*1 libra*) ejotes verdes frescos
450 g.	(*1 libra*) ejotes amarillos frescos
½	taza crema agria
¼	taza perejil, picado
½	taza aceite
⅓	taza jugo de limón
1	cucharadita sal
1	pizca de pimienta

Escurrir y enjuagar los frijoles enlatados. Escurrir los frijoles blancos.

Escaldar los ejotes verdes y amarillos durante 5 minutos.

Mezclar la crema agria, el perejil, aceite, jugo de limón, sal y pimienta.

Vaciar el aderezo sobre la mezcla de frijoles y ejotes y refrigerar durante 3 horas.

Ensalada de Espinacas Caliente

8 porciones

Ensalada

450 g.	(*1 libra*) tocino
2	bolsas de 284 g. (*10 onzas*) espinacas
4 ½	tazas champiñones, rebanados
¾	taza queso Parmesano, rallado
3	huevos duros, picados en forma gruesa

Aderezo

3	cucharadas mostaza Dijon
4	cucharaditas azúcar granulada
½	taza vinagre de vino blanco
2	cucharadas salsa inglesa
1	cucharada sal condimentada
1	taza aceite de oliva
6	cebollitas de Cambray, picadas

Ensalada de Espinacas Caliente

Cortar el tocino en pedazos de 1 cm. (*½ pulg.*) y freír hasta que esté crujiente; reservar ¼ de taza de grasa.

Lavar las espinacas, quitar los tallos y cortar en pedazos pequeños.

Revolver con el tocino, los champiñones rebanados, el queso y los huevos.

Para preparar el aderezo, combinar en una cacerola pequeña la grasa de tocino reservada con la mostaza y el azúcar. Batiendo constantemente, calentar hasta que hierva.

Sin dejar de batir, agregar el vinagre, la salsa inglesa y la sal.

Muy lentamente, agregar el aceite, batiendo constantemente. Incorporar las cebollitas y vaciar la mezcla caliente sobre la ensalada.

Revolver y servir inmediatamente.

Ensalada Romana con Naranjas

8 porciones

Aderezo

1	taza aderezo para ensalada o mayonesa
¼	taza jugo de naranja, concentrado
¼	taza jugo de durazno o manzana, concentrado
¼	cucharadita canela

Ensalada

1	cabeza grande de lechuga romana
8	champiñones, rebanados
2	tazas queso suizo, rallado
1	taza uvas rojas, sin semillas
1	taza gajos de naranja fresca
½	taza almendras rebanadas, tostadas

Combinar los ingredientes del aderezo; mezclar bien y refrigerar.

Lavar la lechuga romana, quitar los tallos y cortar las hojas en pedazos pequeños.

Incorporar los champiñones rebanados, el queso, las uvas y las naranjas.

Espolvorear las almendras encima.

Servir el aderezo por separado.

Mayonesa

2 tazas

2	yemas de huevo
1	cucharadita mostaza en polvo
1	cucharadita sal
2	cucharaditas azúcar
⅛	cucharadita pimienta de Cayena
1½	taza aceite
3	cucharadas jugo de limón
1	cucharada agua

Colocar las yemas de huevo en una licuadora. Agregar la mostaza y los condimentos.

Con la máquina funcionando, vaciar lentamente el aceite.

Mezclar el jugo de limón con el agua.

Vaciar lentamente el jugo de limón en la salsa, a chorrito continuo, mientras la máquina se mantiene funcionando.

Usar según se necesite. Puede conservarse 7 días en el refrigerador.

Vinagreta de Ajo y Hierbas

1½ taza

1	taza aceite de oliva
2	dientes de ajo, finamente picado
1	cucharada perejil, finamente picado
¼	cucharadita albahaca
¼	cucharadita orégano
¼	cucharadita tomillo
¼	cucharadita sal
¼	cucharadita pimienta
⅓	taza vinagre

Mezclar bien el aceite, el ajo y los condimentos en una licuadora.

Con la máquina funcionando, agregar lentamente el vinagre.

Usar como aderezo para ensalada o escabeche para verduras.

Vinagreta Francesa

2 tazas

1	cucharadita sal
¼	cucharadita pimienta
1	cucharadita azúcar
1	cucharadita paprika
1	diente de ajo, finamente picado
1½	taza aceite
½	taza vinagre

Mezclar los condimentos, el ajo y el aceite. Lentamente incorporar el vinagre, batiendo.

Aderezo de Tomates Frescos

2 tazas

1	taza tomates, pelados, sin semillas y picados
¼	taza miel de abeja
1	cucharadita salsa inglesa
½	cucharadita mostaza en polvo
1	cucharadita sal
2	cucharaditas orégano
½	cucharadita pimienta negra, recién molida
3	cucharadas jugo de limón
¼	taza vinagre
¾	taza aceite de cártamo

Colocar todos los ingredientes en una licuadora. Mezclar durante 1 minuto o hasta que se forme una salsa suave.

Usar según se necesite.

Vinagreta Diosa Verde

2½ tazas

30 g.	(*1 onza*) pasta de anchoas
1	diente de ajo, finamente picado
2	cebollitas de Cambray, picadas
1	cucharada perejil, seco
1	cucharada estragón, picado
1	cucharada cebollines, picados
2	yemas de huevo
2	tazas aceite
¼	taza jugo de limón

En una licuadora, hacer puré la pasta de anchoas, el ajo, las cebollitas, el perejil, el estragón y los cebollines.

Agregar las yemas de huevo. Con la máquina funcionando a baja velocidad, verter lentamente el aceite. Agregar el jugo de limón.

Usar para ensaladas, platillos de pollo o mariscos fríos.

Vinagreta Italiana

2¼ tazas

2	tazas vinagreta francesa
1	cucharadita sal
2	cucharadas azúcar
1	cucharadita mostaza en polvo
1	cucharadita paprika
½	cucharadita orégano
½	cucharadita albahaca
½	cucharadita perifollo
2	cucharaditas salsa inglesa

Mezclar la vinagreta francesa con los condimentos.

Usar según se necesite.

Vinagreta Rusa

2 tazas

1	taza mayonesa
⅓	taza salsa de tomate picante
3	cucharadas cebollitas de Cambray, finamente picadas
2	cucharadas betabeles escabechados, picados
1	cucharada perejil, picado
2	cucharadas aceitunas negras, deshuesadas, picadas
2	cucharadas caviar

Mezclar bien todos los ingredientes.

Refrigerar. Usar según se necesite.

Vinagreta Diosa Verde, Vinagreta Italiana y Vinagreta Francesa

Aderezo Cremoso de Albahaca

1 taza

2	chalotes, finamente picados
2	cucharadas albahaca fresca, finamente picada
1	cucharadita mostaza Dijon
½	taza aceite de oliva
¼	cucharadita sal
¼	cucharadita pimienta
3	cucharadas jugo de limón

Combinar los chalotes, la albahaca, mostaza, aceite, sal y pimienta en una licuadora.

Con la máquina funcionando a velocidad baja, agregar lentamente el jugo de limón.

Usar como aderezo o vinagreta para ensaladas.

Vinagreta Picante

2 tazas

¼	taza de pimiento rojo dulce, finamente picado
3	cucharadas cebolla, finamente picada
1	cucharadita alcaparras, picadas
2	cucharadas pepinillos en escabeche, picados
¼	taza azúcar
1	cucharadita sal
1	cucharadita mostaza en polvo
1	cucharadita ajo en polvo
2	cucharaditas hojas de albahaca
½	cucharadita pimienta negra, triturada
½	cucharadita salsa inglesa
3	cucharadas jugo de limón
¼	taza vinagre
¾	taza aceite de cártamo

Colocar todos los ingredientes, excepto el aceite, en una licuadora.

Mezclar a velocidad mediana durante 30 segundos. Con la máquina funcionando, lentamente agregar el aceite. Mezclar hasta obtener una consistencia suave.

Usar según se necesite.

Vinagreta de Miel y Limón

1¼ taza

1	taza vinagreta francesa
¼	taza miel de abeja
2	cucharadas jugo de limón
1	cucharadita canela, molida

Mezclar bien la vinagreta francesa, la miel, el jugo de limón y la canela.

Refrigerar. Usar según se necesite.

Aderezo Ranchero

2 tazas

½	taza suero de leche
1	taza mayonesa
2	cucharadas cebollines, finamente picados
1	cucharada jugo de limón
¼	cucharadita sal
1	pizca pimienta blanca

Incorporar el suero a la mayonesa, en forma envolvente. Batiendo, añadir el resto de los ingredientes. Refrigerar.

Usar según se necesite.

Aderezo Mil Islas y Aderezo de Queso Azul

Aderezo Mil Islas

2 tazas

1	taza mayonesa
½	taza salsa de tomate picante
¼	taza pepinillos en escabeche dulce, finamente picados
½	cucharadita mostaza en polvo
½	cucharadita albahaca
1	cucharada pimiento morrón enlatado, picado
2	huevos duros, rallados

Mezclar bien todos los ingredientes. Refrigerar.
Usar según se necesite.

Aderezo de Semillas de Amapola

2 tazas

1½	taza vinagreta francesa
⅓	taza azúcar
2	cucharadas semillas de amapola

Mezclar bien los ingredientes. Refrigerar.
Usar según se necesite.

Aderezo de Queso Azul

2 tazas

¼	taza queso azul
1½	taza mayonesa
1	cucharada jugo de limón
½	cucharadita sal
¼	cucharadita pimienta blanca

Derretir el queso en baño maría. Retirar del fuego.

Vaciar en un tazón. Incorporar la mayonesa, el jugo de limón y los condimentos, en forma envolvente.

Refrigerar. Usar según se necesite.

Si se desea, desmoronar ½ taza de queso azul en el aderezo.

Huevos

Me sorprende que muchas personas consideran que los huevos sólo deben servirse en el desayuno o usarse como un ingrediente de cocina. Desafortunadamente, muchos de los textos de cocina en nuestras escuelas y universidades todavía colocan los huevos en estas categorías.

Pero en realidad, los huevos se prestan para algunas deliciosas recetas para el almuerzo y la cena. Aun cuando parezca que no hay muchos ingredientes en el refrigerador, puede preparar una comida maravillosa a base de huevos usando una de las técnicas culinarias tradicionales: revueltos, estrellados, al horno, pochés, pasados por agua, fritos, hervidos, duros o en omelette.

Los huevos siempre deben ser cocinados a fuego lento, con la notable excepción de los omelettes, que requieren calor relativamente alto. Pero por lo general, cocinar los huevos a fuego alto los endurece. Hervirlos a fuego alto produce un anillo verde alrededor de la yema.

Huevos Hervidos a la Perfección

Los huevos deben estar a temperatura ambiente antes de ser cocidos. Haga hervir el agua, agregue los huevos, luego reduzca el calor a fuego lento. Cocine de acuerdo a la siguiente tabla:

Huevos tibios: 3 - 5 minutos
Huevos semiduros: 6 - 8 minutos
Huevos duros: 10 - 11 minutos

Nidos de Huevos para el Desayuno

Huevos con Camarones en Moldes

6 porciones

6	huevos
¼	taza crema espesa
¼	cucharadita sal
1	pizca pimienta
1	taza camarones pequeños
6	rebanadas de pan tostado
1	taza Salsa Mornay, caliente (ver *Salsas*)

Precalentar el horno a 180 °C (*350 °F*).

Mezclar los huevos con la crema y los condimentos. Incorporar los camarones pequeños.

Engrasar ligeramente 6 pequeños moldes de ½ taza de capacidad. Llenarlos con la mezcla de huevos.

Colocar los moldes en baño maría.

Hornear hasta que los huevos estén cuajados, aproximadamente 25 minutos.

Desmoldar y colocar sobre el pan tostado.

Cubrir con la salsa y servir.

Nidos de Huevos para el Desayuno

8 porciones

8	volovanes
8	huevos
¼	taza crema espesa
8	tiras de tocino, picadas
1	pimiento verde, finamente picado
2	cebollitas de Cambray, finamente picadas
1	taza queso Havarti, rallado

Precalentar el horno a 200 °C (*400 °F*).

Hornear los volovanes durante 15 minutos. Mezclar los huevos con la crema.

Freír el tocino, agregar el pimiento verde y saltear hasta que quede blando. Sacar la mitad de la grasa.

Agregar los huevos y las cebollitas; revolver hasta que estén cocidos.

Retirar del fuego.

Incorporar el queso. Llenar cada volován con el relleno de huevo.

Servir inmediatamente.

Huevos Fríos de Cuaresma

8 tartaletas

8	huevos
1	taza salmón ahumado, en cubitos
⅓	taza mayonesa
8	tartaletas de 7 cm. (*3 pulg.*) cada una, cocidas al horno
2	cucharadas caviar rojo

Escalfar los huevos suavemente hasta que estén duros. Refrigerar.

Mezclar el salmón con la mayonesa.

Colocar un poco del relleno de salmón en cada tartaleta.

Cubrir con un huevo y salpicar con caviar rojo.

Huevos Fríos de Cuaresma

Huevos Escabechados

1 docena

12	huevos
2	tazas vinagre blanco
1½	cucharada especias para escabeche
1	cucharadita sal
3	dientes de ajo
1	cucharada cáscara de limón
1	taza agua
1	cebolla, en rebanadas

Cocer los huevos hasta que estén duros. Refrigerar y pelarlos.

Hervir juntos el resto de los ingredientes durante 10 minutos. Enfriar.

Colocar los huevos en un frasco grande. Vaciar la mezcla de las especias sobre ellos.

Sellar el frasco.

Colocar en el refrigerador de 4 a 7 días antes de servir.

Huevos a la Húsar

Huevos a la Húsar

4 porciones

8	rebanadas de jamón de 60 g. (*2 onzas*) cada una
8	rebanadas de pan tostado
1	taza salsa Marchand de Vin
8	rebanadas de tomate, asadas
8	huevos escalfados (pochés), blandos
1	taza Salsa Holandesa (ver *Salsas*)

Asar el jamón a la parrilla, en el horno, durante 2 minutos. Colocar una rebanada de jamón en cada rebanada de pan tostado. Cubrir el jamón con Salsa Marchand de Vin. Colocar una rebanada de tomate sobre la salsa.

Encima de todo, colocar un huevo poché y cubrir con Salsa Holandesa.

Salsa Marchand de Vin

¾	taza mantequilla
½	taza champiñones, rebanados
¼	taza cebollitas de Cambray, picadas
½	taza cebollas, finamente picadas
3	dientes de ajo, finamente picados
115 g.	(*4 onzas*) jamón, finamente picado
2	cucharadas harina
¾	taza caldo de res
1	taza jerez
½	cucharadita sal
½	cucharadita pimienta
¼	cucharadita pimienta de Cayena

Derretir la mantequilla; saltear los champiñones, ambas cebollas, el ajo y el jamón.

Agregar la harina y revolver. Agregar el caldo de res, el jerez y los condimentos.

Cocer a fuego lento durante 40 minutos.

Huevos Pochés Oscar

6 porciones

12	huevos
6	panquecitos ingleses
1	taza carne de jaiba
12	puntas de espárragos, escaldadas durante 5 minutos
1	taza Salsa Holandesa (ver *Salsas*)

Escalfar los huevos en agua caliente con unas gotas de vinagre.

Cortar los panquecitos ingleses por la mitad y tostarlos.

Colocar un huevo encima de cada panquecito, después una cucharada de carne de jaiba, 1 punta de espárrago y un poco de Salsa Holandesa.

Servir calientes.

Huevos Pochés con Langosta

8 porciones

2	cucharadas mantequilla
60 g.	(*2 onzas*) champiñones, rebanados
2	cucharadas harina
1	taza crema espesa
¼	cucharadita sal
1	pizca pimienta
½	cucharadita albahaca fresca, picada
2	tazas carne de langosta
8	huevos
8	rebanadas de pan tostado

En una sartén, calentar la mantequilla. Saltear los champiñones. Espolvorear con harina y cocer durante 2 minutos.

Agregar la crema, condimentos y ½ taza de carne de langosta. Cocer a fuego lento hasta que espese.

Escalfar los huevos al gusto. Colocar el resto de la carne de langosta en las rebanadas de pan tostado.

Colocar un huevo encima y cubrir con salsa.

Servir inmediatamente.

Huevos Parmentier

4 porciones

4	papas medianas, peladas
8	huevos
¼	taza crema espesa
3	cucharadas mantequilla
1	cebolla pequeña, en cubitos
225 g.	(*½ libra*) jamón, en cubitos
1	tomate, en cubitos
1	taza queso suizo, rallado

Precalentar el horno a 200 °C (*400 °F*).

Hervir las papas hasta que estén medio cocidas; enfriar. Rebanar las papas.

Mezclar los huevos con la crema.

Calentar la mantequilla y saltear las papas. Agregar la cebolla y el jamón; saltear hasta que estén blandos.

Agregar el tomate y los huevos.

Cubrir con queso y hornear durante 15 ó 20 minutos, hasta que los huevos se hayan cocido bien.

Huevos Maharajá

4 porciones

½	taza agua
½	taza vino blanco o caldo de pollo
2	pechugas de pollo de 200 g. (*7 onzas*) cada una
8	huevos
1	cucharada mantequilla
3	cucharadas pimiento verde, finamente picado
1	cucharada curry en polvo
2	tazas Salsa Mornay (ver *Salsas*), caliente
8	rebanadas de pan tostado

En una cacerola, colocar el agua y el vino. Suavemente escalfar las pechugas de pollo, durante más o menos 15 minutos. Retirarlas y mantenerlas calientes. Colar el líquido a través de una estopilla.

Escalfar los huevos en el líquido.

En una sartén, calentar la mantequilla. Saltear el pimiento verde hasta que quede blando. Espolvorear con el curry.

Añadir la Salsa Mornay y mezclar bien.

Rebanar las pechugas de pollo. Colocarlas sobre el pan tostado. Poner un huevo encima.

Cubrir con la salsa y servir inmediatamente.

Huevos Nantúa

Huevos Nantúa

4 porciones

4	tomates
8	huevos
1	taza camarones o cangrejos de río cocidos, picados
1	taza Salsa Mornay (ver *Salsas*)
1	taza queso Cheddar mediano, rallado
8	rebanadas de pan tostado

Precalentar el horno a 180 °C (*350 °F*).

Cortar los tomates por la mitad; sacar las semillas y la pulpa.

Calentar en el horno por 10 minutos. Mientras los tomates están calentándose, escalfar los huevos.

Sacar los tomates del horno. Colocar 1 huevo en la cavidad de cada mitad de tomate.

Cubrir con un poquito de cangrejo, 1 cucharada de Salsa Mornay y espolvorear todo con queso.

Colocar al horno bajo la parrilla durante 2 minutos o hasta que el queso se derrita.

Servir con el pan tostado.

Huevos a la Mexicana

6 porciones

6	huevos
¼	taza crema espesa
¼	cucharadita chile en polvo
¼	cucharadita sal
1	pizca pimienta
1	pizca paprika
2	cucharadas mantequilla
½	taza salsa de tomate
½	taza queso Cheddar mediano, rallado

En un tazón, mezclar los huevos, la crema y los condimentos. Batir bien.

Calentar la mantequilla en una sartén. Agregar los huevos y freír, revolviendo hasta que estén cocidos. Colocar en una fuente que pueda ponerse al horno.

Vaciar la salsa de tomate sobre los huevos. No debe mezclarse. Espolvorear con queso.

Colocar bajo la parrilla durante 1 minuto o hasta que se derrita el queso.

Servir inmediatamente.

Huevos a la Suiza

3 porciones

1	taza queso Havarti, rallado
6	huevos
½	taza crema ligera
¼	cucharadita sal
¼	cucharadita pimienta

Precalentar el horno a 180 °C (*350 °F*).

Enmantequillar un refractario de barro.

Espolvorear la mitad del queso en el refractario. Quebrar los huevos en un pequeño tazón y dejarlos deslizar sobre el queso (sin romper las yemas).

Vaciar la crema. Espolvorear con sal, pimienta y el resto del queso.

Hornear durante 15 minutos. Servir inmediatamente.

Omelette de Veinticuatro Horas

8-10 porciones

1	pan francés pequeño, cortado en cubitos de 2,5 cm. (*1 pulg.*)
3	cucharadas mantequilla derretida
1½	taza queso suizo, rallado
1	taza queso Colby, rallado
8	rebanadas de salame Génova, picadas en forma gruesa
8	huevos
1½	taza leche
¼	taza vino blanco seco
2	cucharadas perejil, picado
1½	cucharadita mostaza Dijon
	pimienta
	salsa Tabasco
¾	taza crema agria
½	taza queso Parmesano, rallado

Distribuir los cubitos de pan en un refractario engrasado de 33 x 23 cm. (*13 x 9 pulg.*).

Rociar con la mantequilla derretida. Espolvorear con queso suizo y Colby y el salame.

Combinar los huevos, leche, vino, perejil y mostaza.

Condimentar con pimienta y salsa Tabasco al gusto; batir hasta que quede bien mezclado.

Vaciar sobre la mezcla de queso, cubrir con papel de aluminio y refrigerar de 12 a 24 horas.

Precalentar el horno a 160 °C (*325 °F*).

Sacar el refractario del refrigerador 30 minutos antes de ponerlo al horno.

Tapar y hornear durante 1 hora. Sacar el refractario del horno; quitar la tapa.

Cubrir con crema agria y espolvorear con queso Parmesano.

Volver a hornear a 200 °C (*400 °F*), sin tapar, durante 15 minutos o hasta que esté ligeramente dorado.

Variantes : Usar quesos diferentes, jamón picado, tocino desmenuzado, champiñones salteados, pimientos picados o pollo cocido y cortado en cubitos.

Quiche Lorraine

6-8 porciones

Masa

1	taza harina
½	cucharadita sal
¼	taza mantequilla
1	huevo
3	cucharadas agua fría

Relleno

8	tiras de tocino, cortadas en pedazos de 1 cm. (*½ pulg.*).
1	cebolla, finamente picada
1	taza queso suizo, rallado
6	huevos
1½	taza crema espesa

(*Continúa en la página siguiente*)

Precalentar el horno a 200 °C (*400 °F*).

Masa : Combinar la harina y la sal. Incorporar la mantequilla, cortándola, hasta que la mezcla quede granulosa.

En una taza de medir, batir el huevo con el agua con un tenedor hasta que estén bien mezclados.

Gradualmente agregar justo lo suficiente de líquido a la harina para que la masa tenga consistencia. Formar una bola.

Extender la masa con el rodillo hasta que quede de 0,5 cm. (*⅛ pulg.*) de espesor y colocarla en un refractario redondo de 23 cm. (*9 pulg.*). Forrar con papel de aluminio, llenar con frijoles secos o arroz y hornear durante 10 minutos.

Quitar el aluminio y los frijoles y volver a hornear durante más o menos 10 minutos o hasta que apenas se dore.

Relleno : Freír el tocino hasta que esté cocido pero todavía blando. Escurrir la mayor parte de la grasa, reservando justo lo suficiente para saltear la cebolla hasta que quede blanda.

Secar el tocino y la cebolla con papel absorbente para quitarles el exceso de grasa.

Espolvorear el tocino, las cebollas y el queso sobre la pasta que se sacó del horno. Batir los huevos con la crema y vaciarlos sobre el relleno.

Hornear a 190 °C (*350 °F*) durante 30-40 minutos o hasta que un cuchillo que se inserte en el centro salga limpio.

Dejar reposar durante 5 minutos antes de servir.

1

Colocar la masa en un refractario redondo, forrar con papel de aluminio y llenar con frijoles secos o arroz. Hornear durante 10 minutos.

2

Freír el tocino, escurrir la mayor parte de la grasa y saltear la cebolla hasta que quede blanda.

3

Espolvorear el relleno en la pasta; batir los huevos con la crema y vaciarlos sobre el relleno.

4

Hornear de 30 a 40 minutos o hasta que un cuchillo que se inserte en el centro salga limpio.

Quiche de Jaiba sin Corteza

6-8 porciones

1½	taza champiñones, rebanados
2	cucharadas mantequilla
4	huevos
1	taza crema agria
½	taza queso cottage
¼	taza queso Parmesano, rallado
¼	taza harina
1	cucharadita cebolla en polvo
¼	cucharadita sal
4	gotas salsa Tabasco
½	taza carne de jaiba, bien escurrida
2	tazas queso Cheddar mediano, rallado

Precalentar el horno a 180 °C (*350 °F*).

Saltear los champiñones en la mantequilla a fuego alto hasta que estén blandos.

Colocarlos en un papel absorbente.

En una licuadora o procesador de alimentos, combinar los huevos, la crema agria, el queso cottage, el queso Parmesano, la harina, la cebolla en polvo, la sal y la salsa Tabasco; procesar hasta que estén bien mezclados.

Combinar la mezcla de huevos con los champiñones, carne de jaiba y queso Cheddar en un tazón grande; mezclar bien.

Quiche de Jaiba sin Corteza

Vaciar en un molde de quiche de 25 cm. (*10 pulg.*) y hornear durante 45 minutos o hasta que la mezcla esté cuajada y la superficie de color dorado.

Dejar reposar 5 minutos antes de cortar.

Crepas de Tocino y Huevos

8 porciones

450 g.	(*1 libra*) tocino, cocido y desmenuzado
8	huevos
¼	taza crema espesa
¼	taza cebollitas de Cambray, picadas
	sal y pimienta
1	taza queso Monterey Jack rallado
8	crepas de 20 cm. (*8 pulg.*) (ver *Panes*)

Cortar el tocino en trocitos y freír hasta que quede crujiente; escurrir bien.

Batir los huevos con la crema.

Incorporar el tocino, las cebollitas y los condimentos al gusto. Vaciar en una sartén enmantequillada caliente.

A medida que se van cociendo las porciones, levantar cuidadosamente con una espátula de modo que las porciones no cocidas puedan llegar al fondo. Evitar revolver constantemente.

Espolvorear el queso sobre los huevos cuando los huevos estén casi listos.

Colocar la mezcla de huevos por cucharadas en las crepas y enrollarlas.

Servir con papas doradas y uvas verdes.

Crepas de Tocino y Huevos

Huevos Portorriqueños

4 porciones

1½	taza salsa de tomate (ver *Salsas*)
2	tazas jamón, en cubitos finos
2	tazas puntas de espárragos
8	huevos
1½	taza Salsa Mornay (ver *Salsas*)

Precalentar el horno a 180 °C (*350 °F*).

Vaciar la salsa de tomate en un refractario pequeño engrasado. Añadir el jamón y los espárragos.

Quebrar los huevos en un tazón pequeño sin romper las yemas. Deslizar los huevos sobre los espárragos.

Vaciar la Salsa Mornay alrededor de los huevos.

Hornear durante 20 minutos. Servir inmediatamente.

Tortilla Española

1 porción

1	cucharada mantequilla
1	cucharada cebollitas de Cambray, finamente picadas
1	cucharada pimiento verde, finamente picado
2	cucharadas champiñones, rebanados
2	cucharadas crema espesa
3	huevos
¼	taza Salsa Criolla (ver *Salsas*)
¼	taza queso Cheddar mediano, rallado

Precalentar el horno a 230 °C (*450 °F*). En una sartén para omelette, calentar la mantequilla.

Agregar las cebollitas, el pimiento verde y los champiñones. Saltear hasta que queden blandos.

Cuidadosamente mezclar la crema con los huevos.

Cocer los huevos hasta que estén blandos. Cuidadosamente dar vuelta a los huevos.

Verter la Salsa Criolla sobre ellos y espolvorear con queso.

Colocar al horno durante 2-3 minutos. Retirar cuidadosamente. Doblar por la mitad. Deslizar hacia un plato y servir.

Huevos a la Reina

4 porciones

2	tazas pollo, cocido y en cubitos finos
8	huevos
2	tazas Salsa Mornay (ver *Salsas*)
1	taza queso suizo, rallado

Precalentar el horno a 180 °C (*350 °F*).

Enmantequillar ligeramente un pequeño refractario. Colocar el pollo en el fondo.

Quebrar los huevos en un tazón pequeño sin romperles las yemas. Deslizar los huevos sobre el pollo.

Verter la Salsa Mornay alrededor de los huevos. Espolvorear con queso.

Hornear durante 15 minutos. Servir calientes.

Huevos a la Florentina

4 porciones

284 g.	(*10 onzas*) espinacas
2	tazas Salsa Mornay (ver *Salsas*)
8	huevos
1½	taza queso Havarti, rallado

Precalentar el horno a 180 °C (*350 °F*).

Limpiar y quitar los tallos a las espinacas. Escaldar durante 3 minutos.

Enmantequillar ligeramente un pequeño refractario; forrarlo con las espinacas.

Cubrir las espinacas con la Salsa Mornay.

Quebrar los huevos en un tazón pequeño sin romperles las yemas. Deslizar los huevos sobre la salsa. Espolvorear con queso.

Hornear durante 12 ó 15 minutos.

Servir inmediatamente.

Huevos a la Florentina y Huevos Portorriqueños

Suflé de Queso

4 porciones

3	cucharadas mantequilla
3	cucharadas harina
1	taza leche muy caliente, no hervida
1	cucharadita sal
½	taza queso Cheddar, rallado
4	yemas de huevo
5	claras de huevo

Precalentar el horno a 190 °C (*375 °F*).

Derretir la mantequilla en baño maría, ya estando caliente el agua, e incorporar la harina.

Gradualmente ir agregando la leche, revolviendo hasta obtener una consistencia suave y luego cocer, meneando hasta que la salsa quede espesa y suave. Añadir la sal y el queso. Dejar enfriar levemente la salsa.

Batir las yemas hasta que estén ligeras y con un leve color amarillo. Agregarles lentamente la salsa cremosa. Mezclar bien. Dejar enfriar esta mezcla mientras se baten las claras a punto de turrón, pero que todavia estén un poco húmedas.

En forma envolvente, incorporar la mitad de las claras batidas a la salsa, luego incorporar la otra mitad, muy delicadamente.

Vaciar la mezcla en un molde para suflé de 1,5 L (*6 tazas*) enmantequillado y hornear hasta que suba y tenga un color café, unos 35 minutos.

Servir inmediatamente.

Variantes:

Suflé de Pollo : Preparar la salsa cremosa básica agregando 1 cucharada más de harina. (Para el líquido de la salsa se puede usar caldo de pollo y jerez en vez de leche caliente, si se desea.)

Mezclar ⅔ taza de pollo en cubitos finos y un pimiento morrón enlatado, finamente picado.

Sazonar con sal al gusto y agregar ½ cucharadita de pimienta. Mezclar con las yemas. En forma envolvente, incorporar las claras batidas y hornear siguiendo las indicaciones anteriores.

Suflé de Jamón : Seguir las mismas instrucciones que se dieron para el Suflé de Pollo, sustituyendo el pollo por 1 taza de jamón finamente molido. Agregar 1 cucharadita de mostaza en polvo a los condimentos.

Suflé de Chabacanos con Salsa de Brandy Caliente

4 porciones

1¼	taza chabacanos secos
1½	taza agua
2	cucharadas azúcar
4	claras de huevo
⅛	cucharadita crémor tártaro
1	pizca sal
⅛	cucharadita extracto de almendra
¼	taza azúcar
1	taza crema para batir, fría
1	cucharada azúcar cernida
⅛	cucharadita extracto de almendra

Precalentar el horno a 160 °C (*325 °F*).

Cocer a fuego lento los chabacanos y el agua en una cacerola tapada durante ½ hora o hasta que queden blandos.

Luego pasar la mezcla a través de un cedazo.

Enmantequillar un molde de 6 tazas (*1,5 L*) de capacidad y espolvorearlo con 2 cucharadas de azúcar.

Batir las claras hasta que estén espumosas y agregar el crémor tártaro, la sal y el extracto de almendra. Continuar batiendo hasta que se formen picos blandos.

Agregar ¼ taza de azúcar, 1 cucharada a la vez, batiendo después de cada adición, hasta que las claras estén a punto de turrón.

En forma envolvente, incorporar cuidadosamente el puré de chabacanos a las claras.

Vaciar la mezcla en el molde y colocar éste en un refractario con agua caliente.

Hornear durante unos 40 minutos o hasta que esté firme.

Batir la crema hasta que quede firme, luego agregar el azúcar cernida y el extracto de almendra.

Servir el suflé con la crema batida y la salsa de brandy caliente.

Salsa de Brandy Caliente

Batir ½ taza de mantequilla suavizada con 1 taza de azúcar glass cernida hasta que la mezcla esté cremosa y esponjosa.

Batiendo, incorporar 1 huevo y 3 cucharadas de brandy. Calentar la mezcla en baño maría, meneando, hasta que esté bien caliente.

Suflé de Chocolate

5-6 porciones

⅓	taza crema ligera
1	paquete de 90 g. (*3 onzas*) queso crema
225 g.	(*8 onzas*) chocolate semidulce
3	yemas de huevo
1	pizca sal
3	claras de huevo
3	cucharadas azúcar

Precalentar el horno a 150 °C (*300 °F*).

Mezclar y calentar la crema con el queso crema a fuego muy bajo.

Agregar los pedazos de chocolate; calentar y revolver hasta que se derritan. Enfriar.

Batir las yemas de huevo y la sal hasta que espesen y adquieran un leve color amarillo.

Gradualmente incorporar la mezcla de chocolate.

Batir las claras hasta que se formen picos blandos. Gradualmente agregar el azúcar, batiendo hasta que las claras estén a punto de turrón; en forma envolvente, incorporar la mezcla de chocolate.

Vaciar en un molde para suflé engrasado de 4 tazas (*1 L*) de capacidad.

Hornear durante 45 minutos o hasta que un cuchillo que se inserte en el centro salga limpio.

Suflé de Chocolate

Carne de Res

La mayoría de la gente tiene un platillo favorito y casi invariablemente éste incluye carne de res : puede ser el asado con papas y salsa que se sirve los domingos o un bistec en un íntimo restaurante francés.

Cualquiera que sea su platillo favorito, es importante escoger un buen carnicero que le proporcione un trozo de carne de res que armonice con la receta, y luego prepararlo con todo el respeto que se merece.

Los **cortes finos** incluyen los bisteces tales como el T-bone, Porterhouse, filete de solomillo (mignon), filete, y sirloin, así como también asados cortados del lomo, o costillar, tales como el asado de costilla y el Chateaubriand.

Estos cortes deberían ser cocinados mediante métodos de calor seco, tales como a la parrilla, asados al horno o fritos.

Los **cortes menos finos** deben ser cocinados mediante métodos de calor húmedo, tales como a fuego lento, en estofados y asados en olla. Se recomienda utilizar para estos métodos tales cortes como pecho, paletilla, falda y cuello.

Tabla de Cocción para el Asado de Res Temperatura del horno 160 °C (*325 °F*)			
	Minutos por 450 g. (*1 libra*)		
	Rojo	Término medio	Bien Cocido
Asado de Costilla			
3-4 kg. (*6-8 libras*)	16	21	26
Asado Enrollado			
3-4 kg. (*6-8 libras*)	27	34	44
Bistec Asado a la Parrilla			
2,5 cm. (*1 pulg.*) de espesor	12	15	20
3,5 cm. (*1½ pulg.*) de espesor	15	20	25
5 cm. (*2 pulg.*) de espesor	25	30	35

Bistec a la Pimienta

6 porciones

6	bisteces de lomo de 280 g. (*10 onzas*)
¼	taza granos de pimienta negra, machacados
¼	taza mantequilla
2	cucharadas brandy
1	taza salsa demi-glace (ver *Salsas*)
2	cucharadas jerez
¼	taza crema espesa

Pasar los bisteces por la pimienta negra.

Calentar la mantequilla y saltear los bisteces según el grado de cocción deseado. Retirar y mantener calientes.

Vaciar el brandy y flamear; añadir el jerez y la salsa demi-glace.

Cocer fuego lento durante 1 minuto. Agregar la crema y mezclar bien.

Vaciar la salsa sobre los bisteces y servir inmediatamente.

Bistec a la Pimienta

Bisteces con Hierbas y Especias

6 porciones

½	taza aceite
1	taza vinagre de sidra
⅓	taza azúcar morena
2	dientes de ajo, finamente picados
¾	taza cebollas, finamente picadas
¼	cucharadita pimienta de Cayena
¼	cucharadita sal
½	cucharadita mejorana
½	cucharadita romero
6	bisteces de lomo de 225 g. (*8 onzas*)

Mezclar y calentar el aceite, vinagre, azúcar, ajo, cebollas y condimentos. Hervir durante 2 minutos. Retirar del fuego. Enfriar.

Colocar los bisteces en una cazuela honda. Vaciar el escabeche sobre ellos.

Refrigerar de 6 a 8 horas o toda la noche. Retirar los bisteces y asar a la parrilla al gusto.

Bistec Diana

8 porciones

⅓	taza mantequilla
8	bisteces de filete de 115 g. (*4 onzas*)
115 g.	(*4 onzas*) champiñones, rebanados
2	cebollitas de Cambray, finamente picadas
¼	taza brandy
1½	taza salsa demi-glace (ver *Salsas*)
¼	taza jerez
¼	taza crema espesa

En una sartén grande, calentar la mantequilla. Freír los bisteces en la mantequilla durante 3½ ó 4 minutos por cada lado. Retirar y mantener calientes.

Poner los champiñones en la sartén; saltear hasta que estén blandos.

Añadir las cebollitas y saltear durante 1 minuto.

Flamear *cuidadosamente* con brandy. Agregar la salsa demi-glace, el jerez y la crema. Dejar que reduzca a ¾ del volumen.

Vaciar la salsa sobre los bisteces. Servir.

Filete Mignon Oscar

6 porciones

3	cucharadas mantequilla
6	bisteces de filete mignon de 170 g. (*6 onzas*)
225 g.	(*8 onzas*) carne de jaiba
12	espárragos, escaldados durante 5 minutos
6	cucharadas Salsa Béarnaise (ver *Salsas*)

Calentar la mantequilla y saltear los bisteces según la cocción deseada.

Colocar en una charola para horno; cubrir con la carne de jaiba y los espárragos.

Colocar 1 cucharada de salsa sobre cada bistec y asar a la parrilla durante 30 segundos o hasta que la salsa quede dorada.

Tournedos Rossini

6 porciones

¼	taza mantequilla
6	bisteces de filete de 115 g. (*4 onzas*)
340 g.	(*12 onzas*) paté
¼	taza harina
6	panes tostados de 7 cm. (*3 pulg.*) de diámetro
1	taza salsa demi-glace (ver *Salsas*)
¼	taza jerez
¼	taza crema espesa

Calentar la mantequilla en una sartén. Freír los bisteces durante 3½ ó 4 minutos por cada lado.

Retirar y poner en un platón caliente.

Rebanar el paté en rodajas un poco más pequeñas que los bisteces.

Espolvorear con harina y freír durante 1 minuto por cada lado en la mantequilla.

Colocar los bisteces sobre el pan tostado. Cubrir cada uno con una rodaja de paté.

Calentar la salsa demi-glace en una cacerola.

Agregar el jerez; reducir a la mitad. Agregar la crema; cocer a fuego lento durante 1 minuto.

Vaciar la salsa sobre los bisteces. Servir.

NOTA : Los clásicos Tournedos Rossini se sirven con una rebanada de trufa encima. ¡Pero en Norteamérica ésto resulta muy caro!

Bistec de Falda a la Florentina

Saltearlos ligeramente durante 3 minutos. Picar las espinacas. Ponerlas en la sartén con el pan molido, la albahaca y el caldo.

Extender sobre la carne. Espolvorear con el queso y los anacardos. Formar un rollo. Amarrar con una cuerda cada 5 cm. (*2 pulg.*). Cocer al horno, tapado, durante 2 horas.

Rebanar en tajadas de 2,5 cm. (*1 pulg.*) de grueso.

Bistec Suizo

6 porciones

¼	taza aceite
2	dientes de ajo, finamente picados
1	cebolla, rebanada
1	pimiento verde, rebanado
115 g.	(*4 onzas*) champiñones, rebanados
½	taza harina
1 kg.	(*2¼ libras*) bistec de redondo, suavizado
2	cucharaditas sal
¼	cucharadita pimienta
½	cucharadita albahaca
½	cucharadita tomillo
2	tazas tomates hechos puré
1	taza tomates, sin semillas y picados

Calentar el aceite en una sartén grande.

Saltear el ajo, la cebolla, el pimiento verde y los champiñones hasta que estén blandos.

Pasar la carne por la harina. Dorarla en el aceite con las verduras. Agregar los condimentos, el puré de tomate y los tomates.

Cubrir y cocer a fuego lento durante 1½ hora.

Bistec de Falda a la Florentina

6 porciones

1 kg.	(*2¼ libras*) bistec de falda
3	cucharadas mantequilla
1	cebolla pequeña, en cubitos
1	diente de ajo, finamente picado
60 g.	(*2 onzas*) champiñones, rebanados
284 g.	(*10 onzas*) espinacas
1½	taza pan molido
1	cucharadita albahaca
½	taza caldo de pollo o vino blanco
1½	taza queso Cheddar, rallado
¼	taza anacardos (nueces de la India)

Precalentar el horno a 180 °C (*350 °F*). Aplanar la carne por ambos lados con un mazo.

En una sartén grande, calentar la mantequilla. Agregar la cebolla, ajo y champiñones.

Filete de Res Wellington

8 porciones

Masa

2	tazas harina
¾	cucharadita sal
225 g.	(*½ libra*) mantequilla
⅓	taza agua helada

Res

2 kg.	(*4½ libras*) filete mignon
3	cucharadas mantequilla
1	cebolla, en cubitos
115 g.	(*4 onzas*) champiñones, en cuartos
450 g.	(*1 libra*) paté de hígado

Salsa

2	tazas salsa demi-glace (ver *Salsas*)
¼	taza jerez
½	taza crema espesa
2	cucharaditas pimienta verde en granos

*Masa : Cernir la harina y la sal en un tazón. Incorporar ¾ de la mantequilla cortándola. Agregar el agua. Mezclar hasta que se formen grumos del tamaño de una nuez. Cubrir y refrigerar durante 20 minutos.

Destapar y extender la masa con el rodillo en una tabla espolvoreada con harina. Salpicar con el resto de la mantequilla. Doblar en tres. Cubrir y refrigerar 20 minutos más.

Destapar. Extender la masa con el rodillo. Doblar en tres y refrigerar. Repetir esta operación por lo menos 3 veces más. Mantener refrigerada hasta el momento de usar.

* *(Se puede también reemplazar por 450 g. (1 libra) de masa de hojaldre preparada)*

(Continúa en la página siguiente)

1

Preparar el filete asado, el paté y la mezcla de cebolla y champiñones. Extender la masa con el rodillo por última vez.

2

Untar la masa con el paté, luego esparcir la mezcla de champiñones sobre el paté.

3

Colocar el filete sobre la mezcla y envolverlo cuidadosamente con la masa.

4

Hornear durante 25 minutos o hasta que la masa adquiera un color café dorado.

Preparación : Cocer el filete al horno a 220 °C (*425 °F*) durante 20 minutos. Dejar enfriar. Calentar la mantequilla en una sartén. Agregar la cebolla y los champiñones y saltear hasta que todo el líquido se haya evaporado. Vaciar todo en una licuadora y mezclar a velocidad lenta durante 20 segundos.

Extender la masa con el rodillo por última vez. Untar la masa con el paté.

Espacir la mezcla de cebolla y champiñones sobre el paté. Colocar el filete sobre esta mezcla.

Envolver cuidadosamente el filete con la masa. Sellar los bordes. Decorar con la masa restante.

Colocar el filete con el lado sellado hacia abajo en una charola para horno. Hornear en el horno precalentado a 220 °C (*425 °F*) durante 25 minutos o hasta que la masa tenga un color café dorado. Dejar reposar 5 minutos antes de servir.

Salsa : Vaciar la salsa demi-glace en una cacerola. Agregar el jerez y dejar que reduzca el líquido a la mitad.

Agregar la crema y cocer a fuego lento durante 5 minutos. Agregar los granos de pimienta verde. Vaciar en un tazón. Servir con la carne.

Asado de Costilla

Asado de Costilla

8 porciones

¼	taza harina
2	cucharadas mostaza en polvo
1	cucharadita orégano
1	cucharadita albahaca
½	cucharadita tomillo
½	cucharadita sal
2 kg.	(*4½ libras*) costilla de res
2	cucharadas salsa inglesa

1	cebolla, picada
2	zanahorias, picadas
2	tallos de apio, picados
1	hoja de laurel
1	taza vino tinto
1	taza agua

Precalentar el horno a 160 °C (*325 °F*). Mezclar la harina, la mostaza y los condimentos.

Untar la carne con la mezcla. Colocarla en un refractario. Vaciarle encima la salsa inglesa.

Rodear la carne con las verduras, hoja de laurel y vaciar el vino y el agua. Colocar en el horno.

Hornear según el grado de cocción deseado. Usar el jugo para bañar el asado.

Usar también el jugo para hacer salsa para el asado.

Servir con Budín Yorkshire (ver *Panes*).

Pot-au-Feu

6 porciones

1 kg.	(2¼ libras) paleta de res
12	tazas (3 L) de agua
1	cucharadita sal
1	zanahoria, rebanada
1	nabo, en cubitos
1	cebolla, rebanada
1	chirivía, en cubitos
2	tallos de apio, en cubitos
2	calabacitas pequeñas, en cubitos
1	col, en cuartos
1	ramillete de hierbas*

Encordelar la carne. Colocarla en una olla grande. Agregar agua y sal. Tapar y cocer a fuego lento durante 2 horas.

Agregar las verduras (excepto la col) y el ramillete de hierbas.

Cocer a fuego lento durante 1½ hora más.

Agregar la col y cocer a fuego lento durante ½ hora más. Desechar el ramillete de hierbas.

Servir la carne y las verduras con un poquito de caldo.

* *Un ramillete de hierbas está compuesto de tomillo, mejorana, granos de pimienta, hoja de laurel y perejil, todos atados en una estopilla.*

Carne de Res a la Salmuera

8 porciones

4	tazas (1 L) agua
1¼	taza sal
3	cucharadas especias para escabeche
1	cucharadita salitre
1	cucharadita azúcar
6	hojas de laurel
12	dientes de ajo
2 kg.	(4½ libras) pecho de res
1	tallo de apio
1	cebolla
4	tazas (1 L) agua
1	cucharada mostaza preparada
¼	taza azúcar morena

Mezclar 4 tazas (1 L) de agua con los condimentos; calentar hasta que suelte el hervor. Dejar enfriar.

Colocar el pecho de res en una olla o cacerola grande. Vaciar la salmuera sobre la carne de modo que quede totalmente cubierta. Tapar con papel de aluminio y refrigerar durante 7 días.

Escurrir y enjuagar la carne. Colocar el pecho en una olla grande.

Agregar el apio y la cebolla. Añadir 4 tazas (1 L) de agua. Calentar hasta que hierva.

Reducir el calor y cocer a fuego lento durante 3 horas. Enfriar durante 30 minutos en el líquido.

Retirar la carne y ponerla en una charola para horno. Untar con mostaza. Espolvorear con azúcar morena.

Hornear a 180 °C (350 °F) durante 30 minutos. Rebanar y servir.

Carne de Res Hervida

6 porciones

1 kg.	(2¼ libras) pecho de res
2	poros, lavados y recortados
1	ramillete de hierbas
1	zanahoria, picada
1	cebolla, cortada por la mitad
1	tallo de apio, picado
1	cucharadita sal
8	tazas (2 L) agua hirviendo
12	papas nuevas pequeñas
24	zanahorias pequeñitas

En una olla o cacerola grande, colocar el pecho de res, los poros, el ramillete de hierbas, la zanahoria, la cebolla, el apio y la sal.

Añadirles el agua hirviendo. Hacer hervir. Reducir el fuego y cocer a fuego lento durante 3 horas.

Quitar la grasa o espuma que flote en la superficie. Agregar las papas y las zanahorias pequeñitas. Cocer a fuego lento durante 40 minutos más.

Colocar el pecho de res en un platón.

Rodearlo con las papas y las zanahorias. Servir con salsa picante de rábano blanco, si se desea.

Guiso de Res y Frijoles

8 porciones

1 kg.	(2¼ *libras*) carne de res magra y sin hueso, en cubitos
¼	taza aceite
1	cebolla, en rebanadas finas
1	pimiento verde, picado en forma gruesa
115 g.	(*4 onzas*) champiñones, en mitades
2	dientes de ajo, finamente picados
4	tazas tomates, sin semillas, pelados y picados
2	cucharaditas sal
1	cucharadita pimienta de Cayena
½	cucharadita pimienta negra
2	cucharadas chile en polvo
2	latas (280 g.) frijoles rojos, escurridos

Quitar la grasa a la carne. Calentar el aceite en una sartén grande. Saltear la cebolla, el pimiento verde, los champiñones y el ajo hasta que estén blandos. Agregar la carne de res y dorar a fuego mediano.

Quitar el exceso de grasa. Agregar los tomates. Incorporar los condimentos. Tapar y cocer a fuego lento durante 1 hora. Agregar los frijoles y cocer a fuego lento durante 10 minutos. Servir.

Guiso de Res y Frijoles

Estofado de Res a la Antigua

6 porciones

1 kg.	(2¼ *libras*) carne de res para estofado
¼	taza aceite
4	papas, en cubitos
1	cebolla, en rebanadas delgadas
2	tallos de apio
2	zanahorias, en cubitos
225 g.	(*8 onzas*) champiñones pequeños
3	tazas caldo de res
¼	taza puré de tomate
1	cucharadita sal
½	cucharadita pimienta negra
½	cucharadita albahaca
½	cucharadita paprika
1	cucharadita salsa inglesa
1	cucharada salsa soya

Quitar la grasa a la carne. Calentar el aceite en una olla ordinaria o de hierro.

Agregar las papas, cebolla, apio, zanahorias, champiñones y saltear durante 3 minutos. Agregar la carne de res y dorar. Agregar el caldo de res, el puré de tomate, los condimentos, la salsa inglesa y la salsa soya. Calentar hasta que suelte el hervor.

Reducir el calor y cocer a fuego lento durante 3 horas. Servir.

Pay de Bistec Inglés con Riñones

8 porciones

Masa

2	tazas harina
¾	cucharadita sal
225 g.	(½ libra) mantequilla
⅓	taza agua helada

Relleno

1	cucharadita sal
1	pizca pimienta
1	cucharadita tomillo
½	taza harina
1 kg.	(2¼ libras) bistec de bola, cortado en tiras delgadas de 4 cm. (1½ pulg.) de ancho
¼	taza tocino, picado
2	cebollas, picadas
115 g.	(4 onzas) champiñones, rebanados
2 ½	tazas caldo de res
3	riñones de ternera
2	yemas de huevo

* Masa : Cernir la harina y la sal en un tazón. Incorporar a la harina ¾ de la mantequilla.

Agregar el agua. Mezclar hasta que se formen grumos del tamaño de una nuez. Cubrir y refrigerar durante 20 minutos. Destapar y extender la masa con el rodillo en una tabla espolvoreada con harina, hasta que tenga un espesor de 0,5 cm. (⅛ de pulg.). Salpicar con el resto de la mantequilla. Doblar en tres.

Cubrir y refrigerar 20 minutos más. Destapar.

* O usar 450 g. (1 libra) de masa de hojaldre

Extender la masa con el rodillo. Doblar en tres y refrigerar durante 20 minutos más. Repetir esta operación por lo menos 3 veces más.

Relleno : Mezclar los condimentos con la harina. Espolvorear la carne con la harina condimentada.

Calentar el tocino en una sartén grande. Dorar la carne junto con el tocino a fuego alto. Agregar las cebollas y los champiñones y saltear durante 3 minutos.

Vaciar el caldo de res en la sartén. Tapar y cocer a fuego lento durante 1½ hora.

Limpiar los riñones. Usando un cuchillo afilado quitarles las membranas. Rebanar los riñones en rebanadas delgadas.

Precalentar el horno a 190 °C (375 °F).

Vaciar la mezcla de carne de res en un refractario grande de 23 x 30 cm. (9 x 12 pulg.).

Incorporar los riñones. Humedecer los bordes del refractario. Extender la masa con el rodillo.

Tapar el refractario con ella y sellar los bordes. Cortar un agujero de 1,2 cm. (½ pulg.) de diámetro en el centro.

Hacer un tubo pequeño con papel de aluminio y colocarlo en el orificio.

Cortar figuras en el resto de la masa y decorar.

Untar con yema de huevo. Hornear durante 50 minutos o hasta que tenga un color café dorado.

Carne de Res a la Bordelesa

6 porciones

⅓	taza mantequilla
1 kg.	(2¼ libras) bistec de redondo, cortado en tiras delgadas de 2,5 cm. (1 pulg.) de ancho
115 g.	(4 onzas) champiñones pequeñitos
¼	taza chalotes, picados
½	taza vino Bordeaux
2	tazas Salsa Española (ver *Salsas*)
2	cucharadas médula de res, finamente picada
1	cucharada perejil, picado

En una sartén grande, calentar la mantequilla. Freír rápidamente las tiras de carne.

Retirar de la sartén y mantenerlas calientes.

Agregar los champiñones y los chalotes. Saltear durante 3 minutos.

Agregar el vino y dejar que reduzca a un tercio.

Agregar la salsa, médula, perejil y cocer a fuego lento durante dos minutos.

Vaciar sobre las tiras de carne. Servir.

Bistec con Pimiento

Guiso Húngaro de Queso y Carne de Res

8 porciones

675 g.	(*1½ libra*) tallarines de huevo
1 kg.	(*2¼ libras*) carne de res cocida, cortada en cubitos de 2 cm. (*¾ pulg.*)
¼	taza mantequilla
3	cebollas, picadas
3	tazas salsa de tomate (ver *Salsas*)
1½	cucharadita paprika
1	cucharadita sal
¼	cucharadita pimienta
1	cucharada semillas de alcaravea o carví
1	taza queso Colby, rallado
1	taza queso con alcaravea, rallado

Precalentar el horno a 190 °C (*375 °F*).

Cocer los tallarines en una olla grande con agua hirviendo, con sal, aproximadamente 8-10 minutos o hasta que estén «al dente» (*cocidos pero firmes*). Escurrir bien.

Colocar los tallarines en un refractario engrasado de 33 x 23 cm. (*13 x 9 pulg.*). Colocar las tiras de carne encima.

Derretir la mantequilla; saltear las cebollas a fuego bajo hasta que estén blandas.

Agregar la salsa de tomate y los condimentos; cocer a fuego lento durante 15 minutos. Vaciar la salsa sobre la carne.

Espolvorear con las semillas de alcaravea y los quesos.

Hornear durante 30 minutos o hasta que el queso se haya derretido y esté ligeramente dorado.

Bistec con Pimiento

4 porciones

675 g.	(*1½ libra*) bistec de redondo, cortado en pequeñas tiras
½	taza de harina
3	cucharadas aceite
1	cebolla, rebanada
1	pimiento verde, rebanado
1	tallo de apio, rebanado
60 g.	(*2 onzas*) champiñones
2	tomates, en cuartos
½	taza caldo de res
¼	taza jerez
2	cucharadas salsa soya
1	cucharadita salsa inglesa

Espolvorear la carne con la harina. Calentar el aceite en una sartén grande o en un wok.

Freír rápidamente las tiras de carne hasta que estén doradas. Agregar la cebolla, el pimiento verde, el apio y los champiñones rebanados. Freír durante 2 minutos. Agregar el resto de los ingredientes. Cocinar durante 2 minutos más.

Servir con arroz.

Carne de Res con Champiñones y Cheddar Fuerte

8 porciones

4	tazas arroz cocido
1 kg.	(2¼ libras) carne de res cocida, cortada en tiras delgadas
450 g.	(1 libra) champiñones pequeñitos, salteados en mantequilla
¼	taza mantequilla
¼	taza harina
2	tazas Salsa Española (ver *Salsas*)
2	tazas crema espesa
1	cucharada granos de pimienta verde
3	tazas queso Cheddar fuerte, rallado
¼	taza pan molido

Precalentar el horno a 200 °C (400 °F).

Extender el arroz en el fondo de un refractario engrasado de 33 x 23 cm. (13 x 9 pulg.).

Cubrir con las tiras de carne y los champiñones salteados.

Derretir la mantequilla a fuego mediano; incorporar la harina.

Agregar la Salsa Española y la crema; calentar, revolviendo constantemente, hasta que la mezcla espese y comience a hervir. Agregar los granos de pimienta verde. Vaciar la salsa sobre la carne.

Combinar el queso y el pan molido y espolvorear sobre la salsa.

Hornear durante 25 minutos o hasta que se caliente bien.

Res Stroganoff

8 porciones

1 kg.	(2¼ libras) bistec de redondo
¼	taza aceite
3	cucharadas mantequilla
1	tallo de apio, rebanado
1	cebolla, rebanada
1	pimiento verde, rebanado
225 g.	(½ libra) champiñones, rebanados
⅓	taza harina
1¼	taza caldo de res
¾	taza jerez
2	cucharadas salsa inglesa
2	cucharadas mostaza preparada
¼	taza puré de tomate
1	hoja de laurel
2	cucharaditas paprika
½	cucharadita tomillo
¼	cucharadita pimienta
1	taza crema agria
4	tazas tallarines de huevo cocidos, calientes

Cortar el bistec en rebanadas.

Calentar el aceite y la mantequilla. Dorar la carne, luego saltear las verduras hasta que estén blandas. Agregar la harina y revolver durante 2 minutos.

Agregar el caldo de res, jerez, salsa inglesa, mostaza, puré de tomate y condimentos.

Tapar y cocer a fuego lento durante 1¼ hora.

Agregar la crema agria y mezclar bien. Vaciar sobre los tallarines y servir.

Res Bourguignon

8-10 porciones

2 kg.	(4½ libras) paletilla, en cubitos
1	cucharadita mostaza en polvo
1	cucharadita albahaca
1	cucharada sal
½	cucharadita pimienta
225 g.	(½ libra) tocino
20	cebollitas, pequeñitas
2	tazas vino tinto
1	taza jerez
1	hoja de laurel
¼	taza perejil, picado
1	cucharadita tomillo
450 g.	(1 libra) champiñones, rebanados
3	cucharadas harina
¼	taza agua

Sazonar la carne de res con la mostaza, la albahaca, sal y pimienta.

En una olla de hierro, saltear el tocino. Sacar los pedazos de tocino.

Dorar la carne de res en la grasa. Agregar las cebollas y saltear hasta que estén blandas. Agregar el vino, jerez, laurel, perejil y tomillo. Tapar y cocer a fuego lento durante 2 horas.

Agregar los champiñones y cocer a fuego lento 30 minutos más.

Mezclar la harina con agua y formar una pasta muy suave. Agregar a la carne de res y cocer a fuego lento, meneando, durante 5 minutos o hasta que la mezcla espese.

Servir con papas nuevas.

Res Stroganoff

Crepas Oscar

8 porciones

1	cebolla pequeña, finamente picada
	margarina
3	tazas champiñones, rebanados
450 g.	(*1 libra*) filete mignon
	sal y pimienta
16	puntas de espárragos
8	crepas de 20 cm. (*8 pulg.*) (ver *Panes*)
1	taza queso suizo, rallado
1	taza camarones pequeños, cocidos
1	taza Salsa Béarnaise (ver *Salsas*)

Saltear la cebolla en una pequeña cantidad de margarina a fuego mediano hasta que esté blanda. Retirar de la sartén. Saltear los champiñones en otro poco de margarina a fuego alto hasta que estén blandos; retirar de la sartén.

Cortar la carne de res en tiras bien delgadas y saltear según el grado de cocción deseado. Vaciar nuevamente la cebolla y los champiñones en la cacerola, volver a calentar y sazonar al gusto.

Mientras tanto, cocer los espárragos en agua hirviendo con sal, justo hasta que estén tiernos, aproximadamente 3 minutos; escurrir.

Repartir con una cuchara la mezcla de la carne sobre las crepas, espolvorear con queso y enrollar. Colocar en una charola para horno. Cubrir con camarones, 2 puntas de espárragos y Salsa Béarnaise.

Colocar bajo la parrilla precalentada hasta que la salsa quede levemente dorada, alrededor de 1 minuto.

Crepas Oscar

Costillas a la Texana

8 porciones

2 kg.	(*4½ libras*) costillas, cortadas en pedazos de 7 cm. (*3 pulg.*)
3	cucharadas aceite
⅓	taza harina
1	cebolla, picada
2	cucharaditas sal
½	cucharadita pimienta
½	cucharadita orégano
½	cucharadita tomillo
½	cucharadita paprika
¼	taza agua hirviendo
2	tazas salsa de tomate picante
⅓	taza pepinos escabechados, en cubitos

Quitar el exceso de grasa a las costillas. Calentar el aceite en una olla grande. Espolvorear las costillas con harina, luego dorarlas en aceite. Escurrir el exceso de grasa, guardando una cucharada. Agregar la cebolla y freír hasta que quede dorada. Espolvorear con los condimentos. Agregar agua y reducir el calor. Tapar y cocer a fuego lento durante 1½ hora.

Agregar la salsa de tomate picante y los pepinos escabechados. Cocer a fuego lento durante 1 hora más o hasta que las costillas estén muy tiernas. Servir con su arroz preferido.

Bistec Tártaro

4 porciones

450 g.	(*1 libra*) filete mignon
½	taza cebollitas de Cambray, finamente picadas
1	cucharadita ajo, finamente picado
2	cucharadas jerez
½	cucharadita pimienta, triturada
1	cucharadita perejil, picado
1	cucharadita sal
1	cucharadita salsa inglesa
1	cucharada brandy
1	cucharadita alcaparras
4	yemas de huevo
1	pan integral de centeno

Moler el filete en la máquina dos veces.

Colocar la carne en un tazón, agregar las cebollitas y mezclar.

Incorporar el ajo, jerez, pimienta, perejil, sal, salsa inglesa, brandy y alcaparras.

Dividir la mezcla de la carne en cuatro porciones y colocar en los platos.

Hacer una cavidad en el centro de cada porción. Colocar una yema de huevo en la cavidad.

Servir con pan integral de centeno.

Colocar la carne molida en un tazón, agregar las cebollitas y mezclar.

Incorporar el ajo, jerez, pimienta, perejil, sal, salsa inglesa, brandy y alcaparras.

Dividir la mezcla de la carne en cuatro porciones y colocar en los platos. Hacer una cavidad en el centro de cada porción.

Colocar una yema de huevo en la cavidad.

Sopa de Albóndigas

8 porciones

Albóndigas

450 g.	(*1 libra*) carne de res molida, muy magra
1	cucharadita salsa inglesa
⅓	taza pan molido
¼	taza leche
1	huevo, batido
¼	cucharadita ajo en polvo
¼	cucharadita orégano
¼	cucharadita tomillo
¼	cucharadita albahaca
1	pizca chile en polvo
½	cucharadita paprika
1	cucharadita sal
¼	cucharadita pimienta

Precalentar el horno a 180 °C (*350 °F*).

Mezclar la carne con la salsa inglesa y el pan molido.

Batir el huevo con la leche y agregar los condimentos. Incorporar a la mezcla de la carne y formar las albóndigas.

Hornear de 12 a 15 minutos. Escurrir el exceso de grasa y reservar las albóndigas.

Sopa

¼	taza aceite
1	cebolla, rebanada
1	pimiento verde, rebanado
115 g.	(*4 onzas*) champiñones, rebanados
2	dientes de ajo, finamente picados
2	tallos de apio, rebanados
4	tazas de tomates, picados
2	tazas de caldo de pollo
½	taza fideo, partido
1	cucharadita sal
1	cucharadita orégano
¼	cucharadita pimienta
¼	taza jerez

En una olla ordinaria o de hierro, calentar el aceite. Agregar la cebolla, pimiento verde, champiñones, ajo y apio; saltear hasta que estén blandos.

Agregar los tomates y el caldo; calentar hasta que suelte el hervor. Agregar el fideo y reducir el calor.

Tapar y cocer a fuego lento durante 15 minutos. Agregar los condimentos, jerez y albóndigas.

Cocer a fuego lento 5 minutos más. Servir.

Pastel de Papas

4 porciones

3	cucharadas aceite
2	cebollas, finamente picadas
2	tallos de apio, finamente picados
2	zanahorias, en cubitos finos
450 g.	(*1 libra*) carne de res magra, molida
½	cucharadita ajedrea
1	cucharadita sal
284 g.	(*10 onzas*) elote en crema, enlatado
4	tazas puré de papas

Precalentar el horno a 190 °C (*375 °F*).

Calentar el aceite en una sartén. Saltear las cebollas, apio y zanahorias.

Agregar la carne y dorar. Condimentar con ajedrea y sal. Escurrir el exceso de grasa.

Colocar la mezcla en una cazuela.

Verter el elote en crema sobre la carne. Cubrir con el puré de papas.

Hornear durante 20 minutos.

Hamburguesa con Queso

8 porciones

1 kg.	(*2¼ libras*) carne de res magra, molida
2	cucharaditas sal condimentada
1	pizca pimienta
1	huevo
¼	taza pan molido muy fino
8	rebanadas de queso Havarti o Cheddar mediano, de más o menos 2,5 cm. cuadrados (*¼ pulg. cuad.*) y 0,5 cm. (*¼ pulg.*) de espesor

Combinar la carne molida con los condimentos, huevo y pan molido; mezclar bien.

Dividir en 8 porciones. De cada porción, hacer 2 hamburguesas delgadas. Colocar una rebanada de queso entre las 2 hamburguesas y sellar los bordes apretándolos. Colocar bajo la parrilla precalentada y cocer hasta que estén doradas, más o menos 6 minutos por lado. Servir en panecillos frescos y aderezar al gusto.

Sirloin Wellington

8 porciones

Masa

2½	tazas harina
1	cucharadita sal
¾	taza mantequilla, helada y en cubitos
1	huevo
½	taza crema agria

Relleno

¼	taza mantequilla

Sirloin Wellington

115 g.	(*4 onzas*) champiñones
¼	taza cebolla, finamente picada
1 kg.	(*2¼ libras*) sirloin, molido dos veces
1	cucharada perejil
1	cucharada albahaca
1	cucharadita sal
1	cucharadita pimienta
2	huevos
225 g.	(*8 onzas*) paté de hígado

Masa : Cernir la harina y la sal. Incorporar la mantequilla hasta que la masa presente grumos gruesos.

Mezclar el huevo con la crema agria. Incorporar esta mezcla a la harina hasta obtener una masa lisa. Formar una bola suave. Cubrir y refrigerar durante 1 hora.

Precalentar el horno a 180°C (*350°F*).

Relleno : Derretir la mantequilla y saltear los champiñones y la cebolla. Dejar enfriar. Mezclar el sirloin con los champiñones, cebolla, condimentos y huevos. Extender la masa con el rodillo y cortar 8 rectángulos de 20 x 12 cm. (*8 x 5 pulg.*). Untar el centro con el paté, luego agregar el relleno. Envolver la carne y sellar los bordes. Untar con un poquito de mantequilla derretida.

Hornear durante 1 hora o hasta que la masa adquiera un color café dorado.

Res a la Javanesa

8 porciones

2	cucharadas mantequilla
1	cebolla, rebanada
1	pimiento verde, rebanado
675 g.	(*1½ libra*) carne de res magra, molida
1	cucharadita sal
1	cucharada curry en polvo
½	taza pasas
½	taza chabacanos secos, picados
1	taza anacardos (nueces de la India)
1	taza caldo de res
2	tazas chícharos, frescos o congelados
½	taza pimiento morrón enlatado, picado

Derretir la mantequilla y saltear la cebolla y el pimiento verde.

Agregar la carne de res, la sal y el curry en polvo; dorar. Incorporar las pasas, chabacanos y anacardos. Agregar el caldo de res y cocer a fuego lento durante 20 minutos.

Agregar los chícharos y el pimiento morrón. Cocer a fuego lento durante 10 minutos más.

Servir con arroz y «chutney» (frutas o verduras en escabeche).

Res a la Javanesa

Frijoles con Carne a la Antigua

8 porciones

2	dientes de ajo, finamente picados
1	cebolla mediana, picada
2	cucharadas aceite vegetal
450 g.	(*1 libra*) carne de res magra, molida
840 g.	(*28 onzas*) tomates, enlatados
2½	tazas agua
2	tomates, pelados, sin semillas y picados
1	pimiento verde, picado
2	cucharadas chile en polvo
1	cucharada paprika
1	cucharadita tomillo
½	cucharadita hojas de orégano seco
½	cucharadita hojas de albahaca seca
½	cucharadita pimienta de Cayena
1	cucharadita sal
420 g.	(*14 onzas*) frijoles rojos enlatados, enjuagados
½	taza queso Cheddar fuerte, rallado
½	taza queso suizo, rallado

(Continúa en la página siguiente)

1½	cucharadita sal
½	cucharadita pimienta
4	tiras de tocino

Precalentar el horno a 180 °C (*350 °F*).

Combinar la carne con los huevos, pan molido y condimentos. Darle la forma de un pan en un molde de 22 x 12 cm. (*9 x 5 pulg.*). Colocar las tiras de tocino a lo ancho del pan.

Hornear durante 1¼ ó 1½ hora.

Salsa

3	cucharadas mantequilla
225 g.	(*8 onzas*) champiñones, rebanados
3	cucharadas harina
1	taza crema espesa
2	tazas caldo de res
¼	taza jerez
¼	taza puré de tomate

En una cacerola, calentar la mantequilla.

Saltear los champiñones hasta que estén blandos.

Agregar la harina y cocer durante 2 minutos.

Agregar la crema, caldo y jerez. Revolver.

Reducir el calor y cocer a fuego lento hasta que espese. Incorporar, batiendo, el puré de tomate.

Vaciar sobre el pan de carne.

Pan de Carne con Salsa de Champiñones

Saltear el ajo y la cebolla en el aceite hasta que estén blandos. Añadir la carne molida y continuar cocinando hasta que esté bien cocida; escurrir.

Incorporar los tomates enlatados, el agua, tomates frescos, pimiento verde, condimentos y frijoles rojos. Hacer hervir; reducir el calor y cocer a fuego lento de 2½ a 3 horas.

En el momento de servir, repartir el guiso en tazones individuales y espolvorear con queso. Servir con pan de ajo.

Pan de Carne con Salsa de Champiñones

6 porciones

Pan

1 kg.	(*2¼ libras*) carne molida, muy magra
2	huevos
⅔	taza pan molido fino
¼	taza perejil, picado
1	cucharadita albahaca

Aves

Los mejores recuerdos de mis clientes se relacionan con los platillos creados especialmente para ellos, y casi la mayoría de las veces, esos platillos fueron elaborados a base de pollo. (El Pollo Rombough, cuya receta se incluye en este capítulo, es una de tales inspiraciones.)

La verdad es que el pollo es un producto tan versátil que hay infinitas maneras de prepararlo. Y hasta los huesos que han sido dejados completamente limpios, pueden utilizarse para preparar caldos y sopas básicas.

No es de sorprenderse por lo tanto, que la escuela culinaria más famosa del mundo no lleve el nombre de un gran chef, sino más bien el de un platillo de pollo famoso en el mundo entero : Cordon Bleu.

Pero por muy extraordinaria que sea esta ave, hay otras que también lo son. La categoría de las aves comprende cualquier ave domesticada para el consumo humano, incluyendo el pavo, el pato, el ganso y las gallinas de Cornualles (pollitos Rock Cornish).

Además se pueden incluir en esta categoría las aves de caza, tales como los faisanes y las perdices.

Las aves pueden ser cocinadas mediante la mayoría de los métodos de cocción. Experiméntelos todos y descubrirá que tan sólo con las aves ya tiene un menú infinito.

Prueba de Cocción: Es más conveniente usar un termómetro para carne, insertándolo en el muslo, pero sin tocar el hueso. El pollo está cocido cuando la temperatura marca 87 °C (*190 °F*).

Si no dispone de un termómetro, usted puede cerciorarse de que el ave está cocida cuando las piernas se mueven libremente y cuando los jugos que escurren, cuando pica la parte más gruesa del muslo, son transparentes en vez de rosados.

Tabla de Cocción para las Aves
Temperatura del horno 160 °C (*325 °F*)

	Peso	Tiempo
Pollo	1 kg. (*2 – 3 libras*)	1¼ – 1½ hora
	2 kg. (*4 – 5 libras*)	2 – 2½ horas
	3 kg. (*5 – 6 libras*)	2½ – 3 horas
	4 kg. (*6 – 7 libras*)	3 – 3½ horas
Pavo	3 – 4 kg. (*6 – 8 libras*)	3 – 4 horas
	4 – 6 kg. (*8 – 12 libras*)	4 – 5 horas
	6 – 8 kg. (*12 – 16 libras*)	5 – 6 horas
	8 – 9 kg. (*16 – 20 libras*)	6 – 7½ horas

Pollo con Mango y Duraznos

Pollo con Mango y Duraznos

4-6 porciones

1	pollo de 1,1 – 1,4 kg. (*2½ – 3 libras*)
¼	taza mantequilla
1	taza mangos, en cubitos
½	taza duraznos, en cubitos
3	tiras de cáscara de limón amarillo
1¼	taza de caldo de pollo
1	cucharada jugo de limón
½	taza crema espesa
	sal y pimienta

Precalentar el horno a 180 °C (*350 °F*).

Freír el pollo en la mantequilla hasta que esté dorado por todos lados. Agregar los mangos, duraznos, cáscara de limón y caldo de pollo.

Tapar y hornear durante 1 hora.

Sacar el pollo de la cazuela y mantenerlo caliente.

Sacar la cáscara de limón. Agregar jugo de limón y crema. Sazonar al gusto.

Cocer la salsa a fuego lento hasta que espese.

Vaciar la salsa sobre el pollo y servir.

Pollo Asado con Romero

4 porciones

1	pollo de 1 kg. (*2¼ libras*)
1	cucharada mantequilla derretida
¼	cucharadita sal
1	pizca pimienta
1	pizca paprika
1	cucharada romero

Precalentar el horno a 160 °C (*325 °F*).

Rellenar el pollo, si lo desea, con su relleno favorito.

Colocar el pollo en un platón refractario. Untarlo con mantequilla derretida. Espolvorear con los condimentos. Hornear durante 60 minutos.

(*Si hay relleno, un tiempo de cocción prolongado puede ser necesario.*)

Pollo Primaveral

4 porciones

1	pollo, cortado en 8 piezas
3	cucharadas de aceite
8	tiras de tocino, picadas
1	cebolla pequeña, en cubitos
115 g.	(*4 onzas*) champiñones, rebanados
2	tazas salsa demi-glace (ver *Salsas*)

Saltear el pollo en el aceite a fuego alto.

Reducir el calor y cocer, medio tapado, durante 15 minutos. Retirar y mantener caliente.

Escurrir el aceite de la cazuela y agregar el tocino; saltear hasta que esté blando.

Agregar la cebolla y dorar.

Agregar los champiñones y saltear. Meneando rápidamente, incorporar la salsa demi-glace y cocer a fuego lento 8 minutos.

Vaciar sobre el pollo y servir inmediatamente.

Pollo a la Niçoise

4 porciones

⅓	taza aceite
1 kg.	(*2¼ libras*) pollo, cortado en 8 piezas
½	taza vino blanco
¾	taza salsa de tomate (ver *Salsas*)
2	alcachofas
8	papas muy pequeñas
1	taza calabacitas, cortadas en tiras delgadas
12	aceitunas negras, deshuesadas
2	cucharaditas estragón

En una sartén grande, calentar el aceite. Dorar el pollo en el aceite.

Agregar el vino y la salsa de tomate y reducir el calor. Tapar y cocer a fuego lento durante 50 minutos.

Limpiar y mondar las alcachofas. Sacarles el corazón. Saltear las papas.

Una hora antes de que el pollo esté listo, agregar las papas y las alcachofas.

Diez minutos antes de que el pollo esté listo, agregar las calabacitas y las aceitunas.

Espolvorear con estragón justo antes de servir.

Pollo Petit-Duc

4 porciones

⅓	taza mantequilla
1 kg.	(*2¼ libras*) pollo, cortado en 8 piezas
115 g.	(*4 onzas*) champiñones pequeñitos
¼	taza vino Madera
2½	tazas salsa demi-glace (ver *Salsas*)

Calentar la mantequilla en una sartén grande.

Saltear el pollo hasta que esté dorado. Retirar y dejar a un lado.

Agregar los champiñones y saltear. Meneando rápidamente, incorporar el vino.

Colocar nuevamente el pollo en la sartén. Vaciarle la salsa demi-glace.

Tapar y cocer a fuego lento durante 50 ó 55 minutos o hasta que el pollo esté tierno.

Pollo Petit-Duc, Pollo a la Niçoise y Pollo Primaveral

Pollo con Salsa Española

4 porciones

1,4 kg.	(*3 libras*) piezas de pollo
¼	taza aceite vegetal
	sal y pimienta
	paprika
	hojas de orégano seco
	tomillo
¼	taza brandy
½	taza crema espesa
¼	taza jerez
5	cucharadas harina
½	taza Salsa Española (ver *Salsas*)
1⅓	taza queso Cheddar suave, rallado

Precalentar el horno a 180 °C (*350 °F*).

Dorar el pollo en el aceite, alrededor de 5 minutos, luego transferirlo a un refractario.

Espolvorear ligeramente con los condimentos y hornear durante 45 minutos o hasta que esté bien cocido. Escurrir la grasa, vaciar el brandy y flamear.

Sacar el pollo del refractario y mantenerlo caliente.

Combinar la crema y el jerez; incorporar la harina para formar una mezcla suave.

Vaciar la mezcla de la crema y la Salsa Española en los jugos del refractario; cocinar y revolver hasta que espese. Agregar el queso; revolver justo hasta que se derrita.

Colocar las piezas de pollo en un platón y vaciar la salsa sobre ellas.

Pollo Frito a la Sureña

8 porciones

1 kg.	(*2¼ libras*) piernas de pollo con muslo
1	cucharada sal
1	cucharada paprika
1	cucharadita de cada uno: orégano, tomillo, salvia, albahaca, ajo en polvo, pimienta negra, cebolla en polvo, mejorana
4	tazas pan molido fino
4	huevos
½	taza leche
2	tazas harina
3	tazas aceite

Precalentar el horno a 180 °C (*350 °F*).

Lavar el pollo y secarlo. Mezclar los condimentos con el pan molido. Mezclar los huevos con la leche.

Espolvorear el pollo con harina. Pasarlo por la mezcla de huevos. Rodarlo en el pan molido condimentado.

Calentar el aceite a 160 °C (*325 °F*). Freír el pollo en aceite hasta que tenga un color café dorado. Sacar del aceite y colocar sobre papel absorbente para quitar el exceso de aceite.

Colocar en una charola de horno y hornear de 12 a 15 minutos.

Pollo con Salsa Chasseur

4 porciones

1	pollo, cortado en 8 piezas
1½	cucharada mantequilla
1½	cucharada aceite
¼	taza vino blanco dulce
⅔	taza Salsa Chasseur (ver *Salsas*)
1	cucharada perejil, picado

Saltear el pollo en la mantequilla y el aceite.

Una vez cocido, sacarlo de la cazuela y mantenerlo caliente.

Verter el vino en la cazuela y dejar que reduzca a la mitad. Agregar la salsa y cocer a fuego lento durante 5 minutos.

Vaciar sobre el pollo y espolvorear con perejil.

Servir.

Pollo Verónica al Vino Blanco

Pollo Verónica al Vino Blanco

8 porciones

2	pollos, cortados en cuartos
2	cucharadas mantequilla derretida
1	cucharada azúcar
	sal y pimienta blanca

Salsa

3	cucharadas mantequilla
3	cucharadas harina
½	taza vino blanco, tipo sauternes
½	taza caldo de pollo
½	crema ligera
2	tazas uvas verdes, en mitades

Precalentar el horno a 180 °C (*350 °F*).

Untar el pollo con la mantequilla derretida. Espolvorear con azúcar, sal y pimienta.

Hornear durante 45 minutos.

Salsa : En una cacerola, derretir la mantequilla y agregar la harina. Cocer durante 2 minutos sin dorar.

Agregar el vino y el caldo de pollo. Dejar que reduzca a la mitad.

Agregar la crema y cocer a fuego lento hasta que la salsa espese. Agregar las uvas.

Colocar el pollo cocido en un platón, vaciar la salsa sobre el pollo y servir.

Pollo con Paprika

8 porciones

½	taza harina
1	cucharada sal
1	cucharada paprika
1	cucharadita pimienta
2	pollos, cortados en 8 piezas
⅓	taza aceite
2½	tazas caldo de pollo
1	taza crema agria

Mezclar la harina con los condimentos. Lavar el pollo y pasarlo por la harina condimentada.

En una sartén grande, calentar el aceite y dorar el pollo. Agregar el caldo de pollo y cocer a fuego lento durante 40 minutos.

Retirar el pollo y mantenerlo caliente.

Añadir la crema agria en la sartén, meneando rápidamente y cocer a fuego lento durante 5 minutos.

Vaciar la salsa sobre el pollo y servir con tallarines con mantequilla.

Pollo con Paprika

Pollo Polinesio

4 porciones

1	cucharadita sal
1	cucharadita paprika
½	taza harina
1	pollo de 1 kg. (*2¼ libras*), cortado en 8 piezas
½	taza grasa
1	taza jugo de naranja
2	cucharadas azúcar morena
2	cucharadas vinagre
1	cucharadita albahaca
1	cucharadita nuez moscada, molida
1¼	taza duraznos, rebanados

Mezclar la sal, la paprika y la harina. Cubrir ligeramente el pollo con la mezcla.

Calentar la grasa en una sartén grande. Saltear el pollo hasta que adquiera un color café dorado por todos lados.

Mezclar en un tazón el jugo de naranja con el azúcar morena, el vinagre, albahaca y nuez moscada.

Agregar al pollo. Tapar y cocer a fuego lento durante 35 ó 40 minutos hasta que el pollo esté tierno.

Agregar los duraznos y cocer a fuego lento 5 minutos más. Servir.

Pollo al Vino

8 porciones

1	pollo de 1,8 kg.(*4 libras*), cortado en piezas
3	cucharadas harina
¼	taza mantequilla
½	taza brandy
1	cucharadita tomillo
1	cucharadita paprika
2	cucharaditas sal
1½	taza vino tinto seco
1½	taza caldo de pollo, concentrado
4	tiras de tocino, picadas
1	taza cebollitas, pequeñitas
1	taza champiñones, pequeñitos

Untar el pollo con la harina. Dorar en la mantequilla a fuego bajo. Flamear con brandy.

Agregar los condimentos, vino tinto y caldo de pollo. Tapar y cocer a fuego lento hasta que el pollo esté tierno, aproximadamente 40 minutos.

En una sartén, dorar el tocino y saltear las cebollitas y los champiñones. Escurrir toda la grasa que quede.

Agregar todo al pollo 5 minutos antes de que esté listo.

1

Flamear el pollo dorado con brandy.

2

Agregar los condimentos, vino tinto y caldo de pollo. Tapar y cocer a fuego lento hasta que el pollo esté tierno, aproximadamente 40 minutos.

3

En una sartén, dorar el tocino y saltear las cebollitas y los champiñones.

4

Agregar todo al pollo 5 minutos antes de que esté listo.

Pollo a la Suiza

8 porciones

8	pechugas de pollo, deshuesadas
	sal y pimienta
	paprika
	aceite vegetal
225 g.	(*8 onzas*) jamón Selva Negra, finamente rebanado
16	puntas de espárragos, cocidas
8	rebanadas de queso suizo

Espolvorear ligeramente las pechugas de pollo con sal, pimienta y paprika.

Saltear en aceite vegetal a fuego mediano o asar a la parrilla hasta que estén cocidas.

Colocar sobre cada pechuga jamón, 2 puntas de espárragos y una rebanada de queso.

Colocar bajo la parrilla precalentada hasta que el queso se derrita.

Servir inmediatamente.

Pollo a la Nantúa

8-10 porciones

8-10	pechugas de pollo, deshuesadas
6	tazas (*1,5 L*) caldo de pollo o agua
340 g.	(*¾ libra*) camarones pequeños, cocidos
1½	taza carne de jaiba
1	taza Salsa de Pollo (ver *Salsas*)
2	tazas Salsa Suprema (ver *Salsas*)
⅓	taza queso Parmesano, rallado

Precalentar el horno a 180 °C (*350 °F*).

Colocar las pechugas en el caldo caliente; cocinar a fuego lento justo hasta que estén cocidas, más o menos 10 minutos. Sacarlas del caldo y tapar herméticamente.

Mezclar los camarones, la carne de jaiba y la Salsa de Pollo; vaciar la mezcla en un refractario no muy hondo, engrasado.

Colocar las pechugas sobre la mezcla de mariscos. Rociar con Salsa Suprema.

Espolvorear con queso Parmesano y hornear hasta que esté listo y dorado, más o menos 15 minutos.

Pechugas de Pollo con Tres Clases de Pimienta

6 porciones

6	pechugas de pollo deshuesadas, de 170 g. (*6 onzas*) cada una
1	cucharada granos de pimienta negra, recién machacados
1	cucharada granos de pimienta verde
1	cucharada granos de pimienta blanca, recién machacados
3	cucharadas aceite
2	tazas salsa demi-glace (ver *Salsas*)
¼	taza crema espesa
¼	taza jerez

Lavar las pechugas de pollo.

Mezclar los granos de pimienta y pasar por éstos el pollo, asegurándose de cubrir toda la pechuga.

Calentar el aceite en una sartén. Saltear cada pechuga en el aceite, alrededor de 2½ minutos por cada lado. Retirar del aceite y mantenerlas calientes.

Agregar la salsa demi-glace, la crema y el jerez. Cocer a fuego lento durante 5 minutos.

Vaciar la salsa sobre el pollo y servir.

Pollo al Limón

Mezclar la maicena con
1 cucharada de agua, agregar a
la salsa y hacer hervir
nuevamente. Vaciar la salsa
sobre el pollo.

Pechugas de Pollo a la Papillote

6 porciones

6	pechugas de pollo deshuesadas, de 170 g. (*6 onzas*) cada una
3	cucharadas de mantequilla
6	corazones de papel de cera, enmantequillados (papillotes)
12	rebanadas jamón Selva Negra, de 30 g. (*1 onza*) cada una
¾	taza Salsa Italiana (ver *Salsas*)

Precalentar el horno a 220 °C
(*425 °F*).

Dorar las pechugas en la
mantequilla. Retirar del fuego y
enfriar.

En una mitad del corazón de
papel de cera, colocar una
rebanada de jamón y
1 cucharada de salsa sobre el
jamón.

Luego colocar una pechuga
sobre el jamón. Agregar
1 cucharada de salsa y después
otra rebanada de jamón.

Doblar el papel para envolver el
pollo. Sellar el borde de modo
que no escape aire durante la
cocción.

Hornear hasta que los papillotes
se hinchen con aire. Servir
inmediatamente.

Pollo al Limón

4 porciones

3	cucharadas aceite
4	pechugas de pollo deshuesadas, de 170 g. (*6 onzas*) cada una
1	cucharada semillas de ajonjolí
2	cucharadas mantequilla
¼	taza azúcar
¼	taza agua
¼	taza jugo de limón
2	cucharaditas maicena
1	cucharada agua

Calentar el aceite en una sartén.

Aplanar las pechugas de pollo y
saltear durante 2½ minutos por
cada lado. Cubrir con semillas de
ajonjolí. Retirar de la sartén y
mantenerlas calientes.

Derretir la mantequilla en una
cacerola. Agregar el azúcar.
Revolver constantemente y cocer
hasta que el azúcar adquiera un
color acaramelado.

Agregar ¼ taza de agua y jugo
de limón y calentar hasta que
suelte el hervor.

Pollo Washington

6 porciones

2	cucharadas mantequilla
¼	taza champiñones, finamente picados
2	cucharadas harina
½	taza crema ligera
¼	cucharadita sal
1	pizca pimienta de Cayena
1¼	taza queso Cheddar fuerte, rallado
6	pechugas de pollo deshuesadas, de 170 g. (*6 onzas*) cada una
¼	taza harina
2	huevos, ligeramente batidos
¾	taza pan molido fino
½	taza grasa

En una cacerola, derretir la mantequilla. Saltear los champiñones hasta que estén blandos.

Agregarles la harina y revolver hasta que la mezcla quede suave. Agregar la crema, sal y pimienta y cocer a fuego lento hasta que espese. Incorporar el queso y continuar revolviendo hasta que se derrita. Retirar del fuego y refrigerar durante 2 horas. Cortar en seis pedazos iguales.

Precalentar el horno a 180 °C (*350 °F*).

Mientras se enfría el relleno, aplanar las pechugas de pollo, luego cubrir cada una con relleno y doblar en dos. Espolvorear con harina, pasar por los huevos y rodar en pan molido.

Calentar la grasa y freír el pollo lo suficiente como para dorarlo por ambos lados.

Colocar en una charola para horno y hornear durante 10 minutos. Servir inmediatamente.

Pollo Cumberland

6 porciones

6	pechugas de pollo, deshuesadas
2	cucharadas mantequilla
2	cucharadas aceite

Salsa

1	taza jalea de grosella roja
1	cucharada cáscara de naranja, rallada
1	cucharada cáscara de limón amarillo, rallada
1	taza jugo de naranja
¼	taza jugo de limón
1½	cucharadita jengibre
¼	taza jerez
1	cucharada mostaza Dijon
1	cucharada maicena
2	cucharadas agua

Saltear el pollo en la mantequilla y el aceite a fuego mediano bajo hasta que la carne esté tierna, alrededor de 8 minutos por lado. Retirar y mantener calientes.

En una cacerola, combinar la jalea, las cáscaras de naranja y limón, jugos, jengibre, jerez y mostaza. Hacer hervir suavemente.

Mezclar la maicena con el agua. Incorporar a la salsa y cocer a fuego lento durante 5 minutos o hasta que la salsa haya espesado.

Colocar el pollo en un platón y cubrir con la salsa.

Pollo Rombough

4 porciones

4	pechugas de pollo, deshuesadas
170 g.	(*6 onzas*) queso Brie
16	camarones de tamaño mediano
¼	taza piña machacada, escurrida
3	cucharadas anacardos (nueces de la India)
3	cucharadas pasas
2	cucharadas mantequilla derretida
1	taza crema espesa
1	cucharada extracto de durazno
2	cucharaditas maicena
3	cucharadas aguardiente de durazno

Precalentar el horno a 180 °C (*350 °F*).

Aplanar las pechugas. Colocar 45 g. (*1½ onza*) de queso, 4 camarones, 1 cucharada de piña y unos pocos anacardos y pasas sobre cada pechuga.

Doblar las pechugas de modo que el relleno quede envuelto. Untar con mantequilla derretida. Hornear de 15 a 20 minutos.

Mezclar la crema con el extracto de durazno y calentar hasta que hierva.

Combinar la maicena con el aguardiente de durazno y agregar a la crema. Cocer a fuego lento hasta que espese.

Retirar el pollo del horno. Acomodarlo en los platos y cubrir con la salsa.

Pollo Melba

6 porciones

6	pechugas de pollo, deshuesadas
1	taza de rebanadas de durazno (si son enlatadas, escurrir bien)
170 g.	(*6 onzas*) queso Brie
2	cucharadas mantequilla derretida
1	taza Salsa de Frambuesas (ver *Salsas*)
½	taza crema espesa

Precalentar el horno a 180 °C (*350 °F*).

Aplanar cada pechuga. Cubrir con rebanadas de durazno y queso. Enrollar para rellenar la pechuga.

Colocar en una charola para horno engrasada y untar con mantequilla. Poner al horno y cocer durante 15 minutos.

Vaciar la Salsa de Frambuesas en una cacerola, agregar la crema y cocer a fuego lento durante 5 minutos.

Vaciar la salsa sobre el pollo y servir.

Pollo Melba

Pollo Cordon Bleu

6 porciones

6	pechugas de pollo deshuesadas, de 170 g. (*6 onzas*) cada una
170 g.	(*6 onzas*) jamón Selva Negra
170 g.	(*6 onzas*) queso suizo
2	huevos
¼	taza leche
¼	taza harina
2	tazas pan molido fino
½	taza aceite
1	taza Salsa Mornay (ver *Salsas*)

Precalentar el horno a 180 °C (*350 °F*).

Aplanar las pechugas de pollo. Cortar el jamón y el queso en 6 porciones iguales.

Colocar 1 pedazo de jamón y 1 pedazo de queso sobre cada pechuga de pollo.

Doblar la pechuga para envolver el jamón y el queso.

Mezclar los huevos con la leche.

Espolvorear cada pechuga con harina. Pasar por la mezcla de huevos. Rodar en pan molido.

Calentar el aceite y freír ligeramente.

Hornear de 8 a 10 minutos.

Servir acompañado de Salsa Mornay.

Alas de Pollo con Jengibre y Ajo

Alas de Pollo con Jengibre y Ajo

4 porciones

¼	taza salsa soya
2	cucharaditas jengibre, molido
3	cucharadas azúcar morena
1	cucharadita ajo en polvo
1 kg.	(*2¼ libras*) alas de pollo

Precalentar el horno a 180 °C (*350 °F*).

Mezclar la salsa soya, el jengibre, el azúcar y el ajo en polvo.

Vaciar sobre las alas de pollo y marinar durante 2 horas.

Hornear durante 1 hora.

Pollo a la Oriental

4 porciones

2	cucharadas salsa soya
2	cucharadas vino blanco
½	cucharadita sal
½	cucharadita azúcar
2	cucharaditas aceite
1	cucharadita vinagre
450 g.	(*1 libra*) pollo, en cubitos
¼	taza aceite
1	taza col china
115 g.	(*4 onzas*) champiñones, rebanados
1	pimiento verde, en cubitos
1	zanahoria, rebanada
225 g.	(*8 onzas*) brotes de bambú
¼	taza castañas de agua, rebanadas

Mezclar la salsa soya, el vino, la sal, el azúcar, las dos cucharaditas de aceite y el vinagre.

Vaciar sobre el pollo y marinar durante 1 hora.

Calentar ¼ taza de aceite en un wok o sartén grande.

Desechar el escabeche y dorar el pollo.

Agregar las verduras y cocer durante 3 minutos.

Servir con arroz pilaf.

Chicken a la King

6 porciones

225 g.	(*½ libra*) champiñones, pequeñitos
¼	taza pimiento verde, en cubitos
1	cebolla pequeña, en cubitos
2	tallos de apio, rebanados
¼	taza mantequilla
¼	taza harina
2	tazas crema espesa
675 g.	(*1½ libra*) pollo, cocido y en cubitos
3	yemas de huevo
½	cucharadita paprika
¼	taza jerez
¼	taza pimiento morrón enlatado, en cubitos
	sal y pimienta al gusto

Saltear en la mantequilla los champiñones, pimiento, cebolla y apio hasta que estén blandos.

Agregar la harina y mezclar bien. Agregar la crema, el pollo y cocer a fuego lento hasta que esté ligeramente espesa.

Batir las yemas con la paprika, jerez y pimiento morrón. En forma envolvente, incorporar a la salsa. Cocer a fuego lento durante 5 minutos.

Sazonar al gusto y servir en volovanes o pan tostado.

Pollo a la Newburg

4 porciones

¼	taza mantequilla
60 g.	(*2 onzas*) champiñones, rebanados
2	cucharadas cebolla, finamente picada
450 g.	(*1 libra*) pollo, cocido y en cubitos
¼	taza jerez
1	taza crema ligera
½	cucharadita sal
½	cucharadita paprika
1	pizca pimienta blanca
3	yemas de huevo
8	tazas (*2 L*) de agua
2	tazas arroz crudo

En una cacerola, calentar la mantequilla y saltear los champiñones y la cebolla hasta que estén blandos.

Agregar el pollo y el jerez. Cocer a fuego lento durante 5 minutos.

Agregar la crema y los condimentos y cocer a fuego lento 5 minutos más.

Sacar un poquito de salsa caliente y mezclar con las yemas.

Vaciar esta mezcla al pollo y cocer a fuego lento hasta que la salsa haya espesado.

En otra cacerola, calentar el agua. Agregar el arroz y revolver 2 minutos. Una vez que el arroz esté cocido, escurrirlo.

Acomodar el arroz en un platón. Poner el Pollo a la Newburg sobre el arroz y servir.

Pollo con Arroz

8-10 porciones

¼	taza mantequilla
450 g.	(*1 libra*) pollo deshuesado, en cubitos
450 g.	(*1 libra*) ternera tierna, aplanada en rebanadas muy delgadas y cortadas en tiras
2	zanahorias medianas, ralladas en forma gruesa
2	tallos de apio, finamente picados
4	cebollitas de Cambray, en rebanadas muy delgadas
¼	taza harina
2	tazas caldo de pollo
2	tazas crema espesa
3	tazas arroz cocido
1½	taza queso suizo, rallado en forma gruesa
1½	taza queso Cheddar mediano, rallado en forma gruesa

Precalentar el horno a 230 °C (*450 °F*).

En una sartén de hierro, saltear en mantequilla el pollo y la ternera a fuego mediano hasta que estén bien cocidos. Incorporar las verduras y saltear hasta que estén blandas, unos 2 ó 3 minutos.

Agregar la harina, el caldo de pollo y la crema. Cocer a fuego lento hasta que espese. Extender el arroz en un refractario engrasado de 33 x 23 cm. (*13 x 9 pulg.*); vaciar sobre él la mezcla del pollo y espolvorear con los quesos rallados.

Hornear de 6 a 8 minutos o hasta que los quesos se derritan.

1

En una sartén de hierro, saltear en mantequilla el pollo y la ternera a fuego mediano hasta que estén bien cocidos.

2

Agregar la harina, el caldo de pollo y la crema; cocer a fuego lento hasta que espese.

3

Extender el arroz en un refractario engrasado y vaciar sobre él la mezcla del pollo.

4

Espolvorear con los quesos rallados y hornear de 6 a 8 minutos o hasta que los quesos se derritan.

Pollo con Frijoles

Pollo con Frijoles

8 porciones

3	tazas frijoles rojos
¼	taza mantequilla
1	taza cebollas, en cubitos
1	pimiento verde, en cubitos
3	tallos de apio, en cubitos
115 g.	(*4 onzas*) champiñones, rebanados
4	tazas pollo cocido, en cubitos
4	tazas tomates, sin semillas y picados
½	taza puré de tomate
2	cucharaditas sal
1	cucharadita albahaca
1	cucharadita orégano
2	cucharaditas paprika
2	cucharaditas pimienta
1¼	cucharada chile en polvo

Remojar los frijoles durante toda la noche.

En una olla grande, ordinaria o de hierro, derretir la mantequilla.

Agregar las cebollas, pimiento verde, apio y champiñones. Saltear hasta que estén blandos.

Incorporar el pollo. Agregar los tomates, el puré de tomate, los frijoles, la sal y los condimentos.

Cocer a fuego lento durante 40 minutos. Servir.

Pollo Diván

4 porciones

4	tazas brotes de brócoli
2	tazas Puré de Papas Dorado (ver *Verduras*)
450 g.	(*1 libra*) pechugas de pollo cocidas, deshuesadas, en cubitos
1⅓	taza Salsa Mornay (ver *Salsas*)
3	rebanadas de pan tostado, cortadas en cuatro, diagonalmente

Precalentar el horno a 150 °C (*300 °F*).

Escaldar los brotes de brócoli hasta que estén tiernos pero firmes.

En un refractario poco hondo y engrasado, extender uniformemente el puré de papas.

Esparcir el brócoli y el pollo en cubitos.

Rociar con la Salsa Mornay y hornear, sin tapar, de 25 a 30 minutos o hasta que esté bien caliente.

Colocar pan tostado alrededor del borde con las puntas hacia arriba.

Pollo a la Crema

6 porciones

¼	taza mantequilla
¼	taza harina
1	taza caldo de pollo
2	tazas crema ligera
1	cucharadita sal
¼	cucharadita macis
¼	cucharadita pimienta
4	tazas pollo cocido, deshuesado, en cubitos
8	tazas arroz cocido, caliente

En una cacerola, calentar la mantequilla.

Agregar la harina y cocer 2 minutos, a la vez que se revuelve.

Agregar el caldo, la crema y los condimentos. Cocer a fuego lento hasta que espese, de 10 a 12 minutos.

Incorporar el pollo y cocer a fuego lento 5 minutos más.

Vaciar sobre el arroz y servir.

Pollitos con Relleno de Ciruelas Pasas

4 porciones

Relleno

2	tazas caldo de pollo
¼	taza mantequilla
1	taza arroz crudo de grano largo
1	cucharadita sal
1	taza ciruelas pasas, finamente picadas
½	taza nueces

Pollitos

4	pollitos Rock Cornish, de 450 g. (*1 libra*) cada uno
¼	taza mantequilla derretida
1	cucharada sal

Precalentar el horno a 200 °C (*400 °F*).

En una cacerola, calentar el caldo de pollo y derretir la mantequilla. Agregar el arroz y la sal y revolver durante 2 minutos. Tapar y cocer a fuego lento durante 18 ó 20 minutos.

Una vez cocido, enjuagar el arroz en un colador debajo del agua fría. Mezclar el arroz con las ciruelas pasas y las nueces.

Cuidadosamente, rellenar las cavidades de los pollitos con el relleno. Untar cada pollito con la mantequilla derretida y sazonar con sal.

Hornear de 30 a 50 minutos, bañándolos con su jugo cada 10 ó 15 minutos. Servir inmediatamente.

Pollitos Rellenos y Asados

Pollitos Rellenos y Asados

6 porciones

8	tazas (*2 L*) caldo de pollo
2	tazas arroz silvestre
1	cucharadita sal
½	cucharadita pimienta
½	taza mantequilla
¼	cucharadita perifollo
¼	cucharadita albahaca
1	cucharadita cebollines
1	cucharada perejil, picado
¼	taza apio, finamente picado
2	cucharadas cebolla, finamente picada
6	pollitos Rock Cornish, de 340 g. (*12 onzas*) cada uno
2	cucharaditas paprika

Vaciar el caldo de pollo en una olla grande. Agregar el arroz silvestre, la sal y la pimienta.

Hacer hervir, reducir el calor, tapar y cocer a fuego lento durante 45 ó 50 minutos.

Precalentar el horno a 180 °C (*350 °F*).

Escurrir y revolver el arroz.

Incorporar ¼ taza de mantequilla, perifollo, albahaca, cebollines, perejil picado, apio y cebolla. Rellenar con ello las cavidades de los pollitos y amarrarlos con una cuerda. Colocar los pollitos en la charola para asar.

Derretir el resto de la mantequilla. Untar los pollitos con la mantequilla. Espolvorear con paprika.

Hornear de 45 a 60 minutos o hasta que los pollitos estén tiernos. Servir.

NOTA: La Salsa Chasseur (ver Salsas) sirve muy bien para acompañar este platillo.

Pollo con Curry

4 porciones

2	cucharadas mantequilla
2	dientes de ajo, finamente picados
1½	taza manzanas, picadas
½	taza cebollas, picadas
1	cucharadita sal
1	cucharada curry en polvo
2	cucharadas harina
2	tazas crema ligera
2	tazas pollo cocido, en cubitos

En una cacerola, derretir la mantequilla y agregar el ajo, las manzanas y las cebollas. Saltear hasta que estén blandas.

Agregar la sal, el curry en polvo y la harina. Mezclar bien.

Gradualmente agregar la crema, el pollo y cocer a fuego lento durante 5 minutos. Servir sobre arroz.

Pavo Relleno

8-10 porciones

Relleno

½	taza apio, en cubitos
1	cebolla grande, en cubitos
2	zanahorias pequeñas, en cubitos
1	taza mantequilla
1	cucharadita salvia
1	cucharadita albahaca
1	cucharadita orégano
1	cucharadita tomillo
1	cucharadita pimienta negra
2	cucharaditas sal
1 kg.	(2¼ libras) pan molido
1	taza pasas
2	huevos
½	taza anacardos (nueces de la India) (opcional)

Precalentar el horno a 190 °C (375 °F).

Saltear el apio, la cebolla y las zanahorias en la mantequilla hasta que estén blandos. Agregar los condimentos y saltear por un minuto. Vaciar la mezcla en un tazón; agregar el pan molido, las pasas, los huevos y los anacardos. Mezclar bien. Usar para rellenar un pavo de 5,4 – 6,3 kg. (12 – 14 libras).

Pavo

1	pavo de 5,4 - 6,3 kg. (12 - 14 libras)
½	limón
1	diente de ajo
2	cucharaditas sal

Frotar el pavo con ajo y limón. Espolvorear con sal. Hornear durante 4-5 horas, bañándolo con el jugo que va saliendo a medida que se cuece.

Pato Asado

4 porciones

1	pato, cortado en 8 piezas
	sal y pimienta
¼	taza aceite
2	tazas jugo de naranja
¼	taza licor Grand Marnier
1	taza chabacanos, deshuesados y picados
1	taza ciruelas, deshuesadas y picadas
2	cucharadas harina
2	cucharadas agua
4	tazas arroz cocido, caliente

Quitar la grasa a la carne del pato. Sazonar con sal y pimienta.

Dorar en aceite. Agregar el jugo de naranja y el licor Grand Marnier y cocer a fuego lento hasta que la carne esté tierna.

Agregar los chabacanos y las ciruelas y cocer a fuego lento durante 45 minutos más.

Mezclar la harina con el agua y formar una pasta.

Incorporar a la salsa y cocer a fuego lento hasta que espese.

Vaciar sobre el arroz y servir.

Pato Asado con Limón y Naranja

4 porciones

1	pato de 2 kg. (4½ libras)
1	cucharada mantequilla
	sal y pimienta
¾	taza vino blanco
1	limón amarillo
1	naranja
1	cucharada azúcar
1	cucharada jerez
1	taza jugo de naranja
2	cucharadas brandy
1	cucharada maicena

Precalentar el horno a 190 °C (375 °F).

Untar el pato con la mantequilla y sazonar con sal y pimienta. Colocar en una charola para asar y agregar el vino. Colocar en el horno y cocer durante 2 ó 2½ horas. Bañarlo cada 15 ó 20 minutos con el vino.

Rallar la cáscara del limón y de la naranja en una sartén. Derretir el azúcar con el jerez en la misma sartén y cocer hasta que adquiera un color acaramelado, cuidando de no quemarlo.

Agregar el jugo de naranja, el jugo del limón y el brandy. Cocer a fuego lento durante 5 minutos. Cortar la naranja en gajos y agregar a la salsa.

Sacar el pato del horno cuando esté listo. Trinchar y colocar en un platón. Escurrir la grasa de la charola e incorporar la salsa a los jugos del pato.

Mezclar un poco de agua con la maicena y agregar a la salsa. Hacer hervir durante 2 minutos.

Vaciar sobre el pato y servir.

Pato Asado con Limón y Naranja

Precalentar el horno a 180 °C (*350 °F*).

Picar toda la piel del pato con un tenedor. Colocar el pato en una charola para asar, rodearlo con las verduras y agregar 3 tazas de agua.

Hornear, sin tapar, contando 25 minutos por cada 450 g. (*1 libra*) o hasta que esté totalmente cocido.

Mientras tanto, calentar la Salsa Española hasta que hierva y dejar que reduzca a 1¼ taza.

Escurrir las cerezas, reservando ½ taza del jugo.

Combinar la Salsa Española reducida con el jugo de cereza reservado, el jerez, la ralladura de cáscara de naranja y el jugo de naranja.

Sacar el pato de la charola; mantener caliente.

Desechar las verduras y escurrir toda la grasa.

Incorporar un taza de los jugos del pato a la Salsa Española.

Calentar la salsa hasta que hierva y reducirla, revolviendo constantemente, a aproximadamente 1¼ taza.

Agregar el azúcar glass, la canela y el queso crema; revolver hasta que la mezcla quede suave.

Incorporar las cerezas. Trinchar el pato y servir acompañado de la salsa.

Pato Asado a la Montmorency

4 porciones

1	pato de 2 - 2,5 kg. (*4 - 5 libras*)
1	cebolla mediana, en cuartos
2	zanahorias, picadas en forma gruesa
2	tallos de apio, picados en forma gruesa
2½	tazas Salsa Española (ver *Salsas*)
1	lata de cerezas dulces de 420 g.
½	taza de crema de jerez
2	cucharaditas cáscara de naranja, rallada
¼	taza jugo de naranja
3	cucharadas azúcar glass
1	pizca de canela
1	paquete (*250 g.*) queso crema, cortado en cubitos

Codornices a la Provenzal

3 porciones

6	codornices
¼	taza mantequilla
3	dientes de ajo, finamente picados
½	taza pimiento verde, en cubitos
¼	taza cebolla, en cubitos
3	tazas tomates, pelados, sin semillas y picados
¼	taza jerez
1	cucharadita paprika
	sal y pimienta

Usando tijeras para cortar aves, dividir las codornices por la espalda.

Derretir la mantequilla y saltear las codornices durante 3 minutos por cada lado o hasta que estén doradas. Sacar de la cacerola y mantenerlas calientes.

Agregar el ajo, pimiento y cebolla; saltear hasta que queden blandos.

Agregar los tomates y cocer a fuego lento. Agregar el jerez y las codornices y continuar cociendo a fuego lento hasta que se evapore la mayor parte del líquido.

Sazonar con paprika, sal y pimienta.

Vaciar la salsa en un platón y acomodar las codornices sobre la salsa.

Codornices a la Cumberland

5 porciones

¼	taza mantequilla
	sal y pimienta
10	codornices
3	cucharadas jugo de limón
1	taza jerez

Salsa

¾	taza jalea de grosella roja
¾	taza jugo de naranja
¼	taza jugo de limón
¼	cucharadita jengibre molido
1	pizca pimienta de Cayena
2	cucharadas maicena
2	cucharadas agua

Precalentar el horno a 180 °C (*350 °F*).

Enmantequillar y sazonar las codornices. Colocar las codornices en una charola para asar.

Vaciar el jugo de limón y jerez sobre ellas. Hornear durante 1 hora, bañándolas cada 15 ó 20 minutos con el jugo de la charola.

En una cacerola pequeña, calentar la jalea y cocer a fuego lento hasta que se derrita. Agregar lentamente los jugos. Incorporar los condimentos.

Mezclar la maicena con el agua y agregar a la salsa. Calentar hasta que suelte el hervor y retirar del fuego inmediatamente.

Colocar las codornices en un platón. Vaciar la salsa sobre ellas y servir.

Pato con Manzanas

6 porciones

1	pato de 1 kg. (*2¼ libras*)
2	cucharaditas sal
1	taza jugo de manzana
1	taza manzanas, en cubitos
¾	taza anacardos (nueces de la India)
¼	cucharadita canela
2	tazas arroz silvestre, cocido
1	taza aguardiente de manzana
1	cucharadita azúcar

Precalentar el horno a 260 °C (*500 °F*).

Frotar el exterior del pato con la sal. Hornear durante 10 minutos.

Reducir el calor a 190 °C (*375 °F*). Bañar con el jugo de manzana. Sacar el pato después de 20 minutos.

Mezclar las manzanas, anacardos, arroz silvestre y la mitad del aguardiente de manzana. Rellenar el pato con esta mezcla.

Volver a meter el pato al horno. Hornear durante 40 minutos más.

Colocar el pato en un platón. Espolvorear con azúcar.

Vaciar el resto del aguardiente de manzana sobre el pato. Prenderle fuego cuidadosamente.

Servir mientras está flameando.

Codornices a la Provenzal y Codornices a la Cumberland

Gallina de Guinea con Hongos

6 porciones

3	cucharadas aceite
6	pechugas de gallina de Guinea, de 170 g. (*6 onzas*) cada una
¼	taza chalotes, finamente picados
½	taza vino blanco
3	cucharadas mantequilla
1	taza aceite
225 g.	(*8 onzas*) hongos o setas silvestres
1	pizca de sal
1	pizca de pimienta
1	taza pan molido, condimentado

Calentar el aceite en una sartén. Saltear las pechugas 2½ minutos por cada lado. Retirar de la sartén y mantener calientes.

Escurrir el aceite de la sartén y saltear los chalotes. Meneando rápidamente, incorporar el vino y dejar que reduzca a la mitad. Terminar agregando la mantequilla; retirar del fuego.

Hongos

Calentar el aceite hasta que esté muy caliente. Sazonar los hongos con sal y pimienta, y luego freír en aceite hasta que queden muy arrugados.

Revolver los hongos con el pan molido.

Acomodar las pechugas de gallina de Guinea en un platón y vaciar la salsa sobre ellas.

Colocarles encima los hongos y servir.

Gallina de Guinea con Champaña

6 porciones

6	pechugas de gallina de Guinea

Gallina de Guinea con Champaña

3	cucharadas aceite
3	cucharadas mantequilla
4	zanahorias, cortadas en tiritas
2	calabacitas, cortadas en tiritas
4	tallos de apio, cortados en tiritas
225 g.	(*½ libra*) ejotes amarillos
225 g.	(*½ libra*) ejotes verdes
¼	taza mantequilla
2	cucharaditas semillas de alcaravea o carví
2	tazas Salsa de Champaña (ver *Salsas*)

Saltear las pechugas en aceite y 3 cucharadas de mantequilla, 10 minutos por cada lado. Escaldar las verduras durante 5 minutos en agua con sal.

Saltear las verduras en ¼ taza de mantequilla y espolvorear con semillas de carví. Calentar la salsa.

Acomodar las verduras en un platón, sobre ellas colocar las pechugas y vaciar la salsa sobre las pechugas.

Faisán con Salsa de Mandarinas

6 porciones

3	cucharadas aceite
6	pechugas de faisán, de 170 g. (*6 onzas*) cada una
	sal y pimienta al gusto
1/3	taza concentrado de mandarina
1/2	taza caldo de pollo
1/4	taza crema espesa
2	cucharadas mantequilla
1	cucharadita jugo de limón
	pimienta negra, recién machacada

Calentar el aceite en una sartén grande.

Saltear las pechugas de faisán de 4 a 6 minutos por cada lado. Sazonar con sal y pimienta. Mantener calientes.

En una cacerola, agregar el concentrado de mandarina y el caldo de pollo. Hacer hervir y reducir el calor.

Agregar la crema y cocer a fuego lento durante 6 minutos o hasta que la salsa adhiera a una cuchara.

Batiendo, incorporar la mantequilla y el jugo de limón. Agregar apenas una pizca de pimienta. Vaciar la salsa sobre las pechugas de faisán y servir.

Guiso de Faisán

4 porciones

1/2	taza mantequilla
2	cebollas, finamente rebanadas
4	zanahorias, cortadas en tiritas

Faisán con Salsa de Mandarinas

2	faisanes de 1 kg. (*2¼ libras*) cada uno, cortados en 4 piezas cada uno
2	cucharadas harina
1	taza vino tinto
1/2	taza jerez
1/4	taza brandy
1/2	taza caldo de pollo
	sal y pimienta
115 g.	(*¼ libra*) tocino, en cubitos
12	cebollitas, pequeñitas
20	champiñones, pequeñitos

Precalentar el horno a 160 °C (*325 °F*).

En una olla grande, calentar la mitad de la mantequilla y saltear las cebollas y las zanahorias hasta que estén blandas.

Agregar los faisanes y dorar. Espolvorear la harina y revolver hasta que la harina haya absorbido la mantequilla.

Agregar el vino, jerez, brandy, caldo y un poco de sal y pimienta. Hacer hervir. Reducir el calor y cocer a fuego lento durante 20 minutos.

En una cacerola, saltear el tocino, las cebollitas y los champiñones hasta que estén dorados.

Colocar el faisán en una cazuela. Con una cuchara, agregarle las cebollitas, el tocino y los champiñones. Vaciar la salsa encima de todo. Tapar.

Hornear durante 60 minutos.

Cerdo

El gran chef francés Escoffier aparentemente pensaba que la carne de cerdo no era digna de la cocina clásica, aunque sí tenía el jamón en alta estima.

Afortunadamente, los cocineros de hoy sí reconocen que la carne de cerdo, tanto fresca como curada (salada o ahumada), puede desempeñar un papel importante cuando se planea un menú. Es más, entre las carnes rojas, la carne de cerdo es la más popular después de la carne de res.

La carne de cerdo fresca suele provenir de animales jóvenes y por lo tanto, es muy tierna. Aunque hay quienes consideran que la carne de cerdo es muy grasosa, ciertos cortes, incluyendo los asados magros y el filete, son suficientemente magros para ser utilizados en las dietas bajas en calorías.

La carne de cerdo, al contrario de la carne de res, debe ser siempre fresca, nunca añeja. Siempre debe ser bien cocida, para eliminar la posibilidad de la triquinosis.

Los asados de cerdo deben cocerse por lo menos 30 minutos por cada 450 gramos (*1 libra*) a 160 °C (*325 °F*). Se aconseja usar un termómetro de carne, el cual debe indicar 76 °C (*170 °F*) cuando la carne se ha cocido lo suficiente.

Los jamones se encuentran frescos, ahumados o parcialmente ahumados. Algunos de los jamones más conocidos son el Parma (prosciutto), el jamón Virginia (ahumado hasta durante 2 años), el Danés y el York.

En este capítulo, encontrará varias recetas con jamón y salchichas, pero también recetas para cocinar la carne de cerdo fresca, tales como los bisteces, las chuletas y las fritadas.

Chuletas Dijonnaise

Chuletas Dijonnaise

	6 porciones
6	chuletas de cerdo (de espaldilla)
2	cucharadas mantequilla
1	cucharadita aceite
2	cebollitas de Cambray, en cubitos
2	dientes de ajo, finamente picados
12	pepinillos, cortados en tiritas
½	taza jerez
½	taza crema espesa
2	cucharadas mostaza Dijon

Saltear las chuletas en la mitad de la mantequilla y el aceite, aproximadamente de 8 a 10 minutos de cada lado.

En una cacerola, calentar el resto de la mantequilla. Saltear las cebollitas y el ajo hasta que estén blandos.

Agregar los pepinillos y el jerez. Cocer a fuego lento hasta que la mayor parte del líquido se haya evaporado.

Mezclar la mostaza con la crema. Agregar a la salsa; cocer a fuego lento 2 minutos.

Verter sobre las chuletas y servir.

Chuletas de Cerdo en Crema de Champiñones

8 porciones

8	chuletas de cerdo, de 2,5 cm. (*1 pulg.*) de grueso
2	cucharadas aceite
115 g.	(*4 onzas*) champiñones, rebanados
2	cucharadas harina
1	taza crema espesa
¼	taza jerez
2	cucharaditas paprika
1	cucharadita sal
½	cucharadita pimienta negra

Precalentar el horno a 190 °C (*375 °F*).

Quitar el exceso de grasa a las chuletas. Saltear las chuletas en una sartén en el aceite, dorando cada lado.

Colocar las chuletas en un refractario grande.

Colocar los champiñones en la sartén y saltear hasta que estén blandos.

Espolvorear con la harina y cocer por 2 minutos. Agregar la crema, el jerez y los condimentos.

Revolver y cocer a fuego lento durante 5 minutos. Verter la salsa sobre las chuletas.

Hornear durante 30 minutos.

Servir con arroz pilaf.

Chuletas Empanizadas con Salsa de Pasas

4 porciones

1	huevo
¼	taza leche
8	chuletas de cerdo
⅓	taza harina
2	tazas pan molido
¼	taza aceite

Salsa

1½	cucharada maicena
½	taza agua
3	cucharadas azúcar morena
1¼	taza jugo de naranja
2	cucharadas jugo de limón
½	cucharadita canela
1	pizca pimienta de Jamaica
½	taza pasas

Mezclar el huevo con la leche. Pasar las chuletas por la harina, luego por el huevo. Pasar por el pan molido.

Calentar el aceite en una sartén. Freír las chuletas en el aceite.

Salsa : Mezclar la maicena con el agua. Disolver el azúcar en el jugo de naranja.

Calentar el jugo de naranja en una cacerola.

Agregar el jugo de limón y los condimentos. Agregar las pasas y cocer a fuego lento durante 5 minutos. Incorporar la maicena y cocer a fuego lento hasta que espese. Verter la salsa sobre las chuletas y servir.

Chuletas de Cerdo con Naranja y Tomillo

6 porciones

6	chuletas de cerdo (de espaldilla)
1	cucharadita tomillo
½	cucharadita cáscara de naranja, rallada
1	taza jugo de naranja
2	cucharadas aceite
1	pizca sal y pimienta

Quitar el exceso de grasa a las chuletas.

Mezclar el tomillo, la cáscara de naranja y el jugo de naranja. Verter sobre las chuletas.

Marinar durante 1 hora a temperatura ambiente.

Precalentar el horno a 190 °C (*375 °F*).

Sacar las chuletas y apartar el adobo.

En una sartén, calentar el aceite y dorar las chuletas. Colocar en un refractario.

Verter el adobo sobre las chuletas, condimentar y cocer, tapadas, durante 20 minutos.

Destapar y cocer 5 minutos más.

Chuletas de Cerdo Rellenas

4 porciones

¼	taza cebolla, finamente picada
2	cucharadas apio, finamente picado
1	taza pan molido
½	taza pasas
¼	taza nueces, cortadas en forma gruesa
½	cucharadita tomillo
½	cucharadita albahaca
1	cucharada perejil, picado
1	cucharadita sal
⅓	taza crema espesa
4	chuletas de cerdo, doble costilla
2	cucharadas aceite
2	tazas Salsa Mornay (ver *Salsas*)

Precalentar el horno a 180 °C (*350 °F*).

En un tazón, mezclar la cebolla, el apio, el pan molido, las pasas, las nueces y los condimentos. Incorporar la crema y mezclar bien.

Quitar el exceso de grasa a las chuletas. Cortar entre los huesos para formar un bolsillo. Poner el relleno en el bolsillo.

Calentar el aceite en una sartén. Dorar las chuletas en el aceite. Colocar las chuletas en un refractario.

Cubrir las chuletas con la Salsa Mornay.

Tapar y hornear durante 45 minutos. Destapar y desgrasar la salsa.

Colocar las chuletas en un platón. Cubrir con la salsa.

1

En un tazón, mezclar la cebolla, el apio, el pan molido, las pasas, las nueces y los condimentos. Incorporar la crema y mezclar bien.

2

Quitar el exceso de grasa a las chuletas y cortar entre los huesos para formar un bolsillo.

3

Poner el relleno en el bolsillo.

4

Verter la Salsa Mornay sobre las chuletas doradas, tapar y hornear durante 45 minutos. Destapar y desgrasar la salsa.

Corona de Cerdo

8 porciones

16	costillas de cerdo, en forma de corona
1	cucharada sal
¼	taza apio, en cubitos
¼	taza mantequilla
2	cucharadas azúcar
1	taza arándanos agrios, picados
2	cucharaditas cáscara de naranja, rallada
½	cucharadita canela, molida
¼	cucharadita pimienta de Jamaica, molida
¼	taza jugo de naranja
½	taza pacanas, picadas
4	tazas pan blanco, en cubos
¼	taza harina

Precalentar el horno a 180 °C (*350 °F*).

Espolvorear la carne con sal. Colocar la corona, los huesos hacia arriba, sobre un pedazo de papel de aluminio en una charola para asar de poca profundidad. (El papel de aluminio hará que el relleno permanezca dentro de la corona cuando se saque de la charola).

Envolver las puntas de los huesos con papel de aluminio para que no se quemen.

Hornear durante 1 hora.

Mientras la corona se está cociendo, saltear el apio en la mantequilla en una sartén grande hasta que esté blando.

Incorporar el azúcar y revolver para que se disuelva, luego agregar los arándanos, la cáscara de naranja, la canela y la pimienta de Jamaica; retirar del fuego.

Incorporar el jugo de naranja, las pacanas y el pan. Revolver para humedecer muy bien los cubos de pan.

Colocar el relleno en el hueco de la corona y cubrir con papel de aluminio para evitar que se queme.

Seguir horneando durante 1 hora o hasta que la carne esté tierna. Levantar el asado de la charola, con todo y papel; quitar el papel de aluminio. Mantener caliente.

Verter los jugos de la charola en un recipiente de 2 tazas de capacidad. Dejar reposar hasta que la grasa suba a la superficie, luego quitarla.

Medir ¼ de taza de los jugos y verter de nuevo en la charola. Agregar agua para obtener 2 tazas de liquído.

Incorporar la harina, meneando y dejar que espese. Usar como salsa.

Filete de Cerdo con Chabacanos

6 porciones

900 g.	(*2 libras*) filete de cerdo
3	cucharadas mantequilla
3	cucharadas aceite
½	taza chabacanos secos, picados en forma gruesa
2	tazas salsa demi-glace (ver *Salsas*)
¼	taza jerez

Quitar toda la grasa y cualquier membrana al filete.

Saltear el filete en la mantequilla y el aceite hasta que esté bien cocido.

Retirar del fuego y mantener caliente en el horno.

Colocar los chabacanos en la cacerola y saltear 2 minutos a fuego bajo.

Añadir la salsa demi-glace y el jerez; cocer a fuego lento de 6 a 8 minutos.

Verter la salsa sobre la carne y servir.

Filete de Cerdo Relleno de Ciruelas Pasas y Manzanas

4 porciones

12	ciruelas pasas, deshuesadas
2	filetes de cerdo
1	cucharadita sal
1	cucharadita pimienta
1	manzana, pelada y cortada en cubos
1	cucharadita jugo de limón
3	cucharadas aceite
3	cucharadas mantequilla
¾	taza vino blanco
¾	taza crema espesa

Cubrir las ciruelas pasas con agua y calentar hasta que suelte el hervor. Apartar del fuego y remojar durante 30 minutos. Escurrir.

Cortar cada filete a lo largo para formar un bolsillo. Condimentar.

Precalentar el horno a 180 °C (*350 °F*).

Salpicar la manzana con el jugo de limón. Rellenar el filete con las ciruelas pasas y las manzanas. Amarrar la carne en varios sitios.

Calentar el aceite y la mantequilla en una olla grande. Dorar la carne por todos lados. Quitar la grasa, verter el vino y la crema. Cocer a fuego lento, luego tapar y hornear durante 15 minutos.

Colocar la carne en un platón. Quitar la grasa del líquido; calentar hasta que hierva, luego cocer a fuego lento para reducir el líquido. Servir con la carne.

1

Cortar cada filete a lo largo para formar un bolsillo.

2

Rellenar el filete con las ciruelas pasas y las manzanas.

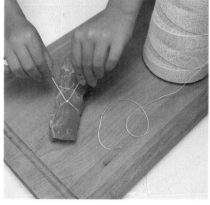

3

Amarrar la carne en varios sitios.

4

Dorar la carne por todos lados. Quitar la grasa; verter el vino y la crema.

Asado de Cerdo a la Provenzal

8 porciones

¼	taza aceite
3 kg.	(*7 libras*) lomo de cerdo sin hueso, amarrado
¼	taza cebolla, finamente picada
¼	taza apio, finamente picado
¼	taza pimiento verde, finamente picado
3	dientes de ajo, finamente picados
1	taza agua
1	taza vino tinto
2	tazas tomates, picados
2	cucharadas perejil, picado
½	cucharadita tomillo
1	cucharadita sal
½	cucharadita pimienta negra

Precalentar el horno a 180 °C (*350 °F*).

Calentar el aceite en una charola para asar. Dorar la carne en el aceite.

Agregar la cebolla, el apio, el pimiento verde y el ajo. Verter el agua y el vino sobre la carne.

Agregar los tomates y los condimentos. Tapar y cocer en el horno durante 2½ horas. Sacar el asado de la charola y mantenerlo caliente.

Reducir la salsa cociéndola a fuego lento. Desgrasar.

Rebanar el asado y servir con la salsa.

Bisteces de Cerdo con Salsa de Champiñones

8 porciones

8	tiras de tocino

Bisteces de Cerdo con Salsa de Champiñones

8	bisteces de carne de cerdo, muy magra, de 170 g. (*6 onzas*) cada uno
¼	taza mantequilla
2	cucharadas cebolla, finamente picada
3	cucharadas pimiento verde, en cubitos
115 g.	(*4 onzas*) champiñones, rebanados
3	cucharadas harina
2	tazas salsa demi-glace (ver *Salsas*)
¼	taza jerez
½	taza crema espesa
¼	taza cebollitas de Cambray, picadas

Poner una tira de tocino alrededor de cada bistec. Asar los bisteces a las brasas o a la parrilla en el horno hasta que estén bien cocidos.

Calentar la mantequilla en una sartén. Agregar las verduras y saltear hasta que estén blandas. Espolvorear con harina. Cocer por 2 minutos. Añadir la salsa demi-glace y el jerez y cocer a fuego lento durante 5 minutos. Agregar la crema. Cocer a fuego lento por 1 minuto, agregar las cebollitas y cocer a fuego lento durante 3 minutos.

Verter la salsa sobre los bisteces. Servir inmediatamente.

Milanesas de Cerdo

Milanesas de Cerdo

6 porciones

6	escalopas de cerdo, de 115 g. (*4 onzas*) cada una
1	huevo
¼	taza leche
½	taza harina
2	tazas pan molido, condimentado
¼	taza aceite de oliva
1½	taza salsa de tomate (ver *Salsas*)
2	tazas queso de hebra, rallado
½	taza pimiento verde, rebanado
½	taza champiñones, rebanados

Aplanar las escalopas para que queden muy delgadas. Mezclar el huevo con la leche. Pasar las escalopas por la harina, luego por el huevo y por el pan molido.

Calentar el aceite en una sartén grande.

Freír las escalopas en aceite, 2½ minutos de cada lado. Sacar y colocar en una charola para horno.

Poner 2 cucharadas de salsa sobre cada escalopa. Espolvorear con queso. Cubrir con pimiento verde y champiñones.

Asar a la parrilla en el horno de 3 a 5 minutos hasta se que doren. Servir calientes.

Bisteces de Cerdo con Salsa de Manzana y Pimienta

4 porciones

4	bisteces de cerdo, pequeños
2	cucharadas granos de pimienta negra, machacados
2	cucharadas harina
1	cucharada azúcar morena
2	cucharadas mantequilla
2	cucharaditas granos de pimienta verde
½	cucharadita granos de pimienta blanca, machacados
1	pizca sal
2	cucharadas jerez
3	cucharadas puré de manzana

Pasar los bisteces por los granos de pimienta negra. Mezclar 1 cucharada de harina con el azúcar. Pasar los bisteces por la harina azucarada. Calentar la mantequilla y saltear los bisteces. Sacar y mantener calientes.

Agregar 1 cucharada de harina en la cacerola. Revolver hasta que se dore.

Agregar los granos de pimienta verde, los granos de pimienta blanca, la sal, el jerez y el puré de manzana. Cocer a fuego lento hasta que espese.

Verter sobre los bisteces y servir.

Escalopas de Cerdo Rellenas

6 porciones

6	escalopas de cerdo, de 170 g. (*6 onzas*) cada una
6	rebanadas de queso Cheddar, de 40 g. (*1½ onza*) cada una
340 g.	(*12 onzas*) salchichas picantes
½	taza harina
1	huevo
¼	taza leche
2	tazas pan molido fino, condimentado
1	taza aceite
2	cucharadas mantequilla
¼	taza cebolla, finamente picada
¼	taza pimiento verde, finamente picado
¼	taza apio, finamente picado
1	diente de ajo, finamente picado
2	cucharadas harina
½	taza crema espesa
¼	taza jerez
2	tazas salsa de tomate (ver *Salsas*)

Precalentar el horno a 220 °C (*425 °F*).

Aplanar las escalopas. Colocar una rebanada de queso en el centro de cada una.

Picar las salchichas en cubitos y dividir entre las escalopas. Enrollarlas. Espolvorear con la harina.

Mezclar el huevo con la leche. Pasar las escalopas por la leche. Pasar por el pan molido.

Calentar el aceite en una sartén grande. Dorar las escalopas en el aceite. Pasar a una charola para horno. Hornear durante 15 minutos.

Mientras las escalopas se están cociendo, calentar la mantequilla en una cacerola.

Saltear la cebolla, el pimiento verde, el apio y el ajo hasta que queden blandos. Espolvorear con harina y cocer por 2 minutos.

Agregar la crema y el jerez; cocer a fuego lento hasta que la salsa esté muy espesa. Añadir la salsa de tomate. Cocer a fuego lento durante 7 minutos.

Cubrir las escalopas con la salsa. Servir inmediatamente.

Escalopas de Cerdo Roberto

6 porciones

6	escalopas de cerdo, de 115 g. (*4 onzas*) cada una
½	taza harina
1	huevo
¼	taza leche
2	tazas pan molido fino, condimentado
⅓	taza aceite

Salsa

¼	taza mantequilla
¼	taza cebolla, finamente picada
¼	taza vinagre de vino tinto
1½	taza Salsa Española (ver *Salsas*)
⅓	taza pepinillos, picados
2	cucharaditas mostaza preparada
3	cucharadas perejil, picado

Aplanar las escalopas. Espolvorear con la harina.

Mezclar el huevo con la leche. Pasar las escalopas por la leche. Pasar por el pan molido.

Calentar el aceite en una sartén grande.

Freír las escalopas en el aceite 2½ minutos de cada lado o hasta que se doren.

Salsa : Calentar la mantequilla en una cacerola. Saltear la cebolla durante 5 minutos. Incorporar el vinagre y dejar que reduzca a la mitad.

Agregar la Salsa Española; cocer a fuego lento durante 15 minutos.

Agregar los pepinillos, la mostaza y el perejil; revolver.

Verter sobre las escalopas antes de servir.

Filete de Cerdo Italiano

Filete de Cerdo Italiano

8 porciones

¼	taza aceite de oliva
1 kg.	(2¼ libras) filete de cerdo, en cubos
1	diente de ajo, finamente picado
1	cebolla, en cubitos finos
1	pimiento verde, en cubitos finos
2	tallos de apio, en cubitos finos
225 g.	(½ libra) champiñones, pequeñitos
3	tazas tomates, sin semillas y picados
1	cucharadita tomillo
1	cucharadita sal
½	cucharadita pimienta, machacada
½	cucharadita orégano
½	cucharadita albahaca
450 g.	(1 libra) fettuccine

Calentar el aceite en una sartén grande. Saltear la carne hasta que se dore. Sacar y mantener caliente.

Agregar el ajo, la cebolla, el pimiento verde, el apio y los champiñones; saltear hasta que estén blandos.

Incorporar los tomates y los condimentos. Cocer a fuego lento durante 20 minutos.

Regresar la carne a la sartén y cocer a fuego lento de 5 a 7 minutos.

Mientras la salsa se está reduciendo, hervir agua en una olla grande. Agregar la sal y los fettuccine. Cocer «al dente».

Colocar los fettuccine escurridos en un platón.

Servir la carne sobre los fettuccine.

Filete de Cerdo en Salsa de Crema Agria

8 porciones

¼	taza aceite
1,4 kg.	(*3 libras*) filete de cerdo, en cubos
2	cucharadas mantequilla
¼	taza cebolla, finamente picada
115 g.	(*4 onzas*) champiñones, rebanados
1	diente de ajo, finamente picado
3	cucharadas harina
1	taza caldo de pollo
1	taza crema agria
1	cucharadita paprika
½	cucharadita pimienta, machacada
1	cucharadita sal

Calentar el aceite en una sartén grande. Saltear la carne hasta que se dore. Sacar y mantener caliente.

Añadir la mantequilla en la sartén.

Saltear la cebolla, los champiñones y el ajo hasta que estén blandos. Espolvorear con la harina. Cocer por 2 minutos.

Agregar el caldo de pollo, la crema agria y los condimentos. Cocer a fuego lento durante 5 minutos.

Regresar la carne a la sartén. Cocer a fuego lento durante 10 minutos.

Servir sobre tallarines con mantequilla.

Filete de Cerdo Stroganoff

8 porciones

¼	taza mantequilla
1	cebolla, en rebanadas finas
115 g.	(*4 onzas*) champiñones, rebanados
1 kg.	(*2¼ libras*) filete de cerdo, en cubitos
2	cucharadas harina
1	taza caldo de res
½	taza vino blanco
1	taza crema agria
2	cucharaditas sal
½	cucharadita pimienta, machacada
2	cucharaditas paprika
1	cucharada mostaza preparada

Calentar la mantequilla en una sartén grande.

Agregar la cebolla y los champiñones. Saltear hasta que estén blandos.

Agregar la carne y dorar. Espolvorear con la harina. Cocer por 2 minutos.

Añadir el caldo, el vino y la crema agria. Revolver y cocer a fuego lento durante 5 minutos.

Agregar los condimentos y la mostaza. Cocer a fuego lento durante 30 minutos más.

Servir sobre tallarines o arroz.

Filete de Cerdo Diana

6 porciones

¼	taza mantequilla
1 kg.	(*2¼ libras*) filete de cerdo, en cubos
115 g.	(*4 onzas*) champiñones, rebanados
6	cebollitas de Cambray, en cubitos
¼	taza brandy
¼	taza jerez
2	tazas salsa demi-glace (ver *Salsas*)
½	taza crema espesa

En una sartén, calentar la mantequilla. Saltear la carne en la mantequilla. Sacar y mantener caliente.

Agregar los champiñones y las cebollitas a la mantequilla y cocer hasta que estén blandos.

Añadir el brandy y flamear con cuidado. Añadir el jerez y la salsa demi-glace. Cocer a fuego lento durante 5 minutos. Meneando rápidamente, incorporar la crema.

Regresar la carne a la sartén y cocer a fuego lento por 3 minutos más.

Servir inmediatamente.

Filete de Cerdo Diana

Filete de Cerdo con Champiñones Lucullus

6 porciones

⅓	taza mantequilla
1 kg.	(2¼ *libras*) filete de cerdo, en cubos
450 g.	(*1 libra*) champiñones, rebanados
2	cucharadas harina
1	taza jerez
2	tazas crema espesa
1	cucharadita sal
1	cucharadita paprika
¼	cucharadita pimienta

Precalentar el horno a 180 °C (*350 °F*).

Calentar la mantequilla en una sartén grande. Dorar la carne en la mantequilla. Sacar y mantener caliente en un refractario.

Agregar los champiñones a la mantequilla. Saltear hasta que estén blandos.

Espolvorear con la harina. Cocer por 2 minutos.

Añadir el jerez, la crema y los condimentos. Cocer a fuego lento durante 5 minutos.

Verter la salsa sobre la carne. Tapar.

Hornear durante 20 minutos. Servir.

Carne de Cerdo con Manzanas

8 porciones

900 g.	(*2 libras*) pierna de cerdo, en cubitos
½	cucharadita sal
1	cucharadita paprika
2	cucharadas aceite
1	taza jugo de manzana
1	taza jerez
4	manzanas Granny Smith, peladas, descorazonadas y rebanadas
2	cucharadas harina
3	cucharadas agua
4	tazas arroz cocido, caliente

Quitar la grasa a la carne; condimentar con la sal y la paprika. Dorar en el aceite.

Añadir el jugo de manzana y el jerez y cocer a fuego lento hasta que la carne esté tierna.

Agregar las manzanas y cocer a fuego lento por 5 minutos más.

Mezclar la harina con el agua y formar una pasta. Agregar a la salsa y cocer a fuego lento hasta que espese.

Verter sobre el arroz y servir.

Carne de Cerdo Agridulce

4 porciones

1	huevo, batido
½	taza harina
½	cucharadita sal
¼	cucharadita polvo de hornear
1¼	taza agua
450 g.	(*1 libra*) espaldilla de cerdo, en cubos pequeños
4	tazas (*1 L*) aceite
½	taza vinagre
¼	taza azúcar morena
1	cucharada melaza
1	taza piña en trozos, escurrida
1	pimiento verde, rebanado
2	cucharadas maicena

Mezclar el huevo con la harina, la sal, el polvo de hornear y ¼ taza de agua.

Condimentar la carne con un poco de sal y pimienta.

Untar la carne con la pasta y freír en el aceite hasta que se dore. Sacar y mantener caliente.

En una cacerola, hervir lo siguiente: ¾ taza de agua, el vinagre, el azúcar morena y la melaza.

Agregar la piña y el pimiento verde. Cocer a fuego lento durante 2 minutos.

Mezclar la maicena con ¼ taza de agua. Verter en la salsa. Calentar hasta que suelte el hervor. Retirar del fuego.

Verter sobre la carne y servir.

Carne de Cerdo con Almendras y Chícharos Mangetout

Carne de Cerdo con Almendras y Chícharos Mangetout

4 porciones

¼	taza aceite
450 g.	(*1 libra*) carne de cerdo magra, en rebanadas finas
2	tazas chícharos mangetout
1	taza almendras tostadas
¼	taza jerez
1	cucharada curry en polvo*
2	tazas yogurt natural

4	tazas arroz cocido, caliente

Calentar el aceite en una sartén grande hasta que esté muy caliente. Agregar la carne y freír rápidamente.

Agregar los chícharos mangetout y las almendras. Revolver y cocer por 1 minuto.

Incorporar el jerez, el curry en polvo y el yogurt. Cocer a fuego lento durante 3 minutos.

Servir sobre el arroz.

* Curry en Polvo

1	cucharada cilantro, molido
1	cucharada comino, molido
1	cucharadita jengibre, molido
2	cucharaditas cúrcuma
¼	cucharadita pimienta de Cayena
1	pizca pimienta
1½	cucharadita cardamomo

Mezclar bien todas las especias.

Hamburguesas de Carne de Cerdo

32 hamburguesas de 60 g. (2 onzas)

1,8 kg.	(*4 libras*) carne de cerdo, molida
1	cucharada sal
1	cucharada salvia, molida
1	cucharada pimienta negra
2	cucharaditas orégano, molido
½	cucharadita nuez moscada
½	cucharadita pimienta de Jamaica
½	cucharadita jengibre
¼	cucharadita macis
1	cucharada azúcar
½	taza agua

Precalentar el horno a 230 °C (*450 °F*).

Colocar la carne molida en un tazón. Agregar los condimentos y mezclar bien.

Añadir el agua poco a poco, mezclando después de cada adición. Formar las hamburguesas.

Colocar las hamburguesas en una charola para horno. Hornear durante 8 minutos o hasta que estén bien cocidas.

Costillas en Barbacoa

8 porciones

2,2 kg.	(*5 libras*) costillas de cerdo
2	tazas cerveza
10	tazas (*2,5 L*) agua
1	cebolla, en cubitos
2	zanahorias, en cubitos
2	tallos de apio, en cubitos
1	diente de ajo, finamente picado
¼	taza especias para escabeche
2	cucharaditas sal
2	tazas Salsa de Barbacoa (ver *Salsas*)

Colocar las costillas en una olla grande. Verter la cerveza y el agua sobre las costillas.

Agregar las verduras y los condimentos. Hervir. Reducir el calor y cocer a fuego lento durante 2 horas.

Precalentar el horno a 200 °C (*400 °F*).

Sacar las costillas y enfriarlas bajo el chorro del agua. Cuando ya no estén calientes, quitar las membranas. Colocar las costillas en una charola para horno.

Untar con la Salsa de Barbacoa y hornear durante 15 minutos o asar a las brasas, untando con la salsa con frecuencia. Servir calientes.

Costillas con Miel y Jengibre

6 porciones

1 kg.	(*2¼ libras*) costillas de cerdo
1	cucharadita sal
1	cucharadita jengibre, molido
¼	cucharadita ajo en polvo
¼	taza salsa soya
1	taza miel líquida

Pedir al carnicero que corte las costillas en porciones individuales.

Precalentar el horno a 180 °C (*350 °F*).

Espolvorear las costillas con sal, jengibre y ajo en polvo.

Mezclar la salsa soya con la miel. Untar las costillas.

Hornear durante 1½ hora o hasta que estén muy tiernas, bañándolas con la salsa con frecuencia.

Rollitos de Col

18 rollitos – 6 porciones

1	col
2	cucharadas grasa de tocino
1	taza cebolla, en cubitos
2	dientes de ajo, finamente picados
450 g.	(*1 libra*) carne de cerdo magra, molida
¾	taza arroz cocido
2	huevos, batidos
2	cucharadas paprika
¼	cucharadita orégano
1	cucharadita sal
1	cucharadita pimienta
450 g.	(*1 libra*) col fermentada
½	taza caldo de pollo
½	taza tomates hechos puré
2	tazas crema agria

Precalentar el horno a 180 °C (*350 °F*).

Hervir la col hasta que las hojas estén lo suficientemente blandas para poder enrollarlas.

Calentar la grasa de tocino y dorar la cebolla y el ajo.

Mezclar la carne, la cebolla y el ajo dorados, el arroz, los huevos y los condimentos. Colocar una pequeña cantidad de esta mezcla sobre las hojas y enrollar.

Colocar la col fermentada en el fondo de un refractario. Colocar los rollos encima.

Mezclar el caldo de pollo con el puré de tomate.

Verter sobre los rollos. Tapar y hornear durante 1¾ hora. Servir con crema agria.

1

Mezclar la carne molida, la cebolla y el ajo dorados, el arroz, los huevos y los condimentos.

2

Colocar la mezcla sobre las hojas de col y enrollar.

3

Extender la col fermentada en el fondo de un refractario y colocar los rollos encima.

4

Mezclar el caldo de pollo con el puré de tomate y verter sobre los rollos.

Jamón Selva Negra con Clavos

8 porciones

2,2 kg.	(*5 libras*) jamón ahumado, Selva Negra
20	clavos
½	taza mermelada de chabacano
½	taza jalea de uvas blancas o jalea de manzana
1	cucharada mostaza Dijon
1½	taza azúcar demerara*
¼	cucharadita canela, molida
¼	cucharadita pimienta de Jamaica

Precalentar el horno a 160 °C (*325 °F*).

Cortar líneas entrecruzadas de 0,5 cm. (*⅛ pulg.*) de profundidad en el jamón. Picar cada rombo con 1 clavo.

En una cacerola, calentar la mermelada, la jalea, la mostaza, el azúcar, la canela, y la pimienta de Jamaica. Hervir hasta formar un glaseado.

Cocer el jamón en el horno durante 2¼ horas.

Untar con el glaseado cada 5 minutos durante la última media hora.

Servir.

* azúcar de caña cristalizada

Jamón Selva Negra con Clavos

Jamón Gratinado

Jamón con Chabacanos

8 porciones

2,2 kg.	(*5 libras*) jamón ahumado, sin hueso
450 g.	(*1 libra*) chabacanos secos
2	tazas agua
½	taza azúcar morena
1	cucharadita pimienta de Jamaica

Remojar el jamón toda la noche en suficiente agua para que lo cubra. Refrigerar (esto elimina el exceso de sal).

En una cacerola, mezclar los chabacanos con el agua, el azúcar y la pimienta de Jamaica.

Cocer, reduciendo a puré. Cocer a fuego lento hasta que la mayor parte del líquido se haya evaporado. Apartar.

Precalentar el horno a 160 °C (*325 °F*).

Cortar líneas entrecruzadas de 0,5 cm. (*⅛ pulg.*) de profundidad en el jamón.

Colocar en una charola para asar y cocer de 2¼ a 2½ horas.

Durante la última media hora, untar el jamón con el puré.

Jamón Gratinado

8 porciones

8	rebanadas de jamón cocido, de 2,5 cm. (*1 pulg.*) de grueso
	aceite vegetal
¼	taza mantequilla, suavizada
1	taza queso Cheddar añejo, rallado
1	pizca pimienta de Cayena
¼	taza cebollines, picados

Untar los dos lados del jamón con el aceite. Asar el jamón a la parrilla en el horno 6 minutos por cada lado o hasta que esté cocido.

Combinar la mantequilla, el queso, la pimienta de Cayena y los cebollines.

Untar el jamón con esta mezcla y regresarlo bajo la parrilla hasta que se dore ligeramente.

Carne de Ternera, de Cordero y Otras Carnes

Los norteamericanos han sido menos aventurados que otras gentes del mundo cuando se trata de comer y preparar carne.

El cordero, particularmente, es mucho más común en menús de otros países. Sin embargo, más y más restaurantes finos ofrecen cordero en sus menús y reciben una respuesta entusiasta. Y éstas no son las tradicionales recetas de chuletas y asados, sino variaciones basadas en múltiples cortes : bistec, costillar, pierna, filete, lomo, faldilla y codillo.

Cocine la carne de cordero tal como cocinaría la de res. Si ésta la prefiere usted roja o término medio, es casi seguro que el cordero le guste cocido de la misma manera.

La ternera es una carne delicada que requiere poco cocimiento. La ternera «auténtica» proviene de becerros de no más de 14 semanas, pero en realidad se puede obtener una clase aceptable de ternera hasta de un año de edad.

Como esta carne proviene de animales jóvenes, no ha tenido tiempo de acumular mucha grasa. La mejor carne de ternera es de color rosa muy pálido, y es un poco más oscura si proviene de animales de mayor edad.

La ternera es una carne relativamente cara, por lo tanto, tenga cuidado con «escalopas de ternera» baratas, en restaurantes de segunda clase. Es casi seguro que han sustituido ternera per cerdo.

Las carnes de caza se están haciendo cada vez más populares y asequibles en Norteamérica. Estas carnes pueden constituir un cambio magnífico y su preparacíon no es realmente complicada. Prepare alguna de las recetas para carne de caza de este capítulo, en las ocasiones en que quiera sorprender a sus invitados con algo de veras diferente.

Medallones de Ternera con Champiñones y Salsa de Brandy

Medallones de Ternera con Champiñones y Salsa de Brandy

	6 porciones
900 g.	(*2 libras*) filete de ternera
¼	taza mantequilla
450 g.	(*1 libra*) champiñones (pleurotos)
3	cucharadas brandy
3	cucharadas jerez
2	tazas salsa demi-glace (ver *Salsas*)
½	taza crema espesa

Cortar el filete de ternera en medallones.

Saltear los medallones en la mantequilla, 2 minutos por cada lado.

Retirar los medallones y mantenerlos calientes en el horno.

Agregar los champiñones a la mantequilla y saltear hasta que estén blandos. Flamear con el brandy.

Incorporar el jerez y la salsa demi-glace. Cocer a fuego lento durante 3 minutos y agregar la crema. Cocer a fuego lento por otros 3 minutos.

Verter la salsa sobre los medallones y servir.

Medallones de Ternera en Salsa de Camarones

4 porciones

2	cucharadas aceite
2	cucharadas mantequilla
8	medallones de ternera de 90 g. (*3 onzas*) cada uno
3	cucharadas harina
¾	taza caldo de pollo o de ternera (ver *Sopas*)
½	taza crema espesa
¼	taza jerez
½	cucharadita sal
¼	cucharadita pimienta
¾	taza camarones pequeños

Calentar el aceite y la mantequilla en una sartén.

Saltear la ternera en la mantequilla 3½ minutos por cada lado. Pasar la ternera a un plato refractario. Mantener caliente en el horno.

Espolvorear la sartén con la harina; cocer por 2 minutos.

Agregar el caldo, la crema, el jerez y los condimentos. Cocer a fuego lento durante 2 minutos.

Agregar los camarones y cocer a fuego lento por 2 minutos más.

Verter la salsa sobre la ternera. Servir inmediatamente.

Ternera Piccata

4 porciones

4	escalopas de 170 g. (*6 onzas*) cada una
2	cucharadas harina
¼	taza mantequilla
1	diente de ajo, finamente picado
¼	taza jerez seco
1	cucharada jugo de limón
½	limón, rebanado

Poner la ternera entre dos hojas de papel encerado. Aplanar hasta que la ternera quede muy delgada.

Espolvorear la ternera con harina.

Derretir la mantequilla y saltear el ajo. Sacar los pedacitos de ajo. Saltear la ternera por 2½ minutos de cada lado.

Sacar y mantener caliente.

Verter el jerez y el jugo de limón en la sartén; cocer a fuego lento durante 3 minutos.

Verter la salsa sobre la ternera.

Adornar con las rebanadas de limón y servir.

Escalopas de Ternera Cordon Bleu

8 porciones

8	escalopas de ternera de 90 g. (*3 onzas*) cada una, aplanadas a 0,5 cm. (*⅛ pulg.*) de grueso
250 g.	(*8 onzas*) jamón Selva Negra, en rebanadas delgadas
8	rebanadas queso suizo
½	taza harina
3	huevos, bien batidos
2	cucharadas leche
2	tazas pan molido fino
½	cucharadita sal
½	cucharadita pimienta
	aceite para freír
	Salsa de Champiñones y Queso Parmesano (ver *Salsas*)

Precalentar el horno a 200 °C (*400 °F*).

Poner 30 g. (*1 onza*) de jamón y una rebanada de queso sobre una mitad de cada escalopa. Doblar la otra mitad y pellizcar los lados para sellar.

Pasar cada escalopa por la harina, luego por una mezcla de huevos y leche, y luego por el pan molido condimentado con sal y pimienta.

Freír en 1 cm. (*½ pulg.*) de aceite caliente hasta que se doren, aproximadamente 3 minutos por cada lado.

Hornear 12 minutos hasta que el exterior quede crujiente.

Servir con Salsa de Champiñones y Queso Parmesano.

Escalopas de Ternera Velez

8 porciones

8	escalopas de ternera
½	taza harina
2	huevos, batidos
¾	taza pan molido fino
1	cucharadita sal
1	pizca pimienta
1	pizca tomillo
1	pizca albahaca
⅓	taza mantequilla
¼	taza aceite vegetal
450 g.	(*1 libra*) jamón, en rebanadas delgadas
16	puntas de espárragos, cocidas
2	tazas queso Havarti, rallado en forma gruesa

Pasar cada escalopa de ternera por la harina, luego por los huevos batidos, y luego por el pan molido condimentado con sal, pimienta, tomillo y albahaca.

Calentar la mantequilla y el aceite en una sartén grande. Saltear las escalopas a fuego alto, aproximadamente 2½ minutos por cada lado.

Cubrir cada escalopa con 60 g. (*2 onzas*) de jamón y 2 puntas de espárragos. Espolvorear con el queso rallado y colocar bajo la parrilla precalentada hasta que se derrita el queso.

Escalopas de Ternera Velez

Ternera John B. Hoyle

8 porciones

8	escalopas de ternera de 150 g. (*5 onzas*) cada una, aplanadas a aproximadamente 0,5 cm. (*⅛ pulg.*) de grueso
225 g.	(*½ libra*) camarones pequeños, cocidos
2	manzanas Granny Smith, peladas, descorazonadas y picadas
2	tazas queso Colby, rallado
	sal y pimienta
¼	taza mantequilla derretida
1⅓	taza Salsa Mornay (ver *Salsas*)

Precalentar el horno a 180 °C (*350 °F*).

Cubrir cada escalopa de ternera con camarones pequeños, manzanas picadas y queso. Enrollar firmemente y colocar, con el pliegue hacia abajo, en un refractario engrasado de poca profundidad. Condimentar y untar con mantequilla.

Hornear, tapada, de 15 a 20 minutos o hasta que la ternera esté completamente cocida.

Colocar los rollos de ternera en un platón y rociar con la Salsa Mornay.

Ternera a la Carta

6 porciones

6	escalopas de ternera de 170 g. (*6 onzas*) cada una
2	huevos
½	taza leche
½	taza harina
2	tazas pan molido condimentado
⅓	taza mantequilla
225 g.	(*8 onzas*) camarones pequeños
1	taza espárragos, escaldados 5 minutos
1	receta Salsa Béarnaise (ver *Salsas*)

Aplanar las escalopas entre dos hojas de papel encerado.

Mezclar los huevos con la leche.

Pasar las escalopas por la harina. Pasarlas por la mezcla de huevos. Pasarlas por el pan molido.

Calentar la mantequilla y saltear las escalopas por 2½ minutos de cada lado.

Colocar en una charola para horno. Cubrir cada escalopa con camarones, espárragos y Salsa Béarnaise.

Colocar bajo la parrilla y dorar ligeramente, aproximadamente 30 segundos.

Chuletas de Ternera a la Papillote

4 porciones

3	cucharadas mantequilla
1	taza cebollas, finamente picadas
170 g.	(*6 onzas*) champiñones, rebanados
3	cucharadas harina
½	taza crema ligera
¼	cucharadita pimienta
½	cucharadita sal
¼	taza aceite
4	chuletas de ternera, de 170 g. (*6 onzas*) cada una
8	rebanadas de jamón, de 30 g. (*1 onza*) cada una
8	papeles encerados cortados en forma de corazón (ligeramente más grandes que las chuletas)

Precalentar el horno a 230 °C (*450 °F*).

Calentar la mantequilla en una cacerola. Agregar las cebollas y los champiñones. Saltear hasta que toda la humedad se haya evaporado.

Agregar la harina y cocer por 2 minutos. Agregar la crema y los condimentos. Cocer a fuego lento hasta que la salsa esté muy espesa.

Calentar 3 cucharadas de aceite en una sartén. Dorar las chuletas en el aceite.

Untar los recortes de papel encerado con el aceite restante.

Colocar una rebanada de jamón en cada uno de los cuatro corazones. Cubrir el jamón con salsa y colocar una chuleta sobre la salsa.

Untar más salsa a las chuletas y colocar otra rebanada de jamón sobre la salsa.

Cubrir con los otros 4 recortes de papel encerado y enrollar el papel para sellar los bordes.

Hornear durante 10 minutos o hasta que los corazones se hinchen y queden ligeramente dorados.

Servir inmediatamente.

Ternera Helena

6 porciones

6	escalopas de ternera
284 g.	(*10 onzas*) espinacas
170 g.	(*6 onzas*) queso Havarti
170 g.	(*6 onzas*) salmón ahumado
3	cucharadas mantequilla
2	tazas Salsa de Pollo (ver *Salsas*)

Precalentar el horno a 180 °C (*350 °F*).

Aplanar las escalopas. Picar finamente las espinacas.

Colocar 45 g. (*1½ onza*) de espinacas, 30 g. (*1 onza*) de queso y 30 g. (*1 onza*) de salmón sobre cada escalopa.

Enrollar las escalopas y sujetarlas con palillos de dientes. Untar con mantequilla y hornear durante 18 minutos.

Rebanar las escalopas, verterles la Salsa de Pollo y servir.

Ternera Helena y Chuletas de Ternera a la Papillote

Ternera al Jerez

8 porciones

1,3 kg.	(*3 libras*) paletilla de ternera, deshuesada y amarrada
	sal y pimienta
225 g.	(*½ libra*) pleurotos
225 g.	(*½ libra*) morillas
225 g.	(*½ libra*) mízcalos
¼	taza mantequilla
¼	taza jerez
2	tazas salsa demi-glace (ver *Salsas*)
1	taza crema espesa

Precalentar el horno a 180 °C (*350 °F*).

Frotar la carne con los condimentos y hornear aproximadamente 1¼ hora.

Saltear los hongos en mantequilla y apartar.

Sacar el asado de la charola y desgrasar el jugo de la carne.

Verter el jerez, la salsa demi-glace y la crema en la charola y cocer a fuego lento durante 10 minutos.

Agregar los hongos y cocer a fuego lento por otros 3 minutos.

Servir el asado con la salsa a un lado.

Servir con papas, chícharos frescos, brócoli o verduras cortadas en tiritas.

Ternera al Jerez

Ternera Pizzaiola

8 porciones

¼	taza aceite
1 kg.	(*2¼ libras*) carne de ternera, cortada en tiras de 5 cm. (*2 pulg.*)
1	cebolla, en cubitos finos
2	tallos de apio, en cubitos finos
1	pimiento verde pequeño, en cubitos finos
3	tazas tomates, pelados, sin semillas y picados
3	dientes de ajo, machacados
2	cucharadas orégano, picado
¼	cucharadita sal
1	pizca pimienta

Calentar el aceite en una sartén grande. Dorar la ternera.

Agregar la cebolla, el apio y el pimiento verde. Saltear por 2 minutos.

Agregar los tomates, el ajo y los condimentos. Reducir el calor y cocer a fuego lento de 20 a 30 minutos. Servir con pastas calientes a la mantequilla.

Ternera en Salsa Blanca

Ternera en Salsa Blanca

6 porciones

675 g.	(1½ libra) paletilla de ternera, cortada en cubos
4	tazas (1 L) caldo de pollo (ver *Sopas*)
1	cucharada sal
¼	cucharadita tomillo
1	hoja de laurel
20	cebollitas, pequeñitas
4	zanahorias, cortadas en tiritas
2	cucharadas mantequilla
2	cucharadas harina
2	cucharadas jugo de limón
2	yemas de huevo
1	pizca pimienta de Cayena
1	cucharada perejil, picado

En una olla de hierro, poner la ternera, el caldo, la sal, el tomillo y la hoja de laurel.

Tapar y cocer a fuego lento durante 1¼ hora.

Agregar las cebollitas y las zanahorias; cocer durante 15 minutos. Sacar 2 tazas de líquido.

Derretir la mantequilla en una cacerola pequeña, agregar la harina y cocer 3 minutos sin que se dore.

Lentamente agregar las 2 tazas de líquido, revolviendo hasta que espese.

Batir el jugo de limón con las yemas de huevo. Incorporar a la salsa. NO DEJAR QUE HIERVA.

Agregar la salsa a la ternera; no dejar que hierva. Agregar la pimienta de Cayena. Verter en un platón y adornar con el perejil.

Servir con tallarines de huevo.

Albóndigas de Ternera

4 porciones

2	tiras de tocino, finamente picadas
1	cebolla, finamente picada
450 g.	(*1 libra*) carne de ternera, molida
¼	cucharadita tomillo
¼	cucharadita hojas secas de orégano
¼	cucharadita hojas secas de albahaca
¼	cucharadita ajo en polvo
1	cucharadita sal
1	huevo
½	taza pan molido fino
1	taza queso Parmesano, rallado
2	cucharadas aceite vegetal
½	taza caldo de res (ver *Sopas*)
½	taza vino blanco
2	cucharadas perejil, finamente picado
	tallarines o arroz cocido, calientes

Albóndigas de Ternera

En una sartén grande, saltear el tocino hasta que quede cocido pero todavía blando; apartar. En la grasa del tocino, saltear la cebolla hasta que quede blanda.

Combinar el tocino, la cebolla, la ternera molida, los condimentos, el huevo, el pan molido y el queso; mezclar bien con los dedos. Formar albóndigas de 2,5 cm. (*1 pulg.*) de diámetro.

Dorar las albóndigas en la grasa del tocino, agregando aceite vegetal si es necesario, hasta que la superficie de las albóndigas quede crujiente; escurrir el exceso de grasa.

Agregar el caldo de res y el vino; cocer las albóndigas a fuego lento sin tapar, de 15 a 20 minutos hasta que queden cocidas completamente.

Acomodar las albóndigas sobre arroz o tallarines calientes, rociar con la mitad del caldo y espolvorear con el perejil.

Croquetas de Ternera

6 porciones

675 g.	(1½ libra) carne de ternera, molida
2	cucharadas aceite vegetal
3	cucharadas mantequilla
3	champiñones, finamente picados
3	cucharadas harina
1	taza crema espesa
½	taza caldo de res (ver *Sopas*)
1	cucharada perejil fresco, picado
¼	cucharadita nuez moscada
¼	cucharadita sal
¼	cucharadita pimienta
175 g.	(6 onzas) queso suizo, en trozo
¼	cucharadita sal
¼	cucharadita pimienta
2	tazas pan molido fino
¼	taza harina
2	huevos, bien batidos
	aceite para freír

Saltear la ternera en aceite y la mitad de la mantequilla hasta que la carne pierda su color de rosa; escurrir y apartar. Saltear los champiñones en el resto de la mantequilla, incorporar 3 cucharadas de harina. Agregar la crema, el caldo, perejil, nuez moscada, sal y pimienta; cocer a fuego lento revolviendo hasta que espese. Incorporar la carne; enfriar completamente. Cortar el queso en 6 trocitos. Formar 6 croquetas envolviendo el queso en la carne. Agregar sal y pimienta al pan molido. Pasar cada croqueta por la harina, luego por los huevos y finalmente por el pan molido condimentado. Calentar el aceite a 190 °C (375 °F) y freír hasta que se doren.

Costillar de Cordero con Avellanas

Costillar de Cordero con Avellanas

1 porción

1	costillar de cordero
2	cucharadas mostaza Dijon
¼	taza avellanas, molidas
2	cucharadas pan molido fino
1	cucharada queso Romano
1	cucharada mantequilla derretida

Pedir al carnicero que le quite el espinazo al costillar.

Precalentar el horno a 200 °C (400 °F).

Quitar toda la grasa al costillar. Cortar la carne desde arriba y por entre cada costilla. Romper los huesos en las coyunturas.

Untar la mostaza en la carne.

Mezclar las avellanas, el pan molido y el queso. Espolvorear sobre la mostaza, cubriendo completamente la carne.

Rociar con la mantequilla derretida. Hornear durante 30 minutos.

Servir con Salsa Béarnaise o jalea de menta.

Costillar de Cordero Asado

1 porción

1	costillar de cordero
2	cucharadas aceite de oliva
1	cucharadita sal gruesa
½	cucharadita romero
½	cucharadita pimienta, machacada
¼	cucharadita orégano
¼	cucharadita albahaca
¼	cucharadita paprika

Pedir al carnicero que le quite el espinazo al costillar.

Precalentar el horno a 200 °C (*400 °F*).

Quitar toda la grasa al costillar. Cortar la carne desde arriba y por entre cada costilla. Romper los huesos en las coyunturas.

Untar la carne con aceite de oliva. Espolvorear con los condimentos y la sal.

Hornear durante 30 minutos. Servir con Puré de Manzana con Menta.

Puré de Manzana con Menta
(*por porción*)

1	cucharada mantequilla
2	cucharadas azúcar morena
½	taza manzanas, peladas, descorazonadas, cortadas en cubitos
1½	cucharadita menta fresca, picada
¼	taza jugo de manzana

Calentar la mantequilla en una cacerola. Agregar el azúcar y dejar que caramelice. Agregar las manzanas, menta y jugo. Cocer a fuego lento de 5 a 6 minutos. Servir con el costillar de cordero asado.

Cordero con Salsa Chasseur

8 porciones

1 kg.	(*2¼ libras*) carne de cordero magra, molida
½	taza pan molido
2	huevos
1	cucharadita sal
½	cucharadita pimienta
1	cucharada cebollines, picados
1	cucharada perejil, picado
½	cucharadita albahaca
1	cucharadita cáscara de limón, rallada

Precalentar el horno a 180 °C (*350 °F*).

En un tazón grande, mezclar la carne, el pan molido y los huevos. Agregar los condimentos y la cáscara de limón. Mezclar perfectamente. Dar forma de pan. Hornear durante 60 minutos. Sacar y servir con Salsa Chasseur (ver *Salsas*).

Asado de Cordero Nueva Zelandia

8 porciones

2,2 kg.	(*5 libras*) codillo de cordero, deshuesado, enrollado y amarrado
¼	taza aceite
2	cucharaditas sal
½	cucharadita pimienta negra
2	tazas Salsa de Miel y Mostaza (ver *Salsas*)

Precalentar el horno a 180 °C (*350 °F*).

Frotar la carne con el aceite. Espolvorear con sal y pimienta. Hornear 1½ hora. Durante los últimos 15 minutos, untar salsa cada 5 minutos, luego una vez más antes de servir.

Servir el resto de la salsa con el asado.

Brochetas de Cordero

6 porciones

2	cucharaditas ajo en polvo
½	cucharadita albahaca
½	cucharadita orégano
2	cucharaditas sal
½	cucharadita cilantro
½	cucharadita comino
¼	cucharadita cúrcuma
1	pizca jengibre
1	taza jerez
⅓	taza aceite de oliva
1	cucharada jugo de limón
1 kg.	(*2¼ libras*) carne de cordero, cortada en cubos de 4 cm. (*1½ pulg.*).
⅓	taza brandy

Mezclar todos los condimentos con el jerez, el aceite y el jugo de limón en un tazón. Agregar la carne cortada en cubos.

Marinar toda la noche o durante 8 horas. Poner la carne en brochetas. Dejar pequeños espacios entre cada cubo. Asar por 3 minutos de cada lado, preferiblemente a las brasas.

Poner las brochetas en un platón cuando estén listas. Verter el brandy sobre la carne. Encender con cuidado. Servir mientras flamean las brochetas.

Escalopas de Cordero con Hierbas y Queso

6 porciones

6	escalopas de cordero de 115 g. (*4 onzas*) cada una
½	cucharadita albahaca
½	cucharadita mejorana
1	cucharadita cebollines, picados
½	cucharadita pimienta, machacada
340 g.	(*12 onzas*) queso crema
1	huevo
¼	taza leche
⅓	taza harina
2	tazas pan molido
½	taza aceite
2	tazas Salsa Mornay (ver *Salsas*)

Precalentar el horno a 180 °C (*350 °F*).

Aplanar las escalopas para que queden muy delgadas.

Mezclar las hierbas y la pimienta con el queso.

Poner 60 g. (*2 onzas*) de la mezcla de queso en cada escalopa. Enrollar la carne.

Mezclar el huevo con la leche. Espolvorear las escalopas con harina. Pasarlas por la leche. Pasarlas por el pan molido.

Calentar el aceite en una sartén. Dorar las escalopas en el aceite.

Pasar a una charola de horno.

Hornear durante 12 minutos.

Calentar la Salsa Mornay. Servir las escalopas con la salsa.

1

Aplanar las escalopas hasta que estén delgadas. Mezclar las hierbas y la pimienta con el queso crema.

2

Colocar 60 g. (*2 onzas*) de la mezcla de queso en cada escalopa.

3

Enrollar la carne.

4

Cocer las escalopas empanizadas en el horno durante 12 minutos.

Chuletas de Cordero a la Provenzal

Chuletas de Cordero en Crema de Almendras y Champiñones

4 porciones

8	chuletas de cordero de 85 g. (*3 onzas*) cada una
1	pizca sal y pimienta
¼	taza mantequilla
115 g.	(*4 onzas*) champiñones, rebanados
3	cucharadas harina
1	taza caldo de pollo (ver *Sopas*)
1	taza crema espesa
¼	taza almendras, peladas y molidas
½	cucharadita extracto de almendra
½	taza almendras, cortadas a lo largo y tostadas

Asar las chuletas a la parrilla 3 minutos de cada lado. Condimentar con sal y pimienta. Apartarlas y mantenerlas calientes.

Calentar la mantequilla en una cacerola.

Agregar los champiñones y saltear hasta que queden blandos. Espolvorearlos con harina. Cocer por 2 minutos.

Agregar el caldo de pollo y la crema. Cocer a fuego lento durante 5 minutos.

Agregar las almendras molidas y el extracto de almendra. Cocer a fuego lento 10 minutos más.

Espolvorear con las almendras tostadas.

Acomodar las chuletas en un platón. Servir con la salsa.

Chuletas de Cordero a la Provenzal

3 porciones

½	cucharadita sal
¼	cucharadita tomillo
¼	cucharadita mejorana
¼	cucharadita pimienta negra
6	chuletas de lomo de cordero
¼	taza leche
1	huevo
¼	taza harina
1	taza pan molido
2	cucharadas aceite de oliva
2	cucharadas mantequilla

Mezclar los condimentos y frotar las chuletas con éstos. Mezclar la leche con el huevo. Espolvorear las chuletas con la harina. Pasar las chuletas por el huevo y luego por el pan molido.

Calentar el aceite y la mantequilla. Freír las chuletas 5 minutos de cada lado. Servir muy calientes.

Carne de Venado Baden Baden

6 porciones

6	bisteces de filete de venado
3	cucharadas mantequilla
3	cucharadas aceite
2	peras
½	taza arándanos agrios
2	tazas Salsa Chasseur (ver *Salsas*)

Saltear los bisteces en la mantequilla y el aceite; cocer según el grado de cocción deseado.

Apartar del fuego, guardar el jugo de carne y mantener los bisteces calientes.

Pelar, descorazonar y picar las peras.

En el jugo de carne, saltear las peras y los arándanos agrios hasta que queden blandos.

Agregar la salsa y cocer a fuego lento por 5 minutos. Verter la salsa sobre los bisteces y servir.

Carne de Venado Baden Baden

Bisteces de Carne de Venado

4 porciones

4	bisteces de venado de 170 g. (*6 onzas*) cada uno
3	cucharadas aceite
2	cucharaditas sal
½	cucharadita pimienta
½	cucharadita paprika

Untar los bisteces con el aceite. Condimentar. Asar a la parrilla según el grado de cocción deseado.

Servir con la salsa.

Salsa

2	cucharadas mantequilla
⅓	taza cebolla, finamente picada
⅓	taza zanahoria, rallada
2	tazas Salsa Española (ver *Salsas*)
½	taza vino tinto
1	pizca clavo, molido
1	cucharada jugo de limón
¼	taza mermelada de grosella roja
⅓	taza crema ligera
3	cucharadas perejil, picado

Calentar la mantequilla en una cacerola.

Saltear las cebollas y las zanahorias hasta que queden blandas.

Agregar la Salsa Española, el vino, el clavo y el jugo de limón. Dejar que reduzca a la mitad.

Incorporar la mermelada y terminar agregando la crema y el perejil.

Hamburguesas de Búfalo

8 porciones

1 kg.	(*2¼ libras*) carne de búfalo, molida
1	taza pan molido
2	huevos
1	cucharadita sal
½	cucharadita pimienta
1	cucharada salsa inglesa
1	cucharadita albahaca
1	cucharadita paprika

En un tazón grande, mezclar la carne de búfalo, el pan molido, los huevos y los condimentos. Formar hamburguesas.

Asar a las brasas según el grado de cocción deseado.

Filetes de Búfalo en Salsa de Pimienta en Granos

6 porciones

6	filetes de búfalo de 170 g. (*6 onzas*) cada uno
1	taza salsa demi-glace (ver *Salsas*)
¼	taza jerez
⅓	taza crema espesa
¼	taza mermelada de grosella roja
1	cucharada pimienta verde en granos

Asar los filetes a las brasas según el grado de cocción deseado.

Calentar la salsa demi-glace en una cacerola.

Agregar el jerez y dejar que reduzca a la mitad. Agregar la crema y la mermelada y cocer a fuego lento por 3 minutos.

Agregar los granos de pimienta. Servir la salsa sobre los filetes.

Bisteces de Búfalo Cocidos a Fuego Lento con Champiñones

6 porciones

1 kg.	(*2¼ libras*) carne de búfalo (de redondo)
1	huevo, ligeramente batido
3	cucharadas leche
2	tazas pan molido condimentado
¼	taza aceite ligero
284 g.	(*10 onzas*) champiñones enlatados, con el líquido
1	cucharada harina

Cortar la carne en bisteces individuales de 2,5 cm. (*1 pulg.*) de grueso.

Pasar por la mezcla de huevo y leche y luego por el pan molido.

Calentar el aceite en una sartén grande. Dorar los bisteces 2½ minutos de cada lado.

Verter los champiñones con el líquido sobre los bisteces. Tapar la sartén y cocer a fuego lento durante 45 minutos.

Mezclar la harina con un poco de agua; agregar a la salsa poco a poco.

Cocer a fuego lento hasta que espese. Servir inmediatamente.

Asado de Alce

6-8 porciones

450 g.	(*1 libra*) lonjas de cerdo salado (opcional)
1,8 kg.	(*4 libras*) carne de alce (de bola)
1	cucharada mostaza en polvo
2	cucharaditas sal
1	cucharadita pimienta
2	cebollas, rebanadas
2	zanahorias, picadas
2	tallos de apio, picados
2	tazas tomates, sin semillas, picados y escurridos

Adelgazar el cerdo salado con el rodillo. Envolver la carne de alce con el cerdo. Refrigerar durante toda la noche o de 10 a 12 horas.*

Precalentar el horno a 180 °C (*300 °F*).

Quitar y desechar el cerdo. Frotar la carne con la mostaza en polvo. Condimentar con la sal y la pimienta.

Poner en una charola para asar. Poner las verduras alrededor de la carne.

Verter los tomates sobre las verduras.

Tapar y cocer en el horno durante 2 horas para que quede a término medio.

Para que quede bien cocido, hornear el asado de 35 a 45 minutos más.

* Esto permite eliminar un olor a caza demasiado fuerte que podría afectar el sabor de la carne. Esto es resultado del lugar donde se alimenta el alce y no de la edad.

Asado de Alce

Conejo con Ciruelas Pasas

3 porciones

⅓	taza mantequilla
3	cucharadas aceite
1	conejo de 1,5 kg. (*3½ libras*), cortado en piezas
3	zanahorias grandes, en cubos
1	cebolla mediana, en cubos
750 g.	(*1½ libra*) ciruelas pasas, deshuesadas
1½	taza jerez
1	cucharadita albahaca
1	cucharadita perejil
¼	cucharadita pimienta negra
3	cucharadas harina

En una olla grande, ordinaria o de hierro, calentar la mitad de la mantequilla y el aceite.

Dorar el conejo. Sacar y mantener caliente.

Agregar las zanahorias y la cebolla; saltear hasta que queden blandas.

Agregar las ciruelas pasas y el jerez. Regresar el conejo a la olla.

Espolvorear con los condimentos.

Tapar y cocer a fuego lento durante 45 minutos.

Sacar el conejo y mantener caliente. Mezclar la mantequilla restante con la harina.

Batiendo, incorporar poco a poco esta mezcla al líquido de la olla. Cocer a fuego lento hasta que espese.

Verter sobre el conejo y servir.

Guiso de Conejo y Ostiones

3 porciones

1	conejo de 1,5 kg. (*3½ libras*), cortado en piezas
¼	taza harina
½	cucharadita sal
1	taza caldo de pollo, caliente (ver *Sopas*)
1	taza crema espesa
2	tazas ostiones
2	cucharadas mantequilla

Precalentar el horno a 180 °C (*350 °F*).

Espolvorear el conejo con la harina.

Colocar en una cazuela grande. Condimentar con la sal. Verter el caldo sobre el conejo.

Tapar y hornear durante una hora.

Agregar la crema, los ostiones y salpicar con mantequilla.

Tapar y cocer 15 minutos más.

Conejo a la Provenzal

6 porciones

1	conejo de 1,5 kg. (*3½ libras*)
1½	cucharada aceite
1½	cucharada mantequilla
115 g.	(*¼ libra*) tocino, finamente picado
1	diente de ajo, finamente picado
1	cebolla grande, en cubitos
2	pimientos verdes, en cubitos
115 g.	(*¼ libra*) champiñones
450 g.	(*1 libra*) tomates, pelados, sin semillas y picados
1	cucharadita albahaca
1	cucharadita tomillo
1	cucharadita mejorana
1	cucharada perejil
1	cucharada mostaza Dijon

Precalentar el horno a 160 °C (*325 °F*).

Cortar el conejo en porciones individuales.

Calentar el aceite y la mantequilla en una sartén grande.

Agregar el tocino y dorar. Poner el tocino en una cazuela.

Dorar el conejo en la grasa del tocino.

Poner el conejo en la cazuela. Saltear las verduras en la grasa. Escurrir.

Poner las verduras en la cazuela.

Verter los tomates sobre el conejo. Espolvorear con las hierbas y salpicar con la mostaza.

Hornear de 1¼ a 1½ hora.

Conejo con Paprika y Tallarines con Alcaravea

Conejo con Paprika y Tallarines con Alcaravea

	6 porciones
2	cucharaditas sal
2	cucharaditas pimienta
1	taza harina
2	conejos, cada uno cortado en 6 piezas
½	taza mantequilla
1	cucharada paprika
1½	taza crema espesa
¼	taza jerez
3	tazas tallarines de huevo
2	cucharaditas semillas de alcaravea o carví

Mezclar la sal y la pimienta con la harina.

Pasar las piezas de conejo por la harina.

Calentar la mitad de la mantequilla en una sartén grande y dorar la carne.

Mezclar la paprika con la crema.

Agregar el jerez a la carne, y luego la crema. Bajar el fuego; cocer a fuego lento durante 1 hora. Puede que sea necesario agregar un poco de agua a medio cocer.

Hervir los tallarines de huevo «al dente». Escurrir.

Incorporarles el resto de la mantequilla y espolvorear con las semillas de alcaravea.

Servir con el conejo.

Pescados y Mariscos

En nuestros días, la gente come más pescado y mariscos que nunca, y con razón. Gracias al transporte moderno, el pescado fresco es accesible donde quiera que uno viva, y a casi todo el mundo le gusta algún tipo de pescado, incluso a muchos vegetarianos.

El pescado es también una alternativa saludable. Es rico en proteínas y bajo en calorías y grasas saturadas.

Pero para mí, lo mejor del pescado es su sabor suculento, el cual sirve de creativa inspiración para tantísimas recetas.

En este capítulo, encontrará usted una variedad de recetas para pescados y mariscos, algunas de ellas casi pecaminosas por lo ricas y elegantes, algunas increíblemente sencillas, pero todas ellas deliciosas.

Cualesquiera que sean las recetas que pruebe, recuerde que lo más importante es empezar con pescado fresco.

Trate de servir el pescado el mismo día que lo compre. Si no, guárdelo en el lugar más frío del refrigerador. Los mariscos se conservan mejor en hielo.

Cómo Escoger Pescado Fresco

Los pescadores le dirán que el mejor pescado que han comido, es el que se cocina inmediatamente después de la pesca.

Si usted vive cerca de la costa, lo mejor es ir a los mercados donde los pescadores le venden su pesca directamente de la lancha. Si no, he aquí algunos consejos para comprobar la frescura del pescado:

1. El pescado fresco casi no tiene olor. Nunca compre pescado que tenga un olor desagradable o un fuerte olor «a pescado».

2. La piel debe ser brillosa y las escamas deben estar bien apretaditas unas contra otras. Los ojos deben ser redondos y brillantes, ni lechosos ni hundidos. La carne dentro de las agallas debe ser roja o rosa intenso.

3. La carne debe sentirse firme al tocar, no blanda.

Sugerencias Para Cocinar

Cualquiera que sea la especie o el método de cocción escogido, trate de cocinar el pescado 10 minutos por cada 2,5 cm. (*1 pulg.*) de espesor (medidos en la parte más gruesa del pescado o del filete). Es preferible sofreír el pescado en una sartén, cocerlo al vapor o al horno o freírlo. El pescado cocinado en agua tiende a secarse. Si quiere escalfar su pescado debe asegurarse de usar caldo de pescado o caldo Court Bouillon. (Ver *Sopas*).

Filetes de Salmón con Salsa de Frambuesas, Kiwis y Pimienta Verde

Filetes de Salmón con Salsa de Frambuesas, Kiwis y Pimienta Verde

4 porciones

4	filetes de salmón
1	cucharada mantequilla derretida
½	taza crema espesa
1	taza frambuesas
¼	taza azúcar
1	cucharada granos de pimienta verde
2	kiwis

Precalentar el horno a 180 °C (*350 °F*).

Untar el salmón con la mantequilla derretida.

Hornear de 12 a 15 minutos.

En una cacerola, calentar la crema, las frambuesas, el azúcar y los granos de pimienta. Cocer a fuego lento durante 5 minutos.

Pelar y picar los kiwis; agregarlos a la salsa.

Sacar el salmón del horno.

Colocar los filetes en los platos, verter la salsa sobre el salmón y servir.

Manzanas Rellenas con Salmón Ahumado

6 porciones

6	manzanas muy grandes
450 g.	(*1 libra*) espinacas frescas
½	taza mantequilla
3	cucharadas harina
1	cucharada hojas secas de albahaca
2½	tazas crema espesa
2	yemas de huevo
½	taza queso Havarti, rallado
450 g.	(*1 libra*) salmón ahumado

Precalentar el horno a 180 °C (*350 °F*).

Cortar una rebanada de 1,5 cm. (*½ pulg.*) de la parte superior de cada manzana y apartarla. Ahuecar las manzanas, dejando 0,5 cm. (*¼ pulg.*) de pulpa. Cuidar de no perforar la cáscara.

Acomodar las manzanas en un refractario.

Rápidamente saltear las espinacas en ¼ taza de mantequilla a fuego alto hasta que queden marchitas y blandas. Picar y apartar.

Derretir el ¼ de taza de mantequilla restante e incorporar la harina. Agregar la albahaca y 2 tazas de crema; cocer a fuego lento hasta que la salsa se espese.

Batir las yemas en la crema restante e incorporar a la salsa. Incorporar el queso y apartar.

Colocar la mitad del salmón en el fondo de las manzanas. Con una cuchara, poner las espinacas encima del salmón.

Cubrir con el resto del salmón. Llenar con la salsa.

Reponer las tapas de las manzanas y hornear hasta que las cáscaras estén blandas, de 15 a 20 minutos.

Servir con arroz pilaf y granos de elote mezclados con pedacitos de pimiento morrón.

Panecillos de queso también van bien con este platillo.

Salmón con Jaiba y Salsa Béarnaise

4 porciones

4	tazas (*1 L*) caldo Court Bouillon (ver *Sopas*)
4	filetes de salmón, de 170 g. (*6 onzas*) cada uno
1	taza carne de jaiba, cocida
1	taza Salsa Béarnaise (ver *Salsas*)

Calentar el caldo Court Bouillon. Cocer el salmón a fuego lento en el caldo Court Bouillon de 10 a 12 minutos.

Sacar el salmón y ponerlo en una fuente refractaria de poca profundidad. Cubrir cada filete con ¼ de taza de carne de jaiba y 2 cucharadas de Salsa Béarnaise.

Poner bajo la parrilla por 1 minuto o hasta que se doren.

Servir con el resto de la salsa a un lado.

Salmón Relleno al Horno

8 porciones

1	salmón fresco de 2,2 kg. (*5 libras*)
225 g.	(*½ libra*) tocino, en cubitos
1	cebolla, finamente picada
1	tallo de apio, finamente picado
2	zanahorias, finamente picadas
2	tazas galletas saladas, finamente trituradas
1	taza carne de langosta, de camarón o de jaiba, cocida y picada
1	cucharadita paprika
¼	cucharadita pimienta
½	taza agua

Precalentar el horno a 190 °C (*375 °F*).

Limpiar perfectamente el salmón. Freír el tocino hasta que quede blando para preparar el relleno.

Agregar la cebolla, el apio y las zanahorias. Saltear hasta que queden blandos. Escurrir el exceso de grasa. Enfriar.

Mezclar las galletas con los mariscos y los condimentos. Agregar lo previamente frito.

Rellenar la cavidad del pescado. Amarrar con una cuerda fina.

Hornear en un refractario engrasado y tapado, de 40 a 45 minutos, con la ½ taza de agua.

Salmón Escalfado con Salsa de Queso Azul

Salmón Escalfado con Salsa de Queso Azul

6 porciones

6	filetes de salmón
	caldo Court Bouillon (ver *Sopas*)

Salsa de Queso Azul

1	cucharada pepinillo en escabeche, finamente picado
2	cucharadas perejil, picado
2	cucharadas cebollines, picados
2	cucharadas crema espesa
2	cucharaditas jugo de limón
1	cucharadita salsa inglesa
¼	taza queso Azul, desmoronado
1	taza mayonesa

Colocar los filetes de salmón en una sartén grande y gruesa.

Cubrir con el caldo Court Bouillon. A fuego alto, calentar hasta que suelte el hervor; bajar el fuego y cocer a fuego lento justo hasta que la carne se desprenda en hojuelas con el tenedor, aproximadamente de 8 a 12 minutos, dependiendo del tamaño de los filetes.

Servir frío o caliente acompañado con la salsa de queso Azul.

Salsa : Combinar todos los ingredientes; mezclar bien. Refrigerar.

Salmón con Naranja y Pacanas

6 porciones

3	cucharadas mantequilla
6	filetes de salmón, de 170 g. (*6 onzas*) cada uno
2	cucharadas harina
1	taza crema espesa
¼	taza jerez
1	naranja
½	taza pacanas, picadas

Precalentar el horno a 180 °C (*350 °F*).

Derretir la mantequilla en una cacerola. Usar 1 cucharada de mantequilla derretida para untarla a los filetes de salmón. Hornear el salmón de 12 a 15 minutos.

Agregar la harina al resto de la mantequilla. Revolver y cocer por 2 minutos.

Agregar la crema y el jerez. Cocer a fuego lento hasta que espese.

Rallar la cáscara de la naranja y agregar a la salsa. Incorporar las pacanas. Sacar el pescado del horno. Colocar en un platón. Cubrir con la salsa.

Adornar con rebanadas de la naranja. Servir.

Filetes de Lenguado Olga

4 porciones

4	papas grandes
4	filetes de lenguado, de 170 g. (*6 onzas*) cada uno
4	tazas (*1 L*) caldo Court Bouillon (ver *Sopas*)
1	taza camarones pequeños
1	taza Salsa de Vino Blanco (ver *Salsas*)
1	taza queso Cheddar, rallado

Precalentar el horno a 200 °C (*400 °F*).

Lavar y tallar las papas.

Cocer las papas al horno hasta que queden blandas. Sacar del horno.

Cortar la parte superior. Sacar la pulpa, dejando la cáscara.

Doblar los filetes en dos. Calentar el caldo Court Bouillon. A fuego lento, escalfar los filetes en el caldo Court Bouillon.

Poner 2 cucharadas de camarones dentro de las papas. Agregar los filetes escalfados. Poner 2 cucharadas de Salsa de Vino Blanco.

Espolvorear con el queso.

Regresar al horno y cocer de 8 a 10 minutos o hasta que el queso se dore. Servir.

Lenguado Meunière

4 porciones

4	filetes de lenguado
1/3	taza leche
1/2	taza harina
1/3	taza mantequilla
2	cucharadas perejil fresco, picado
1	limón

Pasar los filetes por la leche. Pasar los filetes por la harina.

Calentar la mantequilla en una sartén. Saltear los filetes en la mantequilla de 2½ a 3 minutos de cada lado.

Pasar los filetes a un platón caliente.

Agregar el perejil y el jugo del limón a la mantequilla; cocer por 1 minuto.

Verter sobre los filetes y servir.

Lenguado Walewaska

4 porciones

4	tazas (*1 L*) caldo Court Bouillon (ver *Sopas*)
4	filetes de lenguado, de 170 g. (*6 onzas*) cada uno
1	taza Salsa Mornay (ver *Salsas*)
225 g.	(*8 onzas*) carne de langosta
1	taza queso suizo, rallado

Calentar el caldo Court Bouillon.

A fuego lento, escalfar los filetes en el caldo Court Bouillon de 8 a 10 minutos.

Calentar la Salsa Mornay en una cacerola.

Retirar los filetes y ponerlos en un platón refractario.

Cubrir cada filete con 30 g. (*2 onzas*) de carne de langosta. Cubrir con la salsa. Espolvorear con el queso.

Poner bajo la parrilla por 1 minuto o hasta que se doren.

Filetes de Lenguado a la Florentina

4 porciones

4	filetes de lenguado, de 225 g. (*8 onzas*) cada uno
225 g.	(*8 onzas*) espinacas, picadas finamente
6	tazas (*1,5 L*) caldo Court Bouillon (ver *Sopas*)
½	taza jerez
1½	taza Salsa Mornay (ver *Salsas*)

Cubrir cada filete con espinacas y enrollar.

Mantener cerrados con palillos de dientes.

Llevar el caldo Court Bouillon a leve ebullición y agregar el jerez.

Cocer el pescado en el caldo Court Bouillon hasta que quede opaco de color.

Colocar en un platón. Mantener caliente.

Calentar la Salsa Mornay.

Verter la salsa sobre el pescado y servir inmediatamente.

1

Cubrir cada filete con espinacas picadas.

2

Enrollar cada filete y mantenerlo cerrado con palillos de dientes.

3

Hervir el pescado en el caldo Court Bouillon y el jerez hasta que quede opaco de color.

4

Verter la Salsa Mornay sobre el pescado y servir inmediatamente.

Filetes de Lenguado con Champiñones

4 porciones

225 g.	(*8 onzas*) champiñones, rebanados
2	tazas agua
1	taza vino blanco
4	filetes de lenguado, de 170 g. (*6 onzas*) cada uno
3	cucharadas mantequilla
3	cucharadas harina
1	taza crema ligera
1	taza Salsa Mornay (ver *Salsas*)
¼	taza pan molido fino

Precalentar el horno a 260 °C (*500 °F*).

Hervir los champiñones en el agua y el vino durante 7 minutos. Escurrir los champiñones y guardar el líquido.

Escalfar el pescado en el líquido de los champiñones y mantener caliente en una cazuela.

En una cacerola, derretir la mantequilla, agregar la harina y hacer una pasta.

Agregar la crema y los champiñones. Cocer a fuego lento hasta que la salsa esté muy espesa. Incorporar la Salsa Mornay.

Verter la salsa sobre el pescado.

Esparcir el pan molido sobre el pescado.

Hornear hasta que se dore. Servir.

Filete de Lenguado Nantúa

1 porción

1	filete de lenguado, de 225 g. (*8 onzas*)
6	tazas (*1,5 L*) caldo Court Bouillon (ver *Sopas*)
2	cucharaditas mantequilla
2	cucharaditas harina
3	cucharadas crema espesa
1	cucharada cangrejo de río picado o carne de langosta
1	cucharada camarones, cocidos y picados
1	pizca paprika
2	cucharaditas jerez

A fuego lento, escalfar el pescado en el caldo Court Bouillon.

Sacar 1 taza de caldo Court Bouillon y cocer a fuego lento; reducirlo a 3 cucharadas.

En una cacerola, derretir la mantequilla y agregar la harina para hacer una pasta.

Agregar la crema y las 3 cucharadas de caldo. Cocer 1 minuto a fuego lento, agregar el cangrejo, los camarones, la paprika y el jerez.

Cocer a fuego lento por 1 minuto más.

Verter la salsa sobre el pescado y servir.

Filetes de Lenguado Normandía

4 porciones

4	manzanas
1	taza Salsa Béchamel (ver *Salsas*)
1	taza camarones pequeños
½	hoja de masa de hojaldre
⅓	taza mantequilla
4	cucharaditas aceite
4	filetes de lenguado, de 200 g. (*7 onzas*) cada uno
1	cucharadita perejil
2	cucharaditas jugo de limón

Precalentar el horno a 180 °C (*350 °F*).

Cortar la parte superior de las manzanas. Ahuecar las manzanas, dejando un poco de pulpa.

Mezclar la Salsa Béchamel con los camarones pequeños. Rellenar las manzanas con esta mezcla. Hornear de 20 a 25 minutos hasta que las manzanas queden blandas.

Cortar la masa de hojaldre en rectángulos de 2,5 x 7,5 cm. (*1 x 3 pulg.*).

Hornear con las manzanas sobre una rejilla diferente.

En una sartén, derretir 4 cucharaditas de mantequilla junto con el aceite. Bajar el fuego.

A fuego lento, saltear los filetes de 2½ a 3 minutos por cada lado. Pasar el pescado a un platón caliente.

Agregar la mantequilla restante, el perejil y el jugo de limón en la sartén.

Cocer hasta que quede muy caliente. Verter sobre el pescado.

Colocar las manzanas alrededor de los filetes y adornar con los pastelitos. Servir.

Filetes de Lenguado Normandía

Mero al Horno

4 porciones

4	filetes de mero
1½	taza champiñones, rebanados
½	taza queso Cheddar mediano, rallado
	sal y pimienta

Precalentar el horno a 230 °C (*450 °F*).

Colocar los filetes por separado sobre hojas gruesas de papel de aluminio.

Cubrir con las rebanadas de champiñones y el queso. Espolvorear con sal y pimienta.

Envolver herméticamente cada filete y colocar en una charola de horno.

Hornear de 10 a 12 minutos.

Mero Asado con Queso Parmesano

4 porciones

4	filetes de mero
¼	taza mantequilla, derretida
	sal y pimienta
½	taza queso Parmesano, rallado

Colocar los filetes en un refractario de poca profundidad, salpicar con la mitad de la mantequilla, y condimentar con la sal y la pimienta.

Colocar bajo la parrilla precalentada y cocer de 3 a 4 minutos.

Dar vuelta a los filetes y salpicar con el resto de la mantequilla.

Espolvorear con el queso y regresar al horno por 3 ó 4 minutos o hasta que el pescado quede completamente cocido y que la carne se desprenda en hojuelas con el tenedor.

Mero con Hinojo

4 porciones

1	cucharada semillas de hinojo, machacadas
½	taza harina
¼	taza crema ligera
3	cucharadas mantequilla
4	filetes de mero, de 170 g. (*6 onzas*) cada uno

Mezclar el hinojo con la harina.

Pasar los filetes por la crema y luego por la harina.

Calentar la mantequilla en una sartén.

Saltear los filetes durante 2½ minutos de cada lado.

Mero a la Pimienta con Mantequilla de Limón

6 porciones

6	filetes de mero
2	cucharadas aceite
2	cucharadas granos de pimienta verde, secos y machacados
2	cucharadas granos de pimienta negra, triturados
2	cucharadas granos de pimienta blanca, triturados
¼	taza mantequilla

Mantequilla de Limón

½	taza mantequilla suavizada
1	cucharada ralladura de cáscara de limón
2	cucharadas jugo de limón
1	diente de ajo, finamente picado

Untar el pescado con el aceite. Mezclar los tres tipos de pimienta y cubrir el pescado por los dos lados con la mezcla.

Calentar la mantequilla y saltear el pescado a fuego lento.

Para preparar la mantequilla de limón, combinar la mantequilla con los otros ingredientes.

Poner la mantequilla en papel encerado y enrollar. Refrigerar hasta que quede firme.

Una vez que el pescado quede cocido, rebanar la mantequilla y colocar una rodaja sobre cada filete.

1

Untar los filetes con aceite y cubrir cada lado con la mezcla de las tres pimientas.

2

Para preparar la mantequilla de limón, combinar la mantequilla con la cáscara de limón, el jugo de limón y el ajo.

3

Colocar en papel encerado, enrollar y refrigerar hasta que quede firme.

4

Una vez que el pescado quede cocido, rebanar la mantequilla y colocar una rodaja sobre cada filete.

Pez Espada a la Parrilla con Salsa de Nuez

4 porciones

4	rodajas de pez espada, de 170 g. (*6 onzas*) cada una
1	cucharada mantequilla derretida

Salsa

1	cucharadita mostaza Dijon
2	cucharaditas jugo de limón
1	pizca sal
¼	cucharadita pimienta, recién machacada
2	cucharadas aceite de nuez
¼	taza aceite de oliva

Untar el pescado con la mantequilla.

Asar a la parrilla en el horno o a las brasas, 4 minutos de cada lado.

Para preparar la salsa, mezclar perfectamente la mostaza, el jugo de limón, la sal, la pimienta y los aceites.

Untar las rodajas con la salsa y servir.

Pez Espada a la Parrilla con Salsa de Nuez

Pez Espada con Eneldo

6 porciones

6	rodajas de pez espada
1	cucharada aceite
2	cucharadas semillas de eneldo
¼	taza mantequilla
1	cucharadita jugo de limón

Untar el pescado con el aceite.

Asar las rodajas a la parrilla 5 minutos de cada lado, por cada 2,5 cm. (*1 pulg.*) de grosor, (para mejores resultados asar a las brasas).

Mezclar el eneldo, la mantequilla y el jugo de limón.

Untar las rodajas con la salsa mientras se están asando y justo antes de servir.

Rollitos de Pescado Blanco

Rollitos de Pescado Blanco

6 porciones

3	tiras de tocino
1	zanahoria, en cubitos finos
1	tallo de apio, en cubitos finos
1	cebolla pequeña, en cubitos finos
1	taza queso Havarti, rallado
6	filetes de pescado blanco
2	cucharadas mantequilla
2	tazas Salsa Mornay (ver *Salsas*)

Precalentar el horno a 180 °C (*350 °F*).

Picar finamente el tocino y saltear.

Agregar las verduras y saltear hasta que queden blandas. Dejar enfriar.

Combinar las verduras y el tocino con el queso.

Extender esta mezcla sobre cada filete y enrollar.

Hornear en un refractario engrasado de 15 a 20 minutos.

Sacar del horno, acomodar en los platos y cubrir con la Salsa Mornay caliente.

Trucha Jodee

2 porciones

2	truchas pequeñas
3	cucharadas mantequilla
3	cucharadas aceite
2	zanahorias, cortadas en tiritas
1	calabacita, cortada en tiritas
2	tallos de apio, cortados en tiritas
1	taza salsa de ostiones del comercio
225 g.	(*½ libra*) champiñones (pleurotos)
¼	taza mantequilla

Saltear las truchas en la mantequilla y el aceite, de 4 a 5 minutos de cada lado.

Apartar del fuego y mantener calientes.

Escaldar las zanahorias, la calabacita y el apio durante 5 minutos. Calentar la salsa.

Saltear las verduras y los champiñones en mantequilla.

Colocar las verduras en un platón, luego el pescado y finalmente verter la salsa.

Robalo Amandine

4 porciones

¼	taza mantequilla
4	filetes de robalo, de 170 g. (*6 onzas*) cada uno
¼	taza leche
¼	taza harina
⅓	taza almendras peladas, cortadas a lo largo
1	limón

Calentar la mantequilla en una sartén.

Pasar los filetes por la leche y luego por la harina.

Freír de 2½ a 3 minutos por cada lado. Colocar el pescado en un platón caliente.

Agregar las almendras a la mantequilla y saltear hasta que se doren.

Exprimir el jugo del limón y, meneando rápidamente, incorporarlo a la mantequilla.

Verter sobre el pescado y servir.

Huachinango al Horno con Relleno de Jaiba

8 porciones

¼	taza mantequilla
1	cebolla chica, finamente picada
½	cucharadita albahaca
1	cucharada perejil, picado
½	taza crema espesa
225 g.	(*½ libra*) carne de jaiba
2	tazas pan, en cubitos
3	cucharadas jugo de limón
1	huachinango de 2,2 kg. (*5 libras*)

Precalentar el horno a 200 °C (*400 °F*).

En una cacerola, calentar la mantequilla.

Agregar la cebolla y saltear hasta que quede blanda.

En un tazón, combinar los ingredientes restantes del relleno. Agregarlos a la mantequilla y a la cebolla. Mezclar bien.

Rellenar el pescado. Amarrar y poner en una fuente refractaria.

Envolver la cola del pescado con papel de aluminio para que no se queme.

Hornear de 45 a 50 minutos.

Bagre en Brochetas

4 porciones

675 g.	(*1½ libra*) filetes de bagre
3	cucharadas aceite
½	cucharadita albahaca
½	cucharadita tomillo
½	cucharadita orégano
½	cucharadita sal
1	cucharada ajo, finamente picado
1	cucharadita perejil seco
1½	cucharadita jugo de limón
⅓	taza mantequilla suavizada

Cortar los filetes en cubos de 2,5 cm. (*1 pulg.*).

Mezclar el aceite con el tomillo, la albahaca, el orégano y la sal en un tazón. Agregar el pescado.

Revolver para cubrir el pescado con el aceite condimentado.

Mezclar el ajo, el perejil y el jugo de limón con la mantequilla.

Ensartar los cubos de pescado en brochetas de madera (bambú).

Asar a la parrilla en el horno 5 minutos de cada lado, untando la mantequilla.

Servir sobre arroz.

Hipogloso con Salsa Rémoulade

Hipogloso con Salsa Rémoulade

4 porciones

4	rodajas de hipogloso, de 170 g. *(6 onzas)* cada una
1	cucharada mantequilla, derretida
3	yemas de huevo
¾	taza aceite
2	cucharadas perejil fresco, picado
1	diente de ajo, finamente picado
2	cebollitas de Cambray, en cubitos
1	cucharadita paprika
3	gotas de salsa Tabasco

Calentar la parrilla (horno eléctrico o de gas).

Untar la mantequilla al pescado.

Asar a la parrilla 4 minutos de cada lado.

En un procesador de alimentos con cuchillas de metal, mezclar las yemas. Incorporarles lentamente el aceite. Agregar el perejil, el diente de ajo, las cebollitas y los condimentos; mezclar bien.

Sacar las rodajas del horno y poner en un platón.

Poner 1 cucharada de la salsa en el centro de cada rodaja.

Servir con el resto de la salsa.

Suflé de Bacalao

4 porciones

1	cucharada harina
¼	taza crema espesa
1	cucharada mantequilla
1	huevo
1	clara de huevo
1	pizca sal
⅛	cucharadita crémor tártaro
⅓	taza bacalao cocido, desmenuzado
½	taza queso Parmesano, rallado

Precalentar el horno a 180 °C (*350 °F*).

Mezclar la harina con un poco de crema hasta formar una pasta.

Calentar el resto de la crema y la mantequilla hasta que la mantequilla se derrita. Agregar la pasta de harina a la crema. Revolver hasta que hierva. Apartar del fuego.

Batir el huevo. Mezclar un poco de la crema caliente con el huevo. Incorporar a la salsa.

Batir la clara de huevo a punto de turrón con la sal y el crémor tártaro. Incorporar ¼ de la clara de huevo a la salsa. En forma envolvente, incorporar el pescado.

Agregar el resto de la clara de huevo con movimiento envolvente, procurando que la clara no pierda demasiado su ligereza.

Vaciar en un refractario engrasado, que haya sido espolvoreado con el queso.

Cocer a baño maría en el horno durante 35 minutos o hasta que se dore.

Pescado a la Inglesa

8 porciones

1	taza harina
½	cucharadita polvo de hornear
⅛	cucharadita bicarbonato
¾	cucharadita sal
1	pizca pimienta blanca
1	taza cerveza
4	tazas (*1 L*) aceite vegetal
1	clara de huevo
900 g.	(*2 libras*) filete de bacalao, cortado en tiras de 2 cm. (*¾ pulg.*)

En un tazón, cernir juntos todos los ingredientes secos.

Lentamente agregar la cerveza. Batir rápidamente. Dejar reposar durante 1½ hora.

Calentar el aceite a 190 °C (*375 °F*).

Batir la clara de huevo a punto de turrón. En forma envolvente, incorporarla a la pasta.

Pasar el pescado por la pasta. Usando un cucharón con hoyos, escurrir el exceso de pasta y colocar el pescado en el aceite caliente. Freír durante 2½ ó 3 minutos o hasta que se dore.

Sacar y mantener caliente en un platón forrado con papel absorbente.

Lucio Cocido en Crema

4 porciones

450 g.	(*1 libra*) filetes de lucio
3	cucharadas mantequilla
1	cebolla pequeña, en cubitos
½	pimiento verde, en cubitos
1	tallo de apio, en cubitos
½	taza tomates, pelados, sin semillas y picados
1½	taza crema espesa
1	taza queso suizo, rallado
½	taza pan molido
½	cucharadita sal

Precalentar el horno a 180 °C (*350 °F*).

Lavar y secar el pescado. Colocar el pescado en un refractario engrasado.

Calentar la mantequilla en una cacerola.

Agregar la cebolla, el pimiento y el apio; saltear hasta que queden blandos.

Agregar los tomates y cocer a fuego lento hasta que el líquido se haya evaporado. Verter sobre el pescado.

Agregar la crema y espolvorear el queso y el pan molido.

Hornear durante 30 minutos.

Filetes de Perca con Salsa de Camarón

4 porciones

450 g.	(*1 libra*) filetes de perca
1	taza harina
1	huevo
½	taza leche
1½	taza pan molido fino
3	cucharadas mantequilla
3	cucharadas harina
1	taza crema espesa
½	taza caldo de pescado (ver *Sopas*)
¼	taza jerez
½	cucharadita sal
225 g.	(*½ libra*) camarones pequeños
1	taza aceite

Lavar y secar los filetes. Espolvorear con la harina.

Mezclar el huevo con la leche. Pasar los filetes por la mezcla. Pasar por el pan molido. Apartar.

Calentar la mantequilla en una cacerola. Agregar las 3 cucharadas de harina y revolver hasta formar una pasta. Cocer por 2 minutos.

Agregar la crema, el caldo y el jerez. Cocer a fuego lento hasta que espese.

Agregar la sal y los camarones. Cocer a fuego lento durante 5 minutos.

Calentar el aceite en una sartén grande.

Freír el pescado en el aceite de 1½ a 2 minutos por cada lado.

Colocar en un platón. Verter la mitad de la salsa sobre el pescado. Servir el resto por separado.

Filetes de Perca con Huevos y Mantequilla

Filetes de Perca con Huevos y Mantequilla

3 porciones

4	tazas (*1 L*) caldo Court Bouillon (ver *Sopas*)
450 g.	(*1 libra*) filetes de perca
⅓	taza mantequilla
1	cucharadita perejil seco
1½	cucharadita jugo de limón
2	huevos duros, picados

Calentar el caldo Court Bouillon. Cocer el pescado a fuego lento en el caldo Court Bouillon durante 6 minutos.

En una cacerola, calentar la mantequilla hasta que quede color de avellana.

Agregar el perejil y el jugo de limón.

Colocar el pescado en un platón. Verter la mantequilla sobre el pescado.

Esparcir los pedacitos de huevo duro sobre el pescado.

Camarones con Tres Tipos de Pimienta

Camarones con Tres Tipos de Pimienta

8 porciones

2	cucharadas aceite
¼	taza mantequilla
2	dientes de ajo, machacados
2	cucharadas granos de pimienta verde
2	cucharadas granos de pimienta negra, triturados
1	cucharadita pimienta de Cayena
1,3 kg.	(*3 libras*) camarones, pelados y desvenados
½	taza pimiento morrón, enlatado
1	cucharadita azúcar
2	cucharadas brandy

Calentar el aceite y la mantequilla en una sartén grande.

Agregar el ajo y los tres tipos de pimienta y saltear durante 2 minutos.

Agregar los camarones y saltear hasta que queden blandos. Incorporar el pimiento morrón.

Espolvorear con el azúcar y flamear con el brandy. Servir inmediatamente.

Camarones Aioli

4 porciones

4	tazas (*1 L*) caldo Court Bouillon (ver *Sopas*)
450 g.	(*1 libra*) camarones, pelados y desvenados
4	dientes de ajo, machacados
1½	cucharadita vinagre
2	cucharadas pan molido
1	pizca sal
1	yema de huevo
¾	taza aceite de oliva

Hervir el caldo Court Bouillon. Cocer los camarones en el caldo Court Bouillon de 3 a 4 minutos. Escurrirlos y refrigerar.

Poner el ajo en la licuadora. Agregar el vinagre y el pan molido. Mezclar por 30 segundos.

Agregar la sal y la yema de huevo y mezclar hasta que quede sin grumos. Con la licuadora funcionando, lentamente verter el aceite. Mezclar hasta que la salsa se espese.

Colocar los camarones en un platón.

Servir con la salsa en el centro.

Estofado de Camarones

Estofado de Camarones

6 porciones

½	taza mantequilla
1	cebolla, en cubitos
1	pimiento verde, en cubitos
1 kg.	(2¼ *libras*) camarones, pelados y desvenados
2	tazas salsa de tomate
1	cucharadita sal
1	cucharadita pimienta
1	cucharadita paprika
½	cucharadita orégano
½	cucharadita tomillo
½	cucharadita pimienta de Cayena
½	cucharadita ajo en polvo
½	cucharadita pimienta blanca
3	cucharadas cebollitas de Cambray, picadas
1	cucharada perejil seco

Derretir la mantequilla y saltear la cebolla y el pimiento verde.

Agregar los camarones y cocer a fuego lento.

Agregar la salsa de tomate y los condimentos. Cocer a fuego lento, a medio tapar, durante 20 minutos.

Incorporar las cebollitas y el perejil.

Servir sobre tallarines o arroz.

Camarones Tempura

6 porciones

½	taza leche
2¾	tazas harina
2	cucharadas maicena
1	cucharadita polvo de hornear
1	cucharadita sal
2	huevos, batidos
4	tazas (*1 L*) aceite
1 kg.	(*2¼ libras*) camarones, pelados y desvenados

Mezclar la leche, ¾ de taza de harina, la maicena, el polvo de hornear, la sal, los huevos y 2 cucharadas de aceite hasta formar una pasta sin grumos.

Calentar el resto del aceite a 190 °C (*375 °F*).

Pasar los camarones por la harina restante, y luego por la pasta.

Cocer en el aceite de 2½ a 3 minutos. Servir calientes.

Camarones Gigantes

8 porciones

1 kg.	(*2¼ libras*) camarones gigantes, pelados y desvenados
2	tazas harina
½	taza harina de maíz
1	cucharadita polvo de hornear
1	cucharadita sal
½	cucharadita orégano
½	cucharadita tomillo
½	cucharadita albahaca
1	cucharadita paprika
½	cucharadita pimienta
2	huevos
1	taza crema espesa
4	tazas (*1 L*) aceite

Cortándolos parcialmente a lo largo, abrir los camarones.

Cernir 1 taza de harina y agregarla a la harina de maíz.

Agregar el polvo de hornear y los condimentos.

Batir los huevos en la crema. Incorporar a la harina condimentada.

Espolvorear los camarones con el resto de la harina. Pasarlos por la pasta.

Freír en el aceite que haya sido calentado a 190 °C (*375 °F*). Servir inmediatamente.

Camarones Asados

8 porciones

1,4 kg.	(*3 libras*) camarones gigantes
¼	taza mantequilla
½	taza aceite de oliva
1	cucharada salsa inglesa
4	dientes de ajo, finamente picados
4	cucharaditas jugo de limón
2	cucharaditas perejil, picado
½	cucharadita paprika
½	cucharadita albahaca
½	cucharadita tomillo
½	cucharadita orégano
½	cucharadita pimienta de Cayena
½	cucharadita salsa de chile picante
½	cucharadita sal

Colocar los camarones en un tazón grande.

Poner el resto de los ingredientes en una cacerola.

Combinar bien y calentar sin que hierva, luego enfriar. Verter sobre los camarones.

Marinar durante 30 minutos, revolviendo de vez en cuando.

Precalentar el horno a 160 °C (*325 °F*).

Verter los camarones y la salsa en una charola para horno; hornear de 8 a 10 minutos.

Servir inmediatamente.

Camarones Gigantes Rellenos

4 porciones

2	cucharadas mantequilla
1	cucharada cebollitas de Cambray, finamente picadas
1	cucharada mostaza Dijon
1	cucharadita salvia, picada
1	taza pan molido
1	taza carne de jaiba
1	huevo
¼	taza crema espesa
24	camarones gigantes, cortados parcialmente a lo largo

Precalentar el horno a 220 °C (*425 °F*).

En 2 cucharaditas de mantequilla, saltear las cebollitas. Incorporar la mostaza y la salvia. Apartar del fuego.

En un tazón, mezclar el pan molido, la carne de jaiba, el huevo, la crema y la mezcla de salvia con la mantequilla restante.

Colocar 2 cucharadas de esta mezcla sobre cada uno de los camarones abiertos. Colocar en una charola ligeramente engrasada.

Hornear de 8 a 10 minutos, o hasta que queden dorados. Servir calientes.

1 Saltear las cebollitas en 2 cucharaditas de mantequilla; incorporar la mostaza y la salvia y apartar del fuego.

2 Mezclar el pan molido, la carne de jaiba, el huevo, la crema y la mezcla de salvia con la mantequilla restante.

3 Colocar 2 cucharadas de la mezcla sobre cada uno de los camarones abiertos.

4 Hornear de 8 a 10 minutos, o hasta que queden dorados.

Camarones Gratinados a la Criolla

4-6 porciones

3	tazas caldo Court Bouillon (ver *Sopas*)
675 g.	(*1½ libra*) camarones gigantes frescos
2	tazas fettuccine, cocidos y escurridos
1½	taza Salsa Criolla (ver *Salsas*)
½	taza queso Cheddar mediano, rallado grueso
½	taza queso Cheddar añejo, rallado grueso
½	taza queso suizo o Havarti, rallado grueso

Precalentar el horno a 200 °C (*400 °F*).

Hervir el caldo Court Bouillon. Agregar los camarones y cocer a fuego lento, aproximadamente de 3 a 5 minutos.

Enfriar, pelar y desvenar los camarones.

Colocar los fettuccine en un refractario engrasado de poca profundidad.

Acomodar los camarones sobre los fettuccine; verter la salsa uniformemente sobre los camarones.

Combinar los quesos y esparcir sobre la salsa.

Hornear de 25 a 30 minutos o hasta que el queso se derrita y se dore.

Coquilles Saint-Jacques a la India

4 porciones

1	taza vino blanco
450 g.	(*1 libra*) callos de hacha
¼	taza mantequilla
1	cebolla chica, en cubitos
1	pimiento verde, en cubitos
1	tallo de apio, en cubitos
3	cucharadas harina
1	taza crema espesa
⅓	taza jerez
½	cucharadita sal
2	cucharaditas curry en polvo
1	taza tomates, pelados, sin semillas y picados
1	receta Risi e Bisi (ver *Arroz*)

Calentar el vino. Agregar los callos de hacha y cocer durante 6 minutos. Apartar.

En una cacerola, calentar la mantequilla. Saltear las verduras hasta que queden blandas.

Agregar la harina y revolver. Cocer por 2 minutos.

Agregar la crema, el jerez y los condimentos. Cocer a fuego lento hasta que espese.

Agregar los tomates y los callos de hacha. Cocer a fuego lento durante 5 minutos.

Servir con Risi e Bisi.

Coquilles Saint-Jacques a la Florentina

2 porciones

284 g.	(*10 onzas*) espinacas
1	cucharada mantequilla
1	taza vino blanco
225 g.	(*½ libra*) callos de hacha
1	taza Salsa Mornay (ver *Salsas*)
¼	taza queso Parmesano, rallado

Precalentar el horno a 230 °C (*450 °F*).

Limpiar y quitar los tallos a las espinacas. Cocer en agua salada e hirviendo durante 5 minutos. Escurrir. Enfriar.

Picar las espinacas en forma gruesa.

Calentar la mantequilla en una sartén. Agregar las espinacas y saltear durante 3 minutos.

Colocar las espinacas en un refractario engrasado.

Calentar el vino. Agregar los callos de hacha y cocer durante 6 minutos. Sacar y colocar sobre las espinacas.

Cubrir con la Salsa Mornay. Esparcir el queso Parmesano.

Hornear de 3 a 5 minutos o hasta que se dore.

Coquilles Saint-Jacques a la India y Coquilles Saint-Jacques a la Florentina

Coquilles Saint-Jacques Meunière

8 porciones

900 g.	(*2 libras*) callos de hacha
1	cucharadita sal
½	cucharadita pimienta
½	cucharadita paprika
2	tazas harina
1½	taza leche
4	tazas (*1 L*) aceite
½	taza mantequilla
1	cucharada perejil
2	cucharaditas jugo de limón

Lavar y secar los callos de hacha. Mezclar los condimentos con la harina.

Calentar el aceite a 190 °C (*375 °F*). Pasar los callos de hacha por la leche, y luego por la harina condimentada.

Freír en el aceite hasta que se doren. Colocar en un platón.

Cocer lentamente la mantequilla hasta que quede color de avellana.

Espolvorear con perejil y salpicar con el jugo de limón. Verter sobre los callos de hacha y servir.

Callos de Hacha con Paprika

Callos de Hacha con Paprika

4 porciones

3	cucharadas mantequilla
450 g.	(*1 libra*) callos de hacha
3	cucharadas harina
1	taza crema espesa
¼	taza jerez
1	cucharada paprika húngara
3	cebollitas de Cambray, finamente picadas

Calentar la mantequilla en una sartén grande. Agregar los callos de hacha y saltear durante 5 minutos.

Espolvorear con la harina. Cocer por 2 minutos. Agregar la crema, el jerez y la paprika.

Disminuir el fuego y cocer a fuego lento de 8 a 10 minutos o hasta que espese.

Espolvorear con las cebollitas. Servir sobre arroz o fettuccine.

Callos de Hacha Gratinados

Callos de Hacha Gratinados

4 porciones

450 g.	(*1 libra*) callos de hacha
	caldo Court Bouillon (ver *Sopas*) o agua salada
1½	taza champiñones, rebanados
2	cucharadas mantequilla
½	taza camarones pequeños, cocidos
2	tazas Salsa Mornay (ver *Salsas*)
½	taza queso Cheddar suave, rallado
½	taza queso Mozzarella, rallado
¾	taza queso Parmesano, rallado

Colocar los callos de hacha en una cacerola de tamaño mediano y cubrir con caldo Court Bouillon o agua.

Cocer a fuego lento de 3 a 5 minutos o hasta que los callos de hacha se hayan cocido completamente; escurrir.

Mientras, saltear los champiñones en la mantequilla a fuego alto.

Incorporar los champiñones y los camarones a la Salsa Mornay.

Colocar los callos de hacha en 4 refractarios o conchas individuales.

Con un cucharón, verter la salsa sobre los callos de hacha y espolvorear con los quesos.

Colocar bajo la parrilla precalentada hasta que se derrita el queso.

Callos de Hacha Kentucky

8 porciones

900 g.	(*2 libras*) callos de hacha
½	cucharadita orégano
½	cucharadita tomillo
½	cucharadita albahaca
½	cucharadita ajo en polvo
½	cucharadita cebolla en polvo
½	cucharadita paprika
½	cucharadita pimienta
1	cucharadita sal
2	tazas harina
4	tazas (*1 L*) aceite
1½	taza leche

Lavar y secar los callos de hacha. Mezclar todos los condimentos con la harina.

Calentar el aceite a 190 °C (*375 °F*).

Pasar los callos de hacha por la leche y luego por la harina condimentada.

Freír en el aceite de 2 a 3 minutos o hasta que se doren.

Pinzas de Jaiba Silvia

8 porciones

2	cucharadas mantequilla
2¼	tazas harina
1	taza leche
4	tazas carne de jaiba, cocida
½	cucharadita tomillo
½	cucharadita albahaca
½	cucharadita orégano
½	cucharadita pimienta
1	cucharadita paprika
1	cucharadita sal
2	huevos
1	taza leche
3	tazas pan, molido finamente
4	tazas (1 L) aceite

Calentar la mantequilla en una cacerola. Agregar ¼ de taza de harina y mezclar. Cocer por 2 minutos.

Agregar 1 taza de leche y cocer a fuego lento hasta que esté muy espesa. Enfriar.

Agregar la carne de jaiba y mezclar.

Dar forma de pinzas de jaiba.

Colocar las 8 pinzas en una charola de horno forrada con papel encerado.

Enfriar en el refrigerador durante 2 horas.

Mezclar los condimentos con la harina restante. Batir los huevos y agregar la leche. Espolvorear las pinzas de jaiba con la harina condimentada y pasar por los huevos. Pasar por el pan molido.

Calentar el aceite a 180 °C (375 °F). Freír las pinzas una o dos a la vez hasta que se doren.

Servir inmediatamente.

Agregar la carne de jaiba a la leche espesada fría.

2

Formar 8 pinzas de jaiba.

3

Espolvorear las pinzas de jaiba con la harina condimentada, pasar por los huevos y luego por el pan molido.

4

Freír las pinzas una o dos a la vez en aceite caliente hasta que se doren.

Jaiba Luis

Salsa : Mezclar todos los ingredientes. Refrigerar durante 30 minutos antes de servir.

Jaiba al Horno Gratinada

6-8 porciones

1	cebolla mediana, picada
1	pimiento verde, picado
1	pimiento rojo, picado
8	champiñones grandes, rebanados
2	tomates grandes, pelados, sin semillas y picados
¼	taza mantequilla
¼	taza harina
1 ¼	taza crema espesa
1 kg.	(2 ¼ *libras*) carne de jaiba, cocida
	sal y pimienta
¼	taza almendras, rebanadas
2	tazas queso Cheddar mediano, rallado

Precalentar el horno a 230 °C (*450 °F*).

Saltear las verduras en la mantequilla hasta que queden blandas. Espolvorear con harina; revolver hasta que quede todo bien mezclado.

Agregar la crema y cocer a fuego lento, revolviendo hasta que espese. Incorporar la carne de jaiba y condimentar al gusto.

Con un cucharón, colocar la mezcla caliente en un refractario poco hondo y engrasado. Espolvorear las almendras y el queso. Hornear hasta que el queso se dore ligeramente.

Jaiba Luis

4 porciones

450 g.	(*1 libra*) carne de jaiba
2	lechugas
3	tomates, rebanados
4	huevos duros, partidos en cuatro
16	aceitunas verdes

Salsa

¾	taza salsa de tomate picante (ver *Verduras*)
½	taza mayonesa
1	cucharadita cebolla, finamente picada
½	cucharadita azúcar
¼	cucharadita salsa inglesa
¼	cucharadita sal
1	pizca pimienta

Revisar la carne de jaiba y quitar los restos de cartílago. En 4 platos, acomodar las hojas de lechuga. Colocar 115 g. (*4 onzas*) de carne de jaiba en el centro. Colocar 4 rebanadas de tomate y el huevo alrededor de la carne de jaiba. Verter 2 cucharadas de salsa. Adornar con las aceitunas. Servir el resto de la salsa por separado.

Langosta Mornay

4 porciones

4	langostas vivas, de aproximadamente 675 g. (1½ *libra*) cada una
	caldo Court Bouillon (ver *Sopas*)
3	cucharadas cebolla, finamente picada
3	cucharadas apio, finamente picado
3	cucharadas zanahoria, finamente picada
8	champiñones grandes, rebanados
2	cucharadas mantequilla
1	taza pollo cocido, cortado en cubitos
1¾	taza Salsa Mornay (ver *Salsas*)
1	taza queso suizo, rallado

Tomando las langostas por la parte de atrás, cabeza primero, meter a una olla grande de caldo Court Bouillon hirviendo.

Cocer a fuego lento de 12 a 15 minutos o hasta que las langostas suban a la superficie. Escurrir.

Saltear las verduras en mantequilla. Incorporar el pollo y la Salsa Mornay caliente. Cocer a fuego lento hasta que espese.

Cortar las langostas a la mitad horizontalmente, romper las pinzas, y sacar toda la carne de langosta, la sustancia verde y los huevos.

Desechar las pinzas. Rebanar la carne de langosta e incorporarla a la salsa Mornay con la sustancia verde y los huevos; con una cuchara, colocar la mezcla en las mitades de los caparazones.

Espolvorear con el queso y colocar bajo la parrilla precalentada hasta que se doren.

Langosta Thermidor

6 porciones

3	langostas, de 675 g. (1½ *libra*) cada una
¼	taza mantequilla
2	cucharadas aceite
3	chalotes, picados
¼	taza vino blanco
¼	taza jerez
2	tazas Salsa Mornay (ver *Salsas*)
1	cucharada perejil
1	cucharadita mostaza en polvo
1	cucharada crema espesa
½	taza queso Parmesano, rallado

Precalentar el horno a 200 °C (*400 °F*).

Partir las langostas a la mitad. Separar y romper las pinzas.

Derretir 2 cucharadas de mantequilla y verter sobre las langostas.

Verter aceite en una charola de horno grande. Colocar las langostas y las pinzas en la charola. Hornear durante 10 minutos.

Mientras las langostas se están cociendo, calentar el resto de la mantequilla en una cacerola.

Agregar los chalotes y cocer a fuego lento hasta que estén blandos. Agregar el vino y el jerez y reducir a ¼ de taza.

Agregar la Salsa Mornay, el perejil y la mostaza en polvo. Cocer durante 3 minutos a fuego alto, revolviendo constantemente con un batidor.

Sacar las langostas del horno. Sacar la carne de los caparazones. Apartarlos.

Picar la carne en cubitos y poner en un tazón. Agregar ⅔ partes de la salsa. Combinar. Poner un poco de la salsa en los caparazones. Llenar los caparazones con la mezcla de langosta.

Verter el resto de la salsa y la crema sobre la mezcla. Espolvorear con el queso.

Regresar al horno y dorar. Servir.

Medallones de Langosta en Crema de Pernod

6 porciones

6	colas de langosta
1	cebolla chica, picada finamente
1	diente de ajo, finamente picado
1	cucharada mantequilla
2	tazas tomates, machacados
1	cucharadita semillas de hinojo
¼	taza Pernod
½	taza crema espesa

Cortar las colas de langosta en forma de medallones.

Saltear la cebolla y el ajo en la mantequilla hasta que estén blandos.

Agregar los tomates, las semillas de hinojo y el Pernod; cocer a fuego lento durante 12 minutos.

Agregar la crema y la langosta y cocer a fuego lento por 10 minutos más. Servir inmediatamente.

Langosta Henri Duvernois

Langosta Henri Duvernois

6 porciones

1 kg.	(2¼ *libras*) carne de langosta
¼	taza mantequilla
½	taza poros, cortados en tiritas
⅔	taza jerez
2	cucharadas brandy
2	tazas crema espesa
4	tazas arroz cocido, caliente

Saltear la carne de langosta en la mantequilla. Agregar los poros y cocer hasta que queden blandos.

Agregar el jerez y el brandy y cocer a fuego lento durante 5 minutos.

Sacar la langosta y mantener caliente.

Agregar la crema y dejar que se reduzca el líquido a la mitad.

Colocar la langosta sobre el arroz, verter la salsa sobre la langosta y servir.

Sandwiches de Mariscos Pamela

6 porciones

¼	taza aceite
2	dientes de ajo, finamente picados
1	cebolla chica, en cubitos finos
1	pimiento verde, en cubitos finos
115 g.	(*4 onzas*) champiñones, rebanados
2	tallos de apio, finamente picados
450 g.	(*1 libra*) camarones pequeños, pelados y desvenados
2	tazas tomates hechos puré
¼	cucharadita orégano
¼	cucharadita hojas de tomillo
¼	cucharadita albahaca
¼	cucharadita chile en polvo
¼	cucharadita paprika
¼	cucharadita pimienta
1	cucharadita sal
450 g.	(*1 libra*) carne de jaiba, cocida
1	pan francés, cortado en 6 rebanadas gruesas
2	tazas queso Cheddar, rallado

Calentar el aceite en una sartén grande. Agregar el ajo, la cebolla, el pimiento, los champiñones y el apio; saltear hasta que queden blandos.

Agregar los camarones; cocer hasta que queden color de rosa. Agregar el puré de tomate y los condimentos; revolver. Cocer a fuego lento durante 10 minutos.

Agregar la carne de jaiba y cocer a fuego lento por 5 minutos más.

Sacar un poco del migajón al pan rebanado para formar un hueco. Poner el pan bajo la parrilla y tostar.

Sacar del horno y rellenar el hueco con la mezcla de mariscos.

Esparcir el queso y regresar al horno por 1 minuto o hasta que se dore.

Crepas de Mariscos con Salsa Mornay

8 porciones

Crepas

3	huevos
¼	cucharadita sal
1	taza leche
¾	taza harina
3	cucharadas mantequilla

Relleno

¼	taza mantequilla
1	taza callos de hacha, pequeños
1	taza camarones pequeños
1	taza carne de jaiba, cocida
2	tazas Salsa Mornay (ver *Salsas*)
2	tazas queso Cheddar, rallado

Crepas : Batir los huevos hasta que queden muy ligeros. Agregar la sal y la leche. En forma envolvente, agregar poco a poco la harina.

Engrasar ligeramente la sartén caliente con poquita mantequilla. Verter suficiente pasta para cubrir el centro de la sartén.

Girar la sartén para extender la pasta en una capa delgada que cubra todo el fondo.

Cocer la crepa hasta que se dore. Voltear y cocer por 30 segundos; colocar en un plato.

Relleno : Precalentar el horno a 180 °C (*350 °F*).

Calentar la mantequilla en una cacerola. Agregar los callos de hacha y saltear.

Agregar los camarones y la carne de jaiba. Cocer a fuego lento durante 3 minutos.

Incorporar la salsa. Cocer a fuego lento durante 5 minutos.

Colocar 3 cucharadas de la mezcla de mariscos en cada crepa. Enrollar las crepas.

Colocar las crepas en un refractario engrasado. Esparcir el queso.

Hornear durante 15 minutos.

Crepas de Mariscos con Salsa Mornay

Cazuela de Langosta y Jaiba

4 porciones

1	taza carne de jaiba, cocida
1	taza carne de langosta, cocida
½	taza apio, en cubitos finos
1	pimiento verde, en cubitos finos
1	cebolla, en cubitos finos
¾	taza mayonesa
½	cucharadita sal
¼	cucharadita pimienta
½	cucharadita paprika
1	cucharadita salsa inglesa
½	taza pan molido
½	taza queso Cheddar, rallado

Precalentar el horno a 180 °C (*350 °F*).

Combinar los mariscos con las verduras. Incorporar la mayonesa y los condimentos.

Colocar la mezcla en una cazuela engrasada.

Espolvorear el pan molido y el queso. Hornear durante 30 minutos.

Caracoles a la Bourguignonne

8 porciones

48	caracoles de lata
3	tazas caldo Court Bouillon (ver *Sopas*)
1¾	taza mantequilla suavizada
3	dientes de ajo, machacados
1	taza perejil fresco, picado
2	cucharaditas pimienta negra
1	cucharada brandy
48	conchas de caracol

Precalentar el horno a 200 °C (*400 °F*).

Cocer los caracoles a fuego lento en el caldo Court Bouillon durante 30 minutos.

Mientras los caracoles se están cociendo, mezclar la mantequilla, el ajo, el perejil, la pimienta y el brandy.

Escurrir los caracoles y meterlos en las conchas. Rellenar cada concha con la mezcla de mantequilla.

Hornear durante 5 minutos. Servir con pan de ajo.

Ostiones Frescos John Hoyle

3-6 porciones

36	ostiones frescos, estilo Nueva Orleáns
2	cebollitas de Cambray, finamente picadas
⅓	taza vinagre de vino tinto
1	cucharadita jugo de limón
3	limones, partidos en cuatro

Limpiar y abrir los ostiones. Desprender la carne de sus conchas. Dejarla en la concha más grande. Desechar la concha de arriba.

Mezclar las cebollitas, el vinagre y el jugo de limón.

Colocar los ostiones en un platón. Verter ½ cucharadita de salsa sobre cada ostión.

Servir con los limones.

Ostiones Bienville

Ostiones Bienville

4 porciones

2	cucharadas mantequilla
90 g.	(*3 onzas*) champiñones, rebanados
3	cebollitas de Cambray, en cubitos
2	cucharadas harina
2/3	taza caldo de pescado (ver *Sopas*)
1/3	taza jerez
1/2	cucharadita sal
1	pizca pimienta de Cayena
1	yema de huevo
24	ostiones en media concha
1/2	taza pan molido fino
2	cucharadas queso Parmesano, rallado

Precalentar el horno a 200 °C (*400 °F*).

En una cacerola, calentar la mantequilla. Saltear los champiñones y las cebollitas.

Agregar la harina, revolver y cocer 2 minutos. Agregar el caldo de pescado, el jerez y los condimentos. Cocer a fuego lento durante 5 minutos.

Batir la yema de huevo e incorporarla a la salsa. Cocer durante 5 minutos a fuego lento.

Colocar los ostiones en una charola de horno. Hornear durante 5 minutos.

Sacar del horno y cubrir con la salsa. Espolvorear con el pan molido y el queso.

Regresar al horno y cocer hasta que se doren. Servir inmediatamente.

Cocina Internacional

La cocina internacional y regional se está volviendo cada vez más popular y ésto no es sorprendente. Probar los platillos de otros países es casi tan bueno como estar ahí, y ¡no tan caro!

Por supuesto, muchos norteamericanos han expandido sus horizontes culinarios desde hace muchos años. Es más, la mayoría de nosotros ni siquiera nos detenemos a pensar que ciertas comidas de todos los días, como el espagueti, por ejemplo, fueron alguna vez consideradas como muy exóticas.

Quizá encuentre que las recetas en este capítulo son un poco más exóticas, pero una vez que haya probado algunos platillos de países tan lejanos como Alemania y Rusia, Polonia y Japón, estoy seguro de que éstos también se convertirán en sus favoritos.

Algunos de mis platillos favoritos provienen de la cocina regional de Luisiana : cajun y criolla.

Ninguna otra comida me parece tan viva y tanllena del espíritu de su gente. Sus raíces están en la cocina francesa, misma que los acadianos quefueron expulsados de la costa este del Canadá se llevaron a Luisiana. Pero los colonizadores españoles, los esclavos africanos, los indios nativos y las condiciones locales de calor, humedad y bastantes caimanes fueron factores que influyeron en el desarrollo de este gran estilo de cocinar.

No se deje engañar por la idea de que la cocina cajun es siempre picante y condimentada. Las especias constituyen sólo una parte de su magia, y nunca deben apagar los otros sabores.

Me gusta combinar la comida étnica y regional con la música apropiada. Para mí, eso significa una fiesta cajun con los sonidos de la calle Bourbon y el clarinete de Pete Fountain como música de fondo. ¡Eso es vivir!

Salpicón de Pollo y Camarones

Salpicón de Pollo y Camarones

8 porciones

¼	taza aceite
565 g.	(1¼ *libra*) camarones, pelados y desvenados
565 g.	(1¼ *libra*) carne de pollo deshuesada, en cubitos
1	cebolla, picada en forma gruesa
2	pimientos verdes, picados en forma gruesa
3	tallos de apio, picados en forma gruesa
225 g.	(½ *libra*) salchichas picantes, rebanadas
2	tazas tomates, pelados, sin semillas y picados
1½	taza agua
1	taza arroz sin cocer
2	cucharaditas sal
1	cucharadita orégano
1	cucharadita pimienta de Cayena
1	cucharadita tomillo
1	cucharadita paprika
1	cucharadita pimienta
2	cucharaditas ajo en polvo
450 g.	(1 *libra*) quingombó (okra)
3	cucharadas hojas de sasafrás molidas (*opcional*)

En una olla grande, calentar el aceite. Saltear los camarones y el pollo.

Agregar las verduras y las salchichas; saltear hasta que queden blandas.

Agregar los tomates, el agua, el arroz y los condimentos. Cocer a fuego lento durante 30 minutos.

Mientras el salpicón se está cociendo, rebanar la okra y cocer a fuego lento en agua durante 15 minutos.

Escurrir y agregar al salpicón. Justo antes de servir, agregar las hojas de sasafrás molidas. Servir inmediatamente.

Costillas Cortas Bayou

8 porciones

3	cucharadas aceite
1 kg.	(2¼ libras) costillas de res, cortadas en pedazos
1	taza harina
1	cebolla, en cubitos
4	dientes de ajo, finamente picados
2	tallos de apio, en cubitos
1	pimiento verde, en cubitos
1	taza tomates, machacados
2	cucharadas puré de tomate
1	taza agua
2	cucharaditas sal
1	cucharadita pimienta
¼	cucharadita orégano
½	cucharadita tomillo
½	cucharadita pimienta de Cayenne
½	cucharadita albahaca
3	hojas de laurel
2	cucharadas azúcar morena

Calentar el aceite en una sartén grande. Pasar las costillas por la harina y colocar en la sartén.

Agregar la cebolla, el ajo, el apio y el pimiento. Saltear hasta que queden blandos.

Agregar los tomates, el puré de tomate y el agua; revolver.

Agregar los condimentos, las hojas de laurel y el azúcar.

Reducir el calor y cocer a fuego lento durante 3 horas, agregando más agua cuando sea necesario.

Sopa de Frijoles Negros

8 porciones

1½	taza de frijoles negros
6⅔	tazas (1,6 L) caldo de res (ver *Sopas*)
1⅓	cucharada mantequilla
1	cebolla española, finamente picada
1	tallo de apio, finamente picado
1	cucharada harina
1	cucharada perejil, recién picado
2	cucharaditas cilantro, recién picado
1	hueso chico de jamón
170 g.	(6 onzas) pedazos grandes de corteza de jamón
1	poro, en rebanadas delgadas
1	hoja de laurel
½	cucharadita pimienta
¼	cucharadita pimienta de Cayena
⅓	taza vino Madera
⅔	taza crema agria

Lavar los frijoles. Remojar durante 6 horas o toda la noche.

Escurrir los frijoles y cocer a fuego lento en el caldo de res durante 1½ hora.

En una olla grande, derretir la mantequilla y saltear la cebolla y el apio hasta que queden blandos.

Incorporar la harina, el perejil y el cilantro. Cocer por 2 minutos.

Agregar los frijoles y el caldo. Revolver muy bien.

Agregar el hueso y la corteza de jamón, el poro, la hoja de laurel y las pimientas.

Cocer a fuego lento de 1 a 1½ hora. Sacar el hueso de jamón, la corteza y la hoja de laurel.

Pasar a través de un cedazo o por el procesador de alimentos hasta que quede sin grumos.

Agregar el vino, calentar la sopa hasta que suelte el hervor y servir con crema agria a un lado.

Frijoles Rojos con Arroz

8 porciones

1½	taza frijoles rojos
6	tazas (1,5 L) agua
3	cucharadas aceite
1	cebolla, en cubitos
6	cebollitas de Cambray, en cubitos
3	dientes de ajo, machacados
1	pimiento verde, en cubitos
3	tallos de apio, en cubitos

450 g.	(1 libra) salchichas picantes, rebanadas
450 g.	(1 libra) jamón, en cubitos
3	tazas tomates, picados
1	cucharadita paprika
1	cucharadita chile en polvo
½	cucharadita pimienta de Cayena
1	cucharadita tomillo
¼	cucharadita pimienta
1	cucharadita orégano
8	tazas arroz cocido, caliente

Remojar los frijoles en el agua durante la noche. Cocer a fuego lento durante 1 hora. Escurrir.

Calentar el aceite. Saltear los dos tipos de cebolla, el ajo, el pimiento verde, el apio, las salchichas y el jamón por 2 minutos.

Agregar los tomates y los condimentos. Mezclar con los frijoles.

Seguir cociendo a fuego lento hasta que espese, aproximadamente 2 horas.

Colocar el arroz caliente en un platón. Verter los frijoles sobre el arroz.

Servir inmediatamente.

Frijoles Rojos con Arroz

Bullabesa Nueva Orleáns

8 porciones

3	cucharadas mantequilla
3	cucharadas cebolla, finamente picada
3	cucharadas pimiento verde, finamente picado
1	tallo de apio, finamente picado
1	diente de ajo, finamente picado
1	cucharadita perejil, picado
2/3	taza tomates, picados
1 2/3	taza caldo de pescado (ver *Sopas*)
170 g.	(*6 onzas*) camarones, pelados y desvenados
170 g.	(*6 onzas*) carne de ostiones
170 g.	(*6 onzas*) carne de jaiba
170 g.	(*6 onzas*) colas de jaiba
1/2	cucharadita tomillo
1/2	cucharadita albahaca
1/2	cucharadita mejorana
1/2	cucharadita paprika
1/3	taza jerez
300 g.	(*10 onzas*) huachinango, cortado en tiras de 5 cm. (*2 pulg.*)

En una olla de hierro o cazuela grande, calentar la mantequilla.

Saltear la cebolla, el pimiento verde, el apio, el ajo y el perejil.

Agregar los tomates y el caldo de pescado. Cocer a fuego lento durante 15 minutos.

Agregar los mariscos, los condimentos y el jerez.

Cocer a fuego lento por otros 10 minutos.

Agregar el huachinango y cocer a fuego lento por otros 5 minutos. Servir.

Camarones Jambalaya

6 porciones

225 g.	(*1/2 libra*) salchichas italianas picantes, en cubitos
2	cucharadas aceite
1/2	taza cebollitas de Cambray, en cubitos
2	dientes de ajo, finamente picados
2	pimientos verdes, en cubitos
2	cucharadas perejil seco
2	tazas tomates pelados, sin semillas y machacados
2	cucharaditas sal
1	cucharadita pimienta
1/2	cucharadita orégano
1/2	cucharadita tomillo
1/2	cucharadita albahaca
1 1/2	taza agua
1	taza arroz sin cocer
1 kg.	(*2 1/4 libras*) camarones gigantes, pelados y desvenados

Saltear las salchichas en el aceite. Agregar las cebollitas, el ajo y los pimientos verdes. Saltear hasta que queden blandos.

Agregar el perejil, los tomates, los condimentos, el agua y el arroz. Mezclar muy bien.

Agregar los camarones. Calentar hasta que suelte el hervor, luego bajar el fuego.

Tapar y cocer a fuego lento durante 30 minutos.

Probar, sazonar más si es necesario y servir.

Ancas de Rana a la Criolla

6 porciones

¼	taza mantequilla
1	cebolla, en cubitos finos
1	pimiento verde, en cubitos finos
2	tallos de apio, en cubitos finos
3	tazas tomates, picados
½	cucharadita orégano
½	cucharadita tomillo
½	cucharadita albahaca
1	cucharadita paprika
1	cucharadita sal
½	cucharadita pimienta de Cayena
½	cucharadita pimienta negra
4	cebollitas de Cambray, rebanadas
2	cucharadas perejil, picado
24	pares de ancas de rana
¼	taza mantequilla de ajo

Calentar la mantequilla en una cacerola. Saltear las verduras.

Agregar los tomates y los condimentos. Cocer a fuego lento durante 20 minutos.

Agregar las cebollitas y el perejil.

Partir las ancas de rana.

Calentar la mantequilla de ajo en una sartén grande. Saltear las ancas de rana durante 5 minutos.

Verter la salsa sobre las ancas de rana.

Cocer a fuego lento durante 8 minutos. Servir.

1

Saltear las verduras en una cacerola. Agregar los tomates y los condimentos y cocer a fuego lento durante 20 minutos.

2

Agregar las cebollitas y el perejil.

3

En una sartén grande, saltear las ancas de rana en mantequilla de ajo durante 5 minutos.

4

Verter la salsa sobre las ancas de rana, cocer a fuego lento durante 8 minutos y servir.

Camarones a la Criolla

6 porciones

1 kg.	(2¼ libras) camarones, pelados y desvenados
¼	taza aceite
¼	taza harina
1	cebolla española, en cubitos finos
2	pimientos verdes, en cubitos finos
3	tallos de apio, en cubitos finos
2	tazas tomates, pelados, sin semillas y picados
2	cucharaditas sal
1	cucharadita ajo en polvo
1	cucharadita pimienta
1	cucharadita pimienta blanca
½	cucharadita pimienta de Cayena
1	cucharadita orégano
1	cucharadita tomillo
1	cucharadita albahaca
1½	taza agua
1	cucharada azúcar morena
¼	taza cebollitas de Cambray, finamente picadas
3	cucharadas perejil, picado

Saltear los camarones en el aceite. Sacar los camarones y apartar.

Agregar la harina y hacer una pasta de color café claro (roux).

Agregar la cebolla, los pimientos y el apio; saltear hasta que queden blandos, revolviendo constantemente.

Agregar los tomates, los condimentos, el agua y el azúcar.

Tapar y cocer a fuego lento durante 20 minutos.

Regresar los camarones a la salsa, agregar las cebollitas y el perejil.

Cocer a fuego lento durante 7 minutos y servir sobre arroz cocido.

Plátanos Foster

6 porciones

⅓	taza mantequilla
¾	taza azúcar morena
1	cucharadita canela
⅓	taza licor de plátano
¾	taza ron oscuro
6	plátanos
6	tazas helado de vainilla

En una sartén, derretir la mantequilla. Agregar el azúcar y caramelizar.

Agregar la canela. Flamear cuidadosamente con el licor de plátano y el ron. Agregar los plátanos. Calentar por 2 minutos.

Verter la mezcla sobre el helado.

Servir un plátano por porción.

Pollitos Rochambeau

6 porciones

3	pollitos Rock Cornish, cortados a la mitad y deshuesados
3	cucharadas aceite
1	cucharadita sal
1	cucharadita paprika
1	cucharadita pimienta
1	cucharadita orégano
6	rebanadas de jamón, de 60 g. (2 onzas) cada una
½	taza mantequilla
3	cucharadas harina
1	taza jugo de piña
1	cucharada azúcar morena
½	taza jerez
6	rebanadas de pan tostado
½	taza Salsa Béarnaise (ver *Salsas*)

Precalentar el horno a 180 °C (*350 °F*).

Untar los pollitos con el aceite. Espolvorear los condimentos. Hornear durante 40 minutos.

Asar las rebanadas de jamón a la parrilla en el horno durante 2 minutos.

Derretir la mantequilla, agregar la harina y formar una pasta (roux).

Agregar el jugo de piña, el azúcar y el jerez. Cocer a fuego lento hasta que espese.

Colocar medio pollito sobre una rebanada de pan tostado. Cubrir con una rebanada de jamón. Verter la salsa de piña sobre el jamón.

Cubrir con Salsa Béarnaise caliente y servir.

Pollo Normandía

Carne de Res a la Provenzal

8 porciones

1 kg.	(*2¼ libras*) bistec de redondo, cortado en tiras delgadas
1	cucharadita sal
½	cucharadita pimienta
2	hojas de laurel, machacadas
½	cucharadita albahaca
2	tazas vino tinto o blanco
1½	cucharada aceite de oliva
6	tiras de tocino, en cubitos
4	zanahorias, rebanadas
115 g.	(*4 onzas*) champiñones, rebanados
2	tazas tomates, sin semillas y picados
2	dientes de ajo, finamente picados
8	aceitunas negras, deshuesadas y rebanadas
1	ramillete de hierbas
6	tazas arroz cocido, caliente

Condimentar la carne con la sal, la pimienta, las hojas de laurel y la albahaca.

Verter el vino y el aceite de oliva sobre la carne. Marinar durante 2 horas.

Mezclar el tocino, las zanahorias, los champiñones, los tomates, el ajo y las aceitunas. Escurrir la carne. Guardar el líquido.

En una cazuela engrasada, alternar capas de carne con capas de verduras. Colocar el ramillete de hierbas en el centro. Verter el líquido reservado. Refrigerar durante 2 horas.

Cocer en un horno precalentado a 160 °C (*325 °F*) durante 4 horas. Servir con arroz.

Pollo Normandía

4 porciones

1	pollo, cortado en 8 piezas
3	cucharadas mantequilla
450 g.	(*1 libra*) manzanas, peladas y rebanadas
¼	taza aguardiente de manzana

Precalentar el horno a 180 °C (*350 °F*).

Saltear el pollo en la mantequilla hasta medio cocer.

Colocar las manzanas en una cazuela. Cubrir con las piezas de pollo.

Meneando rápidamente, agregar el aguardiente de manzana en la sartén en que se saltéo el pollo. Verter sobre el pollo.

Tapar y hornear de 25 a 30 minutos.

Rouladen

8 porciones

1 kg.	(*2¼ libras*) bistec de carne de res (de redondo)
450 g.	(*1 libra*) carne de ternera magra, molida
1	taza cebollas, finamente picadas
½	taza pan molido
1	huevo, batido
1	taza salsa de tomate picante (ver *Verduras*)
1	pizca pimienta de Cayena
5	pepinillos en escabeche, cortados en tiritas
½	taza harina condimentada
⅓	taza aceite
1	taza caldo de res (ver *Sopas*)

Precalentar el horno a 190 °C (*375 °F*).

Quitar todo el exceso de grasa a la carne. Aplanar el bistec hasta que quede muy delgado.

Mezclar la ternera, las cebollas, el pan molido, el huevo, la salsa de tomate picante y la pimienta de Cayena. Untar la carne de res con esta mezcla.

Colocar los pepinillos sobre la carne. Enrollar y amarrar la carne. Espolvorear con la harina condimentada.

Calentar el aceite en una sartén grande. Dorar la carne. Colocar en una charola para asar. Verter el caldo.

Hornear durante 1½ hora.

Espesar el caldo hasta hacer una salsa. Verter sobre el Rouladen.

Sauerbraten

6 porciones

3	cucharadas vinagre
½	taza vino tinto o blanco
1½	taza cerveza
1½	taza agua
1	zanahoria, rebanada
1	cebolla, rebanada
1	tallo de apio, rebanado
1	cucharadita sal
3	cucharadas especias para escabeche
1 kg.	(*2¼ libras*) carne de res, de redondo

En una cacerola, calentar el vinagre, el vino, la cerveza, el agua, la zanahoria, la cebolla, el apio y los condimentos. Calentar hasta que hierva, luego cocer a fuego lento durante 15 minutos. Dejar que se enfríe completamente.

Poner la carne en un tazón grande. Verter la mezcla ya fría sobre la carne. Tapar y dejar en el refrigerador por 24 horas.

Precalentar el horno a 180 °C (*350 °F*).

Escurrir la carne y desechar el líquido y las verduras. Colocar la carne en una charola para asar. Hornear durante 2½ horas o según el grado de cocción deseado.

Una vez cocido, colocar en un platón, trinchar y servir.

Sachertorte

8-10 porciones

1	cucharada cacao en polvo
⅔	taza harina para repostería, cernida
340 g.	(*12 onzas*) chocolate semiamargo
⅓	taza mantequilla
⅓	taza azúcar
4	yemas de huevo
5	claras de huevo
¼	taza mermelada de chabacano
340 g.	(*¾ libra*) pasta de almendras*
1½	cucharadita aceite

Precalentar el horno a 160 °C (*325 °F*).

Cernir el cacao en polvo con la harina. Derretir el chocolate en baño maría.

Batir la mantequilla con el azúcar hasta que quede muy ligera. Lentamente agregar ½ taza de chocolate derretido a la mantequilla.

Agregar las yemas de huevo una por una. Lentamente agregar la mezcla de la harina. Incorporar sin mezclar demasiado.

Batir las claras de huevo a punto de turrón. Con movimiento envolvente, incorporar cuidadosamente a la mezcla del pastel. Verter la mezcla en un molde desarmable de 20 cm. (*8 pulg.*) de profundidad que haya sido ligeramente engrasado.

Hornear durante 1¼ hora. Sacar. Dejar que se enfríe durante 10 minutos.

Calentar la mermelada de chabacano y untar el pastel. En una tabla ligeramente espolvoreada con azúcar glass, extender la pasta de almendras con el rodillo hasta que quede delgada.

Cubrir todo el pastel con esta pasta, recortándola para que se ajuste perfectamente al pastel.

Agregar el aceite al resto del chocolate. Verter sobre el pastel. Refrigerar durante 1 hora. Servir.

En el Hotel Sacher de Viena donde la receta se originó, sirven el pastel con bastante crema batida sin azúcar.

La pasta de almendras se puede comprar en cualquier panadería o pastelería.

Lomo de Cerdo Asado y Col Roja

Lomo de Cerdo Asado y Col Roja

8 porciones

2,2 kg.	(*5 libras*) lomo de cerdo, amarrado
¼	taza aceite
1	cucharadita sal
½	cucharadita pimienta
½	cucharadita paprika
¼	cucharadita canela
115 g.	(*4 onzas*) tocino, picado
1 kg.	(*2¼ libras*) col roja, rallada
1	cucharadita semillas de alcaravea (carví)
2	cucharadas azúcar
½	taza jerez

Precalentar el horno a 180 °C (*350 °F*).

Untar la carne de cerdo con el aceite. Condimentar espolvoreando la sal, la pimienta, la paprika y la canela sobre la carne.

Colocar en una charola para asar. Hornear durante 2 horas.

Mientras la carne de cerdo se está cociendo, freír el tocino en una sartén grande. Sacar y apartar. Escurrir toda la grasa del tocino. Apartar ¼ de taza.

Colocar la col en la sartén. Saltear durante 3 minutos en la grasa de tocino apartada. Agregar las semillas de alcaravea, el azúcar, el tocino y el jerez.

Tapar y cocer a fuego lento durante 15 minutos o hasta que la col quede blanda. Colocar en un platón.

Sacar el asado, rebanar y servir sobre la col.

Moussaka

8 porciones

2	cucharadas mantequilla
1	cebolla, finamente picada
1	diente de ajo, finamente picado
675 g.	(*1½ libra*) carne de cordero, molida
2	tazas tomates, machacados
1	cucharada sal
½	cucharadita orégano
½	cucharadita tomillo
1	cucharadita paprika
1	cucharadita albahaca
½	cucharadita pimienta
½	cucharadita canela
1	cucharada maicena
3	cucharadas vino tinto
2	berenjenas, de 565 g. (*1¼ libra*) cada una
½	taza mantequilla derretida
1	taza queso Cheddar, rallado
3	tazas Salsa Mornay (ver *Salsas*)

Derretir la mantequilla en una olla de hierro. Agregar la cebolla y el ajo; saltear hasta que queden blandos.

Agregar el cordero y dorar. Agregar los tomates, 1½ cucharadita de sal y los condimentos.

Reducir el calor y cocer a fuego lento durante 30 minutos.

Mezclar la maicena con el vino. Agregar a la salsa y cocer a fuego lento hasta que espese.

Cortar las berenjenas a la mitad y a lo largo. Cortar las mitades a lo ancho para obtener rebanadas de 1 cm. (*½ pulg.*) de grueso.

Untarles la mantequilla y espolvorear el resto de la sal. Asar a la parrilla 4 minutos. Sacar del horno.

Para dar forma: en un refractario engrasado de 30 x 18 x 5 cm. (*12 x 7 x 2 pulg.*), poner 1 capa de berenjena, 1 capa de salsa de carne, esparcir queso. Repetir. Cubrir con la Salsa Mornay.

Cocer en el horno precalentado a 180 °C (*350 °F*) durante 35 minutos. Servir.

Pierna de Cordero Estilo Griego

8 porciones

2	dientes de ajo, finamente picados
¼	taza jugo de limón
½	cucharadita pimienta negra
¼	cucharadita semillas de hinojo, machacadas
1	taza yogurt natural
2,7 kg.	(*6 libras*) pierna de cordero, deshuesada, desgrasada, parcialmente cortada a lo largo y abierta en dos

Combinar el ajo, el jugo de limón, la pimienta, las semillas de hinojo y el yogurt.

Untar el cordero con esta mezcla y refrigerar durante 12 horas.

Precalentar el horno a 200 °C (*400 °F*).

Colocar el cordero en una charola para asar poco honda.

Hornear durante 40 minutos, voltear y bañar. Cocer por otros 20 minutos. Servir.

Brochetas de Cordero a la Griega

6 porciones

¼	taza aceite de oliva
1	cucharadita orégano
½	cucharadita sal
¼	cucharadita pimienta
1	cucharada jugo de limón
1 kg.	(*2¼ libras*) carne magra de cordero, deshuesada, cortada en 48 cubos
48	sombreretes de champiñones
48	trozos de pimiento verde

Mezclar el aceite, los condimentos y el jugo de limón.

Marinar el cordero en esta preparación durante 8 horas, tapado.

Ensartar en las brochetas pedazos de carne, champiñones y pimientos verdes, alternando la carne con las verduras.

Asar en un horno muy caliente o a las brasas, de 5 a 6 minutos. Untar con el adobo mientras se cuecen.

Servir con arroz pilaf.

Ensalada Griega

8 porciones

Aderezo

½	taza aceite
2	cucharadas vinagre blanco
1	cucharada jugo de limón
½	cucharada salsa inglesa
½	cucharada albahaca seca
1	cucharada orégano seco
1	cucharada sal condimentada

Ensalada

2	tomates grandes y sin semillas
1	cebolla española
1	pimiento verde
1	pepino, sin semillas
225 g.	(½ *libra*) champiñones, pequeñitos
½	taza aceitunas negras
1	taza queso fresco (tipo feta), desmoronado

En un procesador de alimentos o en un tarro que se pueda cerrar herméticamente, combinar todos los ingredientes del aderezo.

Procesar o agitar hasta que queden bien mezclados.

Cortar los tomates, la cebolla, el pimiento verde y el pepino en pedazos chicos.

Incorporar los champiñones, las aceitunas y el queso.

Verter el aderezo y revolver delicadamente.

Pilaf de Pollo a la Griega

4 porciones

450 g.	(*1 libra*) carne de pollo, en cubos
3	cucharadas mantequilla
1	cebolla chica, finamente picada
1	pimiento verde chico, en cubitos
2	cucharadas harina
2	tazas caldo de pollo
¼	taza pasas
3	tazas arroz cocido, caliente

Saltear el pollo en la mantequilla. Agregar la cebolla y el pimiento verde; saltear hasta que queden blandos. Agregar la harina y revolver. Verter el caldo de pollo y cocer a fuego lento durante 10 minutos.

Agregar las pasas y cocer a fuego lento por otros 3 minutos.

Verter sobre el arroz y servir inmediatamente.

Pilaf de Pollo a la Griega

Goulash Húngaro

Goulash Húngaro

8 porciones

2	cucharadas mantequilla
½	taza cebolla, en cubitos finos
3	dientes de ajo, finamente picados
3	cucharadas paprika
1 kg.	(*2¼ libras*) carne de res para estofado, en cubos
1	cucharadita semillas de alcaravea (carví)
4	tazas (*1 L*) caldo de res
1	cucharadita sal
½	cucharadita pimienta negra
2	tazas tomates, pelados, sin semillas y picados
225 g.	(*8 onzas*) champiñones, pequeñitos
½	cucharadita orégano
1	cucharada maicena

En una cacerola de 16 tazas (*4 L*), calentar la mantequilla y saltear la cebolla y el ajo hasta que se doren ligeramente.

Agregar la paprika y mezclar bien. Agregar la carne, las semillas de alcaravea, el caldo de res, la sal y la pimienta. Cocer a fuego lento durante 1 hora.

Agregar los tomates, los champiñones y el orégano y cocer a fuego lento por otros 40 minutos, destapado.

Mezclar la maicena con un poco de agua, agregar al goulash y calentar hasta que suelte el hervor.

Cocer a fuego lento hasta que la salsa se espese un poco.

Papas con Paprika a la Húngara

6 porciones

2	cucharadas aceite
⅓	taza mantequilla
1 kg.	(*2¼ libras*) papas grandes, en cubitos
1½	taza crema agria
1½	taza crema espesa
1	cucharada paprika
1½	cucharadita sal
¼	cucharadita pimienta
3	cebollitas de Cambray, picadas

Precalentar el horno a 180 °C (*350 °F*).

Calentar el aceite y la mantequilla en una sartén grande.

Saltear las papas en el aceite y la mantequilla durante 5 minutos.

Mezclar la crema agria, la crema espesa y los condimentos.

Colocar las papas en una cazuela. Verter la crema sobre las papas.

Esparcir las cebollitas. Tapar y hornear en el horno durante 1 hora.

Destapar y continuar cociendo por otros 10 minutos. Servir.

1

Saltear las papas en el aceite y la mantequilla durante 5 minutos.

2

Mezclar la crema agria, la crema espesa y los condimentos.

3

Colocar las papas en una cazuela, verter la crema encima y esparcir las cebollitas.

4

Tapar y hornear durante 1 hora; destapar y cocer por otros 10 minutos.

Paprikache Húngaro

6 porciones

2	cucharadas aceite
2	cebollas, picadas
2	cucharadas paprika
½	taza vino tinto
1	taza caldo de res (ver *Sopas*)
½	cucharadita sal
1 kg.	(2¼ *libras*) bistec de res (de redondo), en cubitos
5	papas, peladas y cortadas en rebanadas delgadas

Calentar el aceite y saltear las cebollas hasta que se doren.

Agregar la paprika y mezclar. Agregar el vino, el caldo de res y la sal.

Agregar la carne y cocer a fuego lento durante 40 minutos.

Colocar las papas sobre la carne, tapar y cocer a fuego lento durante 20 minutos. Servir inmediatamente.

Gulyassuppe

6 porciones

¼	taza aceite
450 g.	(1 *libra*) carne de res magra, en cubitos
2	papas, peladas y en cubitos
1	cebolla, picada
3	tallos de apio, picados
1	pimiento verde, picado
6	tazas (1,5 *L*) caldo de res (ver *Sopas*)
1	diente de ajo, finamente picado
2	cucharaditas paprika
½	cucharadita semillas de alcaravea (carví)
1	cucharadita sal
3	tazas tomates, sin semillas y picados
3	salchichas, en cubitos
¾	taza agua
⅓	taza harina

Calentar el aceite en una olla. Agregar la carne y dorar. Agregar las verduras y saltear hasta que queden blandas.

Agregar el caldo de res, el ajo y los condimentos. Cocer a fuego lento durante 30 minutos.

Agregar los tomates y las salchichas. Cocer a fuego lento por otros 10 minutos.

Mezclar el agua y la harina. Agregar a la sopa.

Cocer a fuego lento hasta que espese, aproximadamente 10 minutos.

Ñoquis con Crema Agria y Carne de Res

8 porciones

¼	taza aceite
1 kg.	(2¼ *libras*) carne de res magra, en cubitos
8	tazas (2 *L*) caldo de res (ver *Sopas*)
2	tazas tomates, machacados
1	cucharadita salsa inglesa
1	cucharadita sal
1	taza crema agria
1	receta de ñoquis (ver *Pastas*)

Calentar el aceite en una olla grande. Agregar la carne de res y dorar.

Verter el caldo y calentar hasta que suelte el hervor. Reducir el calor y cocer la carne a fuego lento durante 45 minutos.

Sacar la carne y dejar que se reduzca el caldo a 2 tazas.

Agregar los tomates y cocer a fuego lento, reduciendo la cantidad total a 3 tazas.

Agregar los condimentos y la crema agria; cocer a fuego lento, reduciendo la salsa a 2½ tazas. Incorporar la carne.

Cocer los ñoquis siguiendo la receta. Verter la mezcla de la carne sobre los ñoquis. Servir.

Cordero al Curry

Cordero al Curry

8 porciones

⅓	taza mantequilla
1 kg.	(2¼ libras) carne de cordero deshuesada, cortada en tiras de 5 cm. (2 pulg.)
1	cebolla grande, en cubitos
2	tazas apio, en cubitos
3	cucharadas harina
1	taza salsa de tomate
1	taza caldo de pollo
1	taza yogurt natural
1	cucharadita sal
2	cucharadas curry en polvo

En una sartén grande, calentar la mantequilla.

Agregar la carne, la cebolla y el apio. Saltear durante 5 minutos.

Espolvorear con la harina y seguir cociendo durante 3 minutos.

Agregar la salsa de tomate, el caldo, el yogurt y los condimentos.

Reducir el calor y cocer a fuego lento de 30 a 40 minutos, o hasta que la carne esté tierna.

Servir sobre tallarines o arroz.

Kedgeree

6 porciones

2	tazas arroz cocido
4	huevos duros, picados
450 g.	(*1 libra*) salmón, cocido y desmenuzado
2	cucharadas mantequilla
½	taza cebolla, finamente picada
¼	taza apio, finamente picado
1	cucharada harina
½	taza crema espesa
¼	taza perejil, picado
¼	cucharadita sal
¼	cucharadita pimienta
½	cucharadita curry en polvo
2	tazas queso Cheddar, rallado

Precalentar el horno a 180 °C (*350 °F*).

En un tazón, combinar el arroz, los huevos y el salmón.

Calentar la mantequilla en una cacerola. Agregar las cebollas y el apio; saltear hasta que queden blandos. Agregar la harina y revolver. Cocer por 2 minutos sin que se dore.

Agregar la crema y los condimentos. Cocer hasta que espese. Agregar al pescado. Combinar muy bien.

Verter la mezcla en una cazuela engrasada. Cubrir con el queso.

Hornear de 25 a 30 minutos. Servir.

Omelette de la India

1 porción

3	huevos
2	cucharadas crema espesa
2	cucharadas mantequilla
3	cucharadas jamón, en cubitos finos
3	cucharadas pollo, en cubitos finos
1	cucharada cebollitas de Cambray, en cubitos finos
¼	taza Salsa de Curry, caliente (ver *Salsas*)
2	cucharadas tomates, picados

Batir los huevos con la crema.

En una sartén, calentar la mantequilla. Agregar el jamón, el pollo y las cebollitas. Saltear hasta que las cebollitas estén blandas.

Agregar los huevos. Cocer hasta que estén lo suficientemente cuajados para dar vuelta.

Voltearlos y cocer de 1½ a 2 minutos. Doblar en dos. Colocar en un plato de servicio.

Verter la salsa sobre el omelette y esparcir los tomates. Servir inmediatamente.

Omelette de la India

Pollo Cacciatore

6 porciones

1 kg.	(2¼ *libras*) pollo, cortado en 8 piezas
¼	taza harina
½	taza aceite
1	cebolla chica, en cubitos finos
1	pimiento verde chico, en cubitos
2	dientes de ajo, finamente picados
½	cucharadita orégano
½	cucharadita tomillo
1	cucharadita sal
1	cucharadita pimienta
1	cucharadita paprika
3½	tazas tomates, sin semillas y picados
½	taza vino tinto o jerez

Espolvorear el pollo con la harina. Dorar en el aceite por todos lados.

Agregar la cebolla, el pimiento verde y el ajo. Saltear hasta que queden blandos.

Escurrir el aceite. Agregar los condimentos, los tomates y el vino.

Tapar y cocer a fuego lento de 45 a 50 minutos.

Servir con pan de ajo italiano.

Pollo Cacciatore

Pollo Parmigiana

6 porciones

6	pechugas de pollo, deshuesadas
2	huevos
¼	taza leche
½	taza harina
1	taza pan molido fino
3	cucharadas aceite
3	cucharadas mantequilla
1	taza salsa de tomate (ver *Salsas*)
1	taza queso Mozzarella, rallado

Aplanar las pechugas hasta que queden delgadas como escalopas. Mezclar los huevos con la leche. Pasar las pechugas por la harina, luego por la mezcla de huevos. Pasar las pechugas por el pan molido.

Saltear en el aceite y la mantequilla por 3 minutos de cada lado.

Colocar en un refractario engrasado, cubrir con la salsa y el queso y asar a la parrilla en el horno hasta que el queso se derrita.

Pollo Tetrazzini

6 porciones

450 g.	(*1 libra*) spaghetti
1	cebolla, en cubitos finos
1	taza apio, en cubitos
1/3	taza pimiento verde, en cubitos
1/3	taza pimiento rojo, en cubitos
1/3	taza pimiento amarillo, en cubitos
300 g.	(*10 onzas*) champiñones, rebanados
1/4	taza mantequilla
1/4	taza harina
2	tazas crema ligera
2	tazas queso Havarti, rallado
1	cucharadita sal
1/2	cucharadita pimienta
1	cucharadita albahaca
1/2	cucharadita orégano
1/2	cucharadita mejorana
3	tazas pollo cocido, en cubitos
1/4	taza vino blanco dulce
3/4	taza queso Parmesano, rallado

Hervir los spaghetti en una olla grande hasta que queden «al dente». Escurrir y mantener calientes.

Saltear la cebolla, el apio, los pimientos y los champiñones en mantequilla hasta que queden blandos.

Agregar la harina y mezclar hasta que la consistencia esté lisa. Agregar la crema y revolver hasta que espese.

Agregar el queso Havarti, los condimentos, el pollo y el vino; cocer a fuego lento durante 8 minutos.

Verter los spaghetti en una cazuela grande; cubrir con la salsa.

Espolvorear el queso Parmesano y dorar rápidamente en el horno bajo la parrilla.

Ternera Parmigiana

6 porciones

6	escalopas de ternera
2	huevos
1/4	taza leche
1/2	taza harina
1	taza pan molido fino
3	cucharadas aceite
3	cucharadas mantequilla
1	taza salsa de tomate (ver *Salsas*)
1	taza queso Mozzarella, rallado

Aplanar las escalopas. Mezclar los huevos con la leche.

Espolvorear las escalopas con la harina y pasar por la mezcla de huevos. Pasar las escalopas por el pan molido.

Saltear las escalopas en el aceite y la mantequilla por 3 minutos de cada lado.

Cubrir con la salsa de tomate y el queso.

Asar a la parrilla en el horno hasta que el queso se derrita.

Albóndigas Italianas para Spaghetti

4 porciones

340 g.	(*3/4 libra*) carne de res magra, molida
115 g.	(*1/4 libra*) salchichas italianas, finamente picadas
1/2	taza pan molido
1/2	taza queso Parmesano, rallado
1	cucharada perejil, picado
2	cucharadas aceite
2	dientes de ajo, finamente picados
1/2	taza leche
1	huevo, batido
1	cucharadita sal
1/4	cucharadita orégano
1/4	cucharadita tomillo
1/4	cucharadita albahaca
1/2	cucharadita pimienta
1/2	cucharadita paprika

Precalentar el horno a 190 °C (*375 °F*).

Mezclar la carne de res con las salchichas.

Agregar el pan molido, el queso Parmesano, el perejil y el aceite.

Agregar todos los ingredientes restantes y mezclar bien.

Formar albóndigas. Hornear durante 12 minutos.

Servir con spaghetti y salsa de tomate.

Ternera Parmigiana

Especial Guadalajara

6 porciones

2	cucharadas mantequilla
1	cebolla, en cubitos finos
1	pimiento verde, en cubitos finos
1	taza tomates, picados
2	tazas salsa de tomate (ver *Salsas*)
1	cucharadita sal
1	cucharadita chile en polvo
¼	cucharadita pimienta
¼	cucharadita paprika
2	tazas pollo cocido, en cubitos
1	taza carne de camarón
1	taza carne de jaiba
6	tortillas
2	tazas queso Cheddar, rallado

Precalentar el horno a 180 °C (*350 °F*).

Calentar la mantequilla en una sartén. Saltear la cebolla y el pimiento verde.

Agregar los tomates, la salsa de tomate y los condimentos.

Bajar el fuego y cocer a fuego lento durante 15 minutos.

Doblar las tortillas y rellenarlas con el pollo, la carne de camarón y la carne de jaiba.

Colocar en una cazuela. Verter la salsa sobre las tortillas.

Esparcir el queso y hornear durante 12 minutos.

Enchiladas

6 porciones

450 g.	(*1 libra*) carne de res magra, molida
2	cucharadas aceite
1	diente de ajo, finamente picado
1	cebolla mediana, en cubitos finos
1	cucharadita sal
1	cucharadita paprika
1	cucharadita pimienta
2	cucharaditas chile en polvo
6	tortillas
1	taza crema agria
2	tazas queso Cheddar fuerte, desmoronado

Precalentar el horno a 180 °C (*350 °F*).

Saltear la carne en el aceite. A medio cocer, agregar el ajo y la cebolla. Saltear hasta que queden blandos.

Escurrir el exceso de grasa y agregar los condimentos; revolver. Repartir igualmente el relleno sobre las tortillas.

Colocar aproximadamente 2 cucharadas de crema agria sobre la carne.

Enrollar las tortillas. Colocar en una cazuela, con el pliegue hacia abajo.

Verter la salsa sobre las tortillas, esparcir el queso y hornear durante 20 minutos.

Salsa

1	cebolla mediana, en cubitos finos
2	dientes de ajo, finamente picados
1	pimiento verde, en cubitos finos
¼	taza aceite
1	taza tomates, pelados y en cubitos
1	taza agua
½	taza puré de tomate
1	cucharada chile en polvo
1	cucharadita sal
1	cucharadita pimienta
½	cucharadita pimienta de Cayena
1	cucharadita paprika
1	cucharadita vinagre
½	cucharadita orégano
½	cucharadita tomillo
2	cucharaditas azúcar morena

Saltear la cebolla, el ajo y el pimiento verde en el aceite hasta que queden blandos.

Agregar los tomates, el agua y el puré de tomate. Cocer a fuego lento durante 3 minutos.

Bajar el fuego y agregar los ingredientes restantes.

Cocer a fuego lento durante 15 minutos más. Usar según se necesite.

Guacamole

1¼ taza

1	aguacate, hecho puré
¼	taza mayonesa
1	cucharada jugo de limón
1	cucharadita cebolla, finamente picada
½	cucharadita sal
¼	cucharadita ajo en polvo
¼	cucharadita chile en polvo
¼	cucharadita paprika

Mezclar el aguacate, la mayonesa, el jugo de limón y la cebolla.

Agregar los condimentos.

Servir con papas fritas, nachos, enchiladas, tacos o tortillas (ver *Sandwiches*).

Guacamole

Estofado Irlandés

6-8 porciones

1 kg.	(2¼ libras) papas
1 kg.	(2¼ libras) carne de cordero deshuesada, cortada en cubos de 4 cm. (1½ pulg.)
2	cebollas grandes, rebanadas
2	cucharaditas sal
½	cucharadita pimienta
½	cucharadita tomillo
2	tallos de apio, en cubitos
2	cucharadas perejil, picado
4	tazas (1 L) caldo de pollo o de res (ver *Sopas*)

Precalentar el horno a 180 °C (*350 °F*).

Pelar y cortar las papas en cuatro.

En una olla grande de hierro, colocar el cordero, las papas y las cebollas por capas.

Espolvorear los condimentos, el apio y el perejil. Verter el caldo.

Tapar y hornear durante 2½ horas. Servir inmediatamente.

Arroz Sushi

aproximadamente 2 tazas

1	taza agua
¾	taza arroz de grano corto
1½	cucharada vinagre
1½	cucharada jugo de limón
2	cucharadas azúcar
½	cucharadita sal

Hervir el agua y agregar el arroz. Bajar el fuego. Tapar y cocer hasta que el arroz absorba todo el líquido.

En otra cacerola, calentar el vinagre, el jugo de limón, el azúcar y la sal hasta que suelten el hervor. Revolver hasta que el azúcar se disuelva completamente.

Retirar del fuego. Meneando, incorporar el líquido al arroz. Dejar reposar hasta que se absorba el líquido.

Sushi 1

8 rebanadas

1	hoja de nori*, de 18 x 20 cm. (*7 x 8 pulg.*)
1½	taza arroz sushi
60 g.	(*2 onzas*) tiritas de carne de jaiba
60 g.	(*2 onzas*) camarones pequeños

Colocar el nori en un paño de cocina humedecido. Cubrir con el arroz y aplastar firmemente.

En una de las extremidades angostas, acomodar las tiritas de jaiba y al lado de la jaiba, los camarones.

Enrollar siguiendo un procedimiento semejante al del «Niño Envuelto». Usando un cuchillo muy filoso, cortar en rebanadas de 2,5 cm. (*1 pulg.*).

Servir con las salsas de su gusto.

El nori es una alga seca y tostada, producto que se encuentra en casi todas las tiendas de comida asiática y en la sección gastronómica de algunos supermercados.

Sushi 2

8 rebanadas

1	hoja de nori
1	taza arroz sushi
90 g.	(*3 onzas*) salmón ahumado, en rebanadas delgadas
½	taza mantequilla de manzana (ver *Verduras*)
2	cucharaditas menta fresca

Colocar el nori en un paño de cocina humedecido. Cubrir con el arroz y aplastar firmemente.

A unos 2,5 cm. (*1 pulg.*) de la extremidad, colocar el salmón.

Enrollar siguiendo un procedimiento semejante al del «Niño Envuelto». Usando un cuchillo muy filoso, cortar en rebanadas de 2,5 cm. (*1 pulg.*).

Mezclar la mantequilla de manzana con la menta. Servir por separado como salsa.

Sushi 3

8 rebanadas

1	hoja de nori
1½	taza arroz sushi
115 g.	(*4 onzas*) jamón, en rebanadas muy delgadas
115 g.	(*4 onzas*) carne de langosta, finamente picada

Colocar el nori en un paño de cocina humedecido. Cubrir con una capa delgada de arroz y aplastar firmemente. Colocar una capa delgada de jamón sobre el arroz.

Colocar otra capa de arroz sobre el jamón y aplastar firmemente. Cubrir con la carne de langosta. Enrollar siguiendo un procedimiento semejante al del «Niño Envuelto».

Usando un cuchillo muy filoso, cortar en rebanadas de 2,5 cm. (*1 pulg.*).

Servir con las salsas de su gusto.

Sushi 1, Sushi 2 y Sushi 3

Foo Yong de Camarones y Huevos

2 porciones

2	cucharadas aceite
½	taza carne de camarón
2	cucharadas cebolla, finamente picada
4	huevos, batidos

Salsa

¼	cucharadita sal
¼	cucharadita pimienta negra
3	cucharadas salsa soya
1	cucharadita cebollita de Cambray, finamente picada
¼	cucharadita ajo en polvo
1	pizca jengibre, molido
2	cucharaditas azúcar morena
1	cucharada agua

Calentar el aceite en un wok. Saltear la carne de camarón hasta que quede color de rosa. Sacar del wok.

Saltear la cebolla hasta que quede blanda. Regresar la carne de camarón al wok y agregar los huevos. Freír.

Sacar del wok y servir con la salsa.

Para preparar la salsa, combinar todos los ingredientes y batirlos juntos.

Foo Yong de Camarones y Huevos

Sandacz Na Winie

4 porciones

1	taza vino blanco seco
1	cebolla mediana, picada
1	zanahoria, picada
1	tallo de apio, picado
4	filetes de perca, de 225 g. (*8 onzas*) cada uno
2	cucharadas mantequilla
2	cucharadas harina
½	taza caldo de pescado (ver *Sopas*)
2	cucharaditas perejil, picado

Calentar el vino en una cacerola con las verduras.

A fuego lento, escalfar los filetes en el vino de 5 a 6 minutos, dependiendo del grueso de los filetes. Sacar y mantener calientes.

Colar el vino. Calentar la mantequilla en una cacerola.

Agregar la harina y cocer de 1½ a 2 minutos.

Agregar el vino y el caldo de pescado. Cocer a fuego lento durante 5 minutos o hasta que espese. Verter sobre el pescado.

Espolvorear con el perejil y servir.

Salchichas Polacas en Pasta Hojaldrada

Salchichas Polacas en Pasta Hojaldrada

8 rebanadas

1	hoja de masa hojaldrada de 18 x 20 cm. (*7 x 8 pulg.*), congelada
450 g.	(*1 libra*) salchichas polacas
1	huevo, ligeramente batido

Precalentar el horno a 220 °C (*425 °F*).

Descongelar la masa hojaldrada. Quitar la envoltura de las salchichas. Envolver la carne con la masa. Untar con el huevo.

Hornear de 20 a 25 minutos, o hasta que se dore.

Sacar, rebanar y servir con su salsa favorita.

Paella

8 porciones

225 g.	(½ *libra*) almejas
225 g.	(½ *libra*) mejillones
½	taza aceite
1 kg.	(2¼ *libras*) pollo, cortado en 12 piezas
1	cebolla, finamente picada
1	pimiento verde, finamente picado
3	tallos de apio, finamente picados
2	dientes de ajo, finamente picados
½	cucharadita azafrán, molido
1	cucharadita tomillo
1	cucharadita orégano
8	tazas (2 L) caldo de pollo (ver *Sopas*)
2	tazas tomates, machacados
4	tazas arroz, de grano largo
450 g.	(1 *libra*) jaiba, sin patas ni pinzas
450 g.	(1 *libra*) camarones, pelados y desvenados
225 g.	(½ *libra*) jamón, en cubitos
225 g.	(½ *libra*) chícharos

Precalentar el horno a 190 °C (*375 °F*).

Limpiar las almejas y los mejillones.

En una olla grande, calentar el aceite. Saltear el pollo hasta que se dore.

Agregar la cebolla, el pimiento verde, el apio y el ajo. Saltear hasta que estén blandos. Sacar el pollo. Escurrir el exceso de aceite.

Agregar el azafrán, el tomillo y el orégano. Cocer por 1 minuto.

Agregar el caldo de pollo y los tomates. Calentar hasta que suelte el hervor.

Colocar el arroz en una cazuela grande.

Cubrir con el pollo, las almejas, los mejillones, la jaiba, los camarones, el jamón y los chícharos.

Verter el caldo sobre la mezcla.

Hornear durante 30 minutos o hasta que el arroz esté cocido. No revolver.

Sacar del horno. Tapar por 5 minutos. Servir.

Arroz con Pollo

6 porciones

¼	taza harina
½	cucharadita orégano
½	cucharadita tomillo
½	cucharadita albahaca
1	cucharadita sal
1	cucharadita pimienta
1 kg.	(2¼ *libras*) pollo, cortado en 8 piezas
½	taza aceite de oliva
1	pimiento verde, en cubitos
1	taza cebollas, en cubitos
2	tazas tomates, sin semillas y picados
115 g.	(4 *onzas*) champiñones, rebanados
1½	taza arroz sin cocer
4	tazas (1 L) caldo de pollo (ver *Sopas*)
1	cucharada pimiento morrón enlatado, en cubitos
1	diente de ajo, finamente picado
1	hoja de laurel
¼	cucharadita pimienta de Cayena
¼	cucharadita pimienta negra, triturada
¼	cucharadita azafrán
½	taza jerez
1	taza chícharos verdes, congelados

Precalentar el horno a 180 °C (*350 °F*).

Condimentar la harina con el orégano, el tomillo, la albahaca, la sal y la pimienta.

Lavar y secar el pollo. Pasar por la harina condimentada.

Calentar el aceite y dorar las piezas de pollo por todos lados. Colocar el pollo en una cazuela grande.

Saltear el pimiento verde y las cebollas en el aceite hasta que estén blandos.

Agregar los tomates, los champiñones, el arroz, el caldo, el pimiento morrón, los condimentos y el jerez.

Cocer a fuego lento durante 3 minutos y verter sobre el pollo.

Tapar y hornear de 55 a 60 minutos.

Agregar los chícharos y continuar cociendo durante 15 minutos más.

Gravlax

Gravlax

8 porciones

675 g.	(1½ *libra*) salmón fresco
225 g.	(*8 onzas*) eneldo fresco
½	taza azúcar
¼	taza sal gema
1	cucharada granos de pimienta negra, triturados
1	cucharada granos de pimienta blanca, triturados
1	limón, rebanado

Con mucho cuidado, desprender dos filetes de la espinas. Picar el eneldo en forma gruesa.

Machacar juntos el azúcar, la sal, y los granos de pimienta usando un molcajete.

Colocar un filete en un platón, con la piel hacia abajo. Cubrir con la mitad de la mezcla de sal.

Colocar el eneldo encima. Cubrir con el resto de la mezcla de sal.

Colocar el otro filete encima. Envolver el platón con plástico.

Colocarle un ladrillo encima y refrigerar durante 3 días. (Cada 12 horas destapar y desechar cualquier acumulación de líquido, otra vez envolver y refrigerar).

Sacar el pescado después del tiempo de refrigeración. Desechar la mezcla de sal y eneldo. Extender los filetes con la piel hacia abajo.

Usando un cuchillo filoso, cortar en rebanadas muy delgadas, rebanando al sesgo y a contrahebra. Desechar la piel.

Acomodar en un platón y adornar con rebanadas de limón.

Albóndigas Suecas

6 porciones

½	taza pan molido fino
¼	taza crema espesa
450 g.	(*1 libra*) carne de ternera, molida
1	huevo
1	cucharada cebolla, finamente picada
¼	cucharadita paprika
¼	cucharadita cebolla en polvo
1	pizca pimienta de Jamaica
½	cucharadita pimienta negra
¼	cucharadita ajo en polvo
¼	taza aceite
¼	taza caldo de res (ver *Sopas*)
1	taza crema agria (*opcional*)

Remojar el pan molido en la crema; mezclar con la ternera, el huevo y los condimentos. Formar albóndigas.

Calentar el aceite y dorar las albóndigas. Escurrir el aceite. Agregar el caldo de res, tapar y cocer a fuego lento de 15 a 20 minutos.

Servir calientes sobre tallarines y con crema agria.

Salmón Kulebyaka a la Rusa

10-12 porciones

900 g.	(*2 libras*) filetes de salmón, sin piel
2	cucharaditas sal
3	cucharadas perejil, picado
½	taza mantequilla
1	cebolla grande, finamente picada
¾	taza arroz sin cocer
2	tazas caldo de pollo (ver *Sopas*)
115 g.	(¼ *libra*) champiñones, cocidos y picados
3	huevos duros, picados
½	cucharadita perifollo
½	cucharadita albahaca
¾	taza Salsa de Pollo (ver *Salsas*)
1	receta de masa para bollos (ver *Panes*)
1	yema de huevo
2	cucharadas crema ligera

Cortar el salmón en tiras de 2 cm. (¾ *pulg.*). Espolvorear con la sal y con 1 cucharada de perejil. Refrigerar.

Calentar la mitad de la mantequilla en una cacerola. Saltear ¼ de la cebolla hasta que esté blanda.

Agregar el arroz y meneando, incorporar la mantequilla para glasearlo.

Agregar el caldo de pollo y cocer el arroz hasta que quede blando. Enfriar.

En otra cacerola, calentar el resto de la mantequilla y saltear la cebolla restante. Dejar que se enfríe.

Combinar el arroz cocido, la cebolla salteada, el perejil restante, los champiñones, los huevos picados, los condimentos y la Salsa de Pollo.

Extender la mitad de la masa para bollos con el rodillo y formar un rectángulo. Colocar ¼ de la mezcla del arroz en la masa, dejando libre un borde de 2 cm. (¾ *pulg.*) en los 4 lados.

Cubrir el arroz con tiras de salmón. Continuar alternando las capas de arroz y de salmón hasta obtener 4 capas de arroz y 3 capas de salmón.

Extender el resto de la masa para bollos con el rodillo y formar un rectángulo un poco más grande que el primero.

Mezclar la yema de huevo con la crema. Untar a los bordes de la masa del arroz con salmón. Colocar la segunda pieza de masa encima. Presionar los bordes firmemente para sellar.

Cortar todo exceso de masa.

Untar con la mezcla de huevo. Hacer un agujero en el centro de la masa para permitir que se escape el vapor.

Decorar con el resto de la masa. Untar una vez más con el huevo.

Cocer en el horno precalentado a 200 °C (*400 °F*) durante 45 minutos.

Sacar y servir caliente, tibio o frío.

Borscht

10 porciones

6	betabeles grandes
¼	taza mantequilla
450 g.	(*1 libra*) carne de res, en cubitos
1	cebolla, finamente picada
¼	col, rallada
8	tazas (2 L) caldo de pollo (ver *Sopas*)
1	cucharadita azúcar
2	cucharaditas sal
1	cucharadita pimienta
1½	taza crema agria

Escaldar los betabeles en agua hirviendo durante 5 minutos. Escurrir y pelar. Cortar los betabeles en cubitos.

Calentar la mantequilla en una olla grande. Dorar la carne. Agregar la cebolla y los betabeles. Saltear durante 5 minutos.

Agregar la col y el caldo; cocer a fuego lento durante 2 horas, o hasta que la carne quede tierna.

Agregar el azúcar, la sal y la pimienta.

Servir con una cucharada de crema agria por porción.

Pollo Kiev

6 porciones

½	taza mantequilla suavizada
2	dientes de ajo, finamente picados
2	cucharadas cebollines, finamente picados
2	cucharadas perejil seco
6	pechugas de pollo deshuesadas, de 170 g. (*6 onzas*) cada una
¼	taza harina
2	huevos, batidos
1	taza pan molido fino
3	tazas aceite

Mezclar la mantequilla con el ajo, los cebollines y el perejil.

Envolver la mantequilla en papel encerado y congelar de 2½ a 3 horas.

Precalentar el horno a 180 °C (*350 °F*).

Colocar el pollo entre dos hojas de plástico y aplanar. Dividir la mantequilla congelada en 6 partes.

Colocar un trozo de mantequilla en cada pechuga. Doblar para cubrir completamente la mantequilla.

Espolvorear con la harina. Pasar por el huevo y luego por el pan molido.

Freír en el aceite caliente hasta que se doren por todos lados.

Hornear de 8 a 10 minutos.

1

Mezclar la mantequilla suavizada con el ajo, los cebollines y el perejil. Envolver en papel encerado y congelar.

2

Colocar el pollo entre dos hojas de plástico y aplanar.

3

Colocar un trozo de mantequilla en cada pechuga y doblar para cubrir completamente la mantequilla.

4

Freír el pollo empanizado en el aceite caliente hasta que se dore por todos lados y hornear de 8 a 10 minutos.

Holubsti
(Rollitos de Col)

8-10 porciones

1	col grande
3	cucharadas aceite
1	cebolla, finamente picada
1	tallo de apio, finamente picado
1	zanahoria, finamente picada
225 g.	(½ *libra*) carne de cerdo, molida
225 g.	(½ *libra*) carne de res magra, molida
3	tazas arroz cocido
½	cucharadita albahaca
½	cucharadita tomillo
½	cucharadita mejorana
1	huevo
1½	taza jugo de tomate
½	taza crema agria

Precalentar el horno a 180 °C (*350 °F*).

Quitar el corazón de la col. Sumergir la col en agua hirviendo. Cocer hasta que las hojas estén blandas.

Quitar las hojas sin romperlas. Quitar la nervadura del centro de las hojas. Cortar las hojas en 2 ó 3 secciones.

Colocar una capa de hojas en el fondo de un refractario grande.

Calentar el aceite en una sartén grande. Saltear las verduras y las carnes hasta que queden completamente cocidas. Enfriar.

Incorporar el arroz, las hierbas y el huevo.

Colocar 2 cucharadas o más de la mezcla en cada hoja; doblar las hojas en dos, y luego enrollarlas.

Acomodar los rollitos de col por capas sobre las hojas en el refractario.

Batir el jugo de tomate con la crema agria y verter sobre los rollitos. Cubrir con otras hojas de col.

Tapar herméticamente con una tapa o papel de aluminio. Hornear de 1½ a 2 horas.

Fruta Varenyky

24 piezas

2	tazas harina
1	cucharadita sal
1	huevo
½	taza agua fría

En un tazón, mezclar la harina con la sal. Agregar el huevo y suficiente agua para hacer una masa medianamente compacta.

Amasar hasta que quede suave. Cubrir y dejar reposar.

Dividir la masa en dos. Extenderla con el rodillo hasta que esté muy delgada. Cortar en cuadros de 6 cm. (*2½ a 3 pulg.*). Untar con agua.

Colocar 1 cucharadita de relleno sobre cada uno, o 1 ciruela pasa deshuesada. Doblar y sellar los bordes.

Cocinar sumergiendo en agua hirviendo, unos cuantos al mismo tiempo.

Cocer de 3 a 4 minutos. Servir con una salsa de fruta.

Relleno

24	ciruelas pasas
⅓	taza azúcar
1	cucharada canela

Deshuesar las ciruelas pasas. Mezclar el azúcar con la canela.

Rellenar las ciruelas pasas con el azúcar.

Pollo al Horno Kasha

6-8 porciones

1	taza sémola de alforfón
1	huevo
2	cucharadas aceite
2	tazas agua hirviendo
115 g.	(¼ *libra*) jamón, en cubitos
115 g.	(¼ *libra*) champiñones, rebanados
1	cebolla mediana, en cubitos
1	cucharada perejil picado

1	cucharadita mejorana
1	cucharadita tomillo
1	cucharadita sal
½	cucharadita pimienta
1	pollo de 1,8 kg. (*4 libras*)

Precalentar el horno a 180 °C (*350 °F*).

Colocar la sémola en un refractario poco hondo.

Incorporar el huevo a la sémola. Hornear hasta que esté ligeramente dorada.

Colocarla en una cacerola con el aceite y el agua. Hervir hasta que la mayor parte del líquido se haya absorbido.

Incorporar el jamón, los champiñones, la cebolla y los condimentos. Rellenar la cavidad del pollo.

Colocar el pollo en una charola para asar y hornear aproximadamente 1½ hora, bañándolo seguido.

Pollo al Horno Kasha

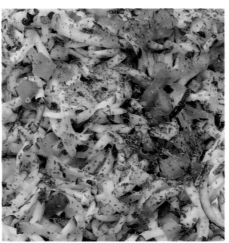

Verduras

«Cómete tus verduras» es un constante estribillo en muchos hogares. La triste verdad es que las verduras que se sirven en muchas casas y restaurantes ni siquiera valen la pena. ¿Porqué será que tanta gente no presta suficiente atención a las verduras cuando está planeando un menú, o las hierve tanto que quedan hechas puré?

Las verduras debidamente cocidas son un placer para los ojos y una verdadera delicia para el paladar. Todo buen cocinero sabe que las verduras añaden más que vitaminas y minerales a una comida. Son una fuente importante de color y textura, agregando muchísimo al placer estético del comer.

Cuando usted esté planeando una comida, considere que las verduras son parte integrante de ella y tome en cuenta los puntos siguientes :

Color : Por muy buenos que sean los ingredientes, ninguna comida es interesante si no tiene atractivo visual. Como las verduras tienen tanta variedad de colores, constituyen una buena manera de mejorar la presentación de cualquier platillo.

Sabor : Siempre escoja las verduras que estén en su momento óptimo de frescura. Las verduras recién cosechadas y las pequeñas son las que tienen el mejor sabor.

Forma : Escoja verduras que le ofrezcan variaciones de forma. Un platillo de albóndigas no armoniza muy bien con tomates miniatura y papitas redondas. Déles variedad a sus platillos usando diferentes figuras : cubitos, tiritas, óvalos y anillos.

Textura : De nuevo, variedad es la palabra mágica. Una comida en la que todo está molido o hecho puré es tediosa. La textura le da atractivo a una comida.

Consejos Para Cocinar las Verduras

Cuando hierva sus verduras, use sólo suficiente agua con sal para cubrirlas. No trate de cocer grandes cantidades a la vez.

Si usa verduras congeladas, descongélelas primero y utilice menos tiempo de cocción de lo recomendado para las verduras frescas.

Brócoli en Pasta Hojaldrada

Brócoli en Pasta Hojaldrada

	8 porciones
1½	taza champiñones, rebanados
2	cucharadas mantequilla
2	tazas brócoli, picado
1	paquete de 398 g. (*14 onzas*) de masa de hojaldre congelada, descongelada
1	taza queso suizo, rallado
1	huevo, batido
2	cucharadas leche

Precalentar el horno a 220 °C (*425 °F*).

Saltear los champiñones en mantequilla a fuego alto hasta que queden blandos, aproximadamente 3 minutos; apartar.

Cocer el brócoli en agua hirviendo con sal hasta que esté «al dente»; escurrir y apartar.

Extender la masa con el rodillo y formar un rectángulo de 40 x 20 cm. (*16 x 8 pulg.*).

Cortar en ocho cuadros de 10 cm. (*4 pulg.*).

Colocar algunos de los champiñones, un poco del brócoli y del queso en cada cuadro.

Humedecer los bordes con agua y doblar en diagonal; presionar los bordes de la masa para sellar.

Combinar el huevo y la leche; untar las empanadas.

Hornear de 12 a 15 minutos o hasta que se doren ligeramente.

Espárragos y Camarones en Salsa Béarnaise

4 porciones

1	manojo de espárragos
4	tazas (*1 L*) agua
2	cucharaditas sal
1	taza camarones pequeños, finamente picados
1	taza Salsa Béarnaise (ver *Salsas*)

Cocer los espárragos en agua y sal hasta que estén blandos. Escurrir bien.

Colocar en un platón refractario. Esparcir los camarones.

Verter la salsa sobre los espárragos.

Colocar bajo la parrilla en el horno por 30 segundos. Servir.

Cazuela de Espárragos

8 porciones

1 kg.	(*2¼ libras*) espárragos frescos, cortados en trozos de 2,5 cm. (*1 pulg.*)
1	lata de crema de champiñones de 10 onzas
2	tazas galletas saladas, machacadas
½	taza mantequilla derretida
2	tazas queso Cheddar añejo, rallado
1	taza anacardos (nueces de la India)

Precalentar el horno a 180 °C (*350 °F*).

Cocer los espárragos en agua hirviendo con sal, tapados, hasta que estén «al dente», aproximadamente de 3 a 5 minutos.

Escurrir, apartando 1¼ taza del líquido.

Combinar la crema de champiñones con el líquido apartado; mezclar hasta que quede suave.

Combinar las galletas saladas, la mantequilla y el queso; mezclar bien.

Espacir la mitad de la mezcla de galletas en un refractario engrasado de 33 x 23 cm. (*13 x 9 pulg.*).

Cubrir con la mitad de los espárragos, la mitad de las nueces y la mitad de la mezcla de sopa de champiñones.

Repetir las capas.

Hornear de 30 a 40 minutos.

Alcachofas Gratinadas

6 porciones

6	alcachofas
2	tazas Salsa Mornay (ver *Salsas*)
1	cucharadita sal
¼	cucharadita pimienta
½	taza queso Parmesano, rallado
2	cucharadas mantequilla

Precalentar el horno a 190 °C (*375 °F*).

Quitar las hojas externas y la parte de abajo de las alcachofas.

Hervir en agua con sal hasta que estén tiernas. Colocar en una cazuela.

Verter la salsa sobre las alcachofas. Condimentar con la sal y la pimienta. Espolvorear con el queso.

Salpicar con mantequilla.

Hornear hasta que el queso se derrita.

Espárragos y Camarones en Salsa Béarnaise y Alcachofas Gratinadas

Ejotes Verdes a la Provenzal

6 porciones

450 g.	(*1 libra*) ejotes verdes
3	cucharadas mantequilla o aceite
1	cebolla, en cubitos finos
3	dientes de ajo, finamente picados
2	tazas tomates, sin semillas y picados
1	cucharadita sal
¼	cucharadita pimienta
1	cucharadita tomillo

Quitar las puntas a los ejotes. Cocer en agua hirviendo con sal durante 10 minutos. Mantener calientes.

Calentar la mantequilla en una sartén. Agregar la cebolla y el ajo. Saltear hasta que estén blandos.

Añadir los tomates y los condimentos. Cocer a fuego lento durante 5 minutos. Incorporar a los ejotes.

Servir calientes.

Frijoles Dulces al Horno

10 porciones

675 g.	(*1½ libra*) frijoles blancos
1½	taza azúcar morena
1	taza melaza
4	tazas (*1 L*) jugo de tomate
¼	cucharadita pimienta de Jamaica
1½	cucharadita mostaza en polvo
1	cucharadita sal
¼	cucharadita pimienta
1	cucharada chile en polvo
1	cucharadita paprika
2	cucharadas mantequilla
1	cebolla, finamente picada
115 g.	(*4 onzas*) tocino, picado

Remojar los frijoles durante toda la noche, tapados.

Escurrir y cubrir con agua fresca. Calentar hasta que hiervan y luego cocer a fuego lento hasta que estén blandos.

Precalentar el horno a 150 °C (*300 °F*).

Escurrir los frijoles y enjuagar con agua fría. Colocar en un tazón.

Combinar el azúcar, la melaza, el jugo de tomate y los condimentos. Verter sobre los frijoles y mezclar.

Calentar la mantequilla en una sartén y saltear la cebolla hasta que esté blanda. Incorporar a los frijoles con el tocino.

Verter en una cazuela grande. Tapar y hornear durante 3 horas. Destapar y cocer por 30 minutos más.

Si los frijoles se secan mientras se están cociendo, agregar un poco de agua.

Servir calientes o fríos.

Ejotes Verdes Amandine

4 porciones

450 g.	(*1 libra*) ejotes verdes
¼	taza mantequilla
1½	taza almendras, rebanadas
2	cucharadas jugo de limón

Quitar las puntas a los ejotes. Cocer en agua hirviendo con sal de 8 a 10 minutos. Mantener calientes.

En una sartén grande, calentar la mantequilla. Bajar el fuego. Agregar las almendras y saltear hasta que se doren.

Agregar el jugo de limón y los ejotes. Saltear durante 3 minutos.

Servir calientes.

Ejotes Verdes Lyonnaise y Ejotes Verdes Amandine

Pastel de Brócoli

8 porciones

2	tazas brócoli, sobre todo los tallos
4	huevos, batidos
½	taza harina
½	cucharadita polvo de hornear
½	taza leche
½	cucharadita nuez moscada
1	cucharadita sal
½	cucharadita pimienta

Precalentar el horno a 180 °C (*350 °F*).

En un procesador de alimentos, picar finamente el brócoli. Agregar los huevos y mezclar.

Cernir la harina con el polvo de hornear. Incorporar a la mezcla.

Lentamente agregar la leche. Agregar los condimentos.

Verter en un molde de pan bien engrasado.

Hornear de 30 a 35 minutos.

Verificar si ya está cocido.

Ejotes Verdes Lyonnaise

4 porciones

450 g.	(*1 libra*) ejotes verdes
115 g.	(*4 onzas*) tocino, picado
2	cucharadas mantequilla
1	cebolla, en cubitos finos
¼	taza pimiento morrón enlatado, en cubitos finos
1	cucharadita sal
¼	cucharadita pimienta

Quitar las puntas a los ejotes. Escaldar los ejotes durante 6 minutos en agua hirviendo.

Freír el tocino en una sartén. Escurrir la grasa.

Agregar la mantequilla, la cebolla y el pimiento morrón. Saltear hasta que estén blandos.

Agregar los ejotes. Freír rápidamente a fuego alto durante 3 minutos.

Condimentar con la sal y la pimienta. Servir.

Brócoli Sorpresa

Brócoli y Coliflor en Salsa de Naranja y Almendras

8 porciones

340 g.	(¾ *libra*) brotes de brócoli
340 g.	(¾ *libra*) brotes de coliflor
2	cucharadas mantequilla
2	cucharadas harina
1¼	taza jugo de naranja
¼	taza azúcar morena
⅓	taza almendras, rebanadas a lo largo y tostadas

Cocer el brócoli y la coliflor en agua hirviendo con sal hasta que estén tiernos.

Calentar la mantequilla en una cacerola. Incorporar la harina y cocer por 2 minutos.

Incorporar el jugo de naranja y el azúcar. Cocer a fuego lento hasta que espese. Agregar las almendras.

Colocar las verduras en un tazón.

Verter la salsa sobre las verduras y servir.

Brócoli Sorpresa

6 porciones

2	tazas brócoli, cocido
1½	taza crema espesa
1	taza queso Havarti, rallado
4	huevos, batidos

Precalentar el horno a 180 °C (*350 °F*).

En un procesador de alimentos, hacer puré el brócoli. Agregar la crema y el queso. Procesar por 30 segundos. Agregar los huevos; procesar por 30 segundos más.

Engrasar muy bien un molde de panquecitos. Verter la mezcla en los moldecitos.

Cocer en el horno, a baño maría, de 40 a 45 minutos.

Sacar, desmoldar y servir.

Coles de Bruselas con Paprika

6 porciones

675 g.	(*1½ libra*) coles de Bruselas
4	tazas (*1 L*) caldo de pollo
¼	taza mantequilla
¼	taza harina
1	taza leche
1	cucharadita sal
¼	cucharadita pimienta blanca
2	cucharaditas paprika

Lavar y mondar las coles de Bruselas.

Calentar el caldo de pollo. Cocer las coles de Bruselas en 3 tazas de caldo de pollo. Escurrir y mantener calientes.

Calentar la mantequilla en una cacerola. Incorporar la harina. Cocer por 2 minutos.

Incorporar el resto del caldo de pollo y la leche.

Agregar los condimentos. Cocer a fuego lento hasta que espese.

Verter sobre las coles de Bruselas y servir.

Coles de Bruselas con Tocino

Coles de Bruselas con Tocino

4 porciones

450 g.	(*1 libra*) coles de Bruselas
115 g.	(*4 onzas*) tocino
1	cucharada harina
1	taza caldo de pollo
½	taza cebolla, en cubitos finos

Mondar las coles. Escaldar de 10 a 12 minutos en agua hirviendo con sal.

Picar el tocino. Freír hasta que esté blando. Escurrir toda la grasa, conservando 1 cucharada en la sartén.

Espolvorear con la harina y cocer por 2 minutos. Agregar el caldo de pollo, las cebollas y las coles de Bruselas.

Bajar el fuego y cocer a fuego lento hasta que espese.

Servir calientes.

Coles de Bruselas con Manzanas

6 porciones

675 g.	(*1½ libra*) coles de Bruselas
450 g.	(*1 libra*) manzanas, descorazonadas, peladas y rebanadas
2	cucharadas jugo de limón
8	tiras de tocino, picadas
1	cebolla chica, finamente picada
2	tazas crema agria

Cocer las coles de Bruselas hasta que estén tiernas. Remojar las manzanas en jugo de limón para evitar su decoloración.

Saltear el tocino, agregar la cebolla y cocer hasta que esté blanda.

Escurrir la grasa. Escurrir las manzanas, agregar a la cebolla y cocer hasta que estén blandas.

Agregar las coles de Bruselas y la crema agria.

Cocer a fuego lento durante 5 minutos. Servir.

Coliflor con Salsa de Camarones

6 porciones

1	coliflor
1	taza Salsa Mornay (ver *Salsas*)
225 g.	(*½ libra*) camarones pequeños
½	taza crema agria
½	cucharadita sal
¼	cucharadita pimienta
¼	taza almendras, rebanadas a lo largo y tostadas
½	taza pan molido fino
115 g.	(*4 onzas*) queso Cheddar, rallado

Precalentar el horno a 180 °C (*350 °F*).

Separar los brotes de la coliflor. Escaldar durante 4 minutos. Escurrir y enjuagar con agua fría hasta que se enfríen.

Engrasar una cazuela y acomodar los brotes de coliflor. Mezclar la Salsa Mornay, los camarones, la crema agria y los condimentos. Verter sobre la coliflor.

Espolvorear las almendras, y luego el pan molido y el queso.

Hornear durante 20 minutos.

Pastelitos de Elote

8 porciones

3	tazas granos de elote fresco
3	yemas de huevo, batidas
¼	taza harina
¾	cucharadita sal
¼	cucharadita pimienta
½	cucharadita polvo de hornear
3	claras de huevo, batidas a punto de turrón
4	tazas (*1 L*) aceite

Mezclar los granos de elote con las yemas.

Cernir juntos la harina, la sal, la pimienta y el polvo de hornear, y luego cernir otra vez encima del maíz. Mezclar.

En forma envolvente, incorporar las claras a la mezcla.

Calentar el aceite a fuego mediano a aproximadamente 180 °C (*350 °F*).

Dejar caer la pasta en el aceite caliente, 1 cucharada a la vez.

Cocer de un lado. Voltear y cocer del otro lado.

Sacar cuando se hayan dorado.

Coliflor con Salsa de Camarones

Zanahorias con Duraznos

4 porciones

450 g.	(*1 libra*) zanahorias miniatura, congeladas
1½	taza jugo de manzana
3	cucharadas mantequilla
2	cucharadas azúcar morena
3	duraznos, pelados y rebanados

En una cacerola, cocer las zanahorias en el jugo de manzana hasta que estén blandas. Escurrir.

Calentar la mantequilla en una sartén. Agregar el azúcar morena, revolver hasta que el azúcar se derrita.

Saltear las rebanadas de durazno hasta que estén blandas. Agregar las zanahorias.

Revolver sólo hasta que queden glaseadas. Servir.

Zanahorias y Manzanas al Horno

4 porciones

6	zanahorias, en rebanadas delgadas
1	manzana, pelada, descorazonada y rebanada
1	cucharadita cáscara de limón, rallada
½	cucharada mantequilla suavizada
3	cucharadas agua
	sal y pimienta
½	taza queso Cheddar añejo, rallado

Precalentar el horno a 200 °C (*400 °F*).

Combinar las zanahorias y las manzanas con la cáscara de limón en un refractario engrasado de 3 tazas de capacidad.

Salpicar con la mantequilla, con el agua y espolvorear con la sal y la pimienta.

Tapar y hornear de 20 a 25 minutos o hasta que las zanahorias estén blandas.

Destapar, escurrir y espolvorear con el queso.

Servir en cuanto el queso se haya derretido.

Zanahorias con Salsa de Cheddar

6 porciones

450 g.	(*1 libra*) zanahorias, cortadas en tiras delgadas
3	cucharadas mantequilla
3	cucharadas harina
¾	taza caldo de pollo
½	taza crema espesa
1	taza queso Cheddar mediano, rallado
1	cucharadita sal
¼	cucharadita pimienta blanca

Hervir las zanahorias en agua con sal hasta que estén blandas.

Colocar en un tazón y mantener calientes.

Calentar la mantequilla en una cacerola. Incorporar la harina. Cocer por 2 minutos.

Agregar el caldo de pollo y la crema. Cocer a fuego lento durante 8 minutos.

Incorporar el queso y los condimentos; cocer a fuego lento durante 4 minutos más.

Verter la salsa sobre las zanahorias. Servir calientes.

Zanahorias con Anacardos

8 porciones

8	zanahorias medianas, cortadas en tiras delgadas
¾	taza jugo de naranja
¼	taza mantequilla derretida
2	cucharaditas miel de abeja
½	cucharadita sal
¼	cucharadita pimienta blanca
1	cucharada jugo de limón
¼	cucharadita ralladura de cáscara de limón
½	taza anacardos (nueces de la India), picados en forma gruesa

Cocer las zanahorias en el jugo de naranja hasta que estén blandas. Escurrir.

Derretir la mantequilla en una sartén.

Agregar la miel, la sal, la pimienta, el jugo de limón y la cáscara de limón.

Agregar las zanahorias y revolver.

Agregar las nueces y servir.

Zanahorias con Anacardos

Ratatouille

8 porciones

¼	taza aceite de oliva
2	cebollas, en cubitos
2	dientes de ajo, finamente picados
2	berenjenas medianas, en cubitos
3	calabacitas, rebanadas
2	pimientos verdes, rebanados
3	tazas tomates, sin semillas y picados
1	cucharadita albahaca
1	cucharadita perifollo
1	cucharadita sal
2	cucharaditas perejil, picado

Precalentar el horno a 180 °C (*350 °F*).

Calentar el aceite en una cacerola.

Agregar las verduras, los tomates y los condimentos. Mezclar bien.

Colocar en una cazuela. Tapar y hornear de 40 a 45 minutos.

Servir caliente o frío.

1

En una cacerola, saltear las verduras en el aceite.

2

Agregar los tomates y los condimentos. Mezclar bien.

3

Colocar la mezcla en una cazuela y hornear de 40 a 45 minutos.

4

Servir caliente o frío.

Berenjena y Camarones Gratinados

4 porciones

1	berenjena grande, pelada
¼	taza mantequilla
2	tazas camarones pequeños
2	tazas Salsa Mornay (ver *Salsas*)
⅓	taza queso Parmesano, rallado
1	cucharadita sal
¼	cucharadita pimienta
⅓	taza pan molido fino

Precalentar el horno a 180 °C (*350 °F*).

Rebanar la berenjena a lo largo.

Calentar la mantequilla en una sartén.

Saltear la berenjena en la mantequilla. Colocar en una cazuela. Cubrir con los camarones. Verter la salsa.

Espolvorear con el queso, los condimentos y el pan molido. Salpicar con la mantequilla derretida de la sartén.

Hornear durante 30 minutos.

Endivias en Crema de Tomate

Endivias en Crema de Tomate

8 porciones

8	endivias
3	cucharadas mantequilla
3	cucharadas harina
1	taza crema ligera
1	taza tomates, sin semillas y picados
½	cucharadita tomillo
½	cucharadita albahaca
½	cucharadita perifollo
¼	cucharadita pimienta
1	cucharadita sal

Precalentar el horno a 180 °C (*350 °F*).

Escaldar las endivias en agua hirviendo con sal de 4 a 5 minutos.

Colocar en una cazuela.

Calentar la mantequilla en una cacerola.

Agregar la harina y cocer por 2 minutos. Incorporar la crema.

Cocer a fuego lento hasta que espese.

Agregar los tomates y los condimentos. Cocer a fuego lento durante 3 minutos. Verter sobre las endivias.

Hornear, sin tapar, durante 35 minutos. Servir calientes.

Colinabo en Crema Agria

6 porciones

1	colinabo de 675 g. (*1½ libra*)
¼	cucharadita sal
½	cucharadita albahaca
1	taza crema agria

Pelar y cortar el colinabo en cubitos.

Cocer en agua hirviendo con sal hasta que esté blando.

Machacar y hacer un puré.

Incorporar los condimentos y la crema agria.

Servir caliente.

Anillos de Cebolla

6 porciones

2	cebollas grandes
2	tazas harina
2	cucharaditas polvo de hornear
½	cucharadita sal
¼	cucharadita pimienta blanca
1	huevo
½	taza leche
4	tazas (*1 L*) aceite

Rebanar las cebollas para obtener anillos de 1 cm. (*¼ pulg.*) de grueso.

Cernir 1 taza de harina con el polvo de hornear y los condimentos.

Batir el huevo en la leche. Batiendo, incorporar a la harina.

Pasar los anillos por el resto de la harina, después por la mezcla de huevo, leche y harina.

Calentar el aceite a 183 °C (*360 °F*). Cocer los anillos en el aceite hasta que se doren por todos lados.

Sacar y escurrir en papel absorbente. Servir calientes.

Chícharos Gourmet

4 porciones

8	tiras de tocino, picadas
3	cucharadas cebolla, finamente picada
284 g.	(*10 onzas*) chícharos congelados
¼	taza caldo de pollo
¼	taza crema agria
¼	taza queso Parmesano, rallado

Saltear el tocino en una sartén, agregar la cebolla y saltear hasta que esté blanda.

Escurrir el exceso de grasa. Agregar los chícharos y el caldo de pollo.

Cocer a fuego lento hasta que los chícharos estén blandos pero no hechos puré. Escurrir el líquido.

Agregar la crema agria y el queso Parmesano.

Mezclar bien. Servir.

Fritada de Champiñones y Chícharos Mangetout

6 porciones

3	cucharadas aceite
225 g.	(*8 onzas*) chícharos mangetout
225 g.	(*8 onzas*) champiñones, rebanados
115 g.	(*4 onzas*) brotes de bambú
½	cucharadita sal
2	cucharaditas curry en polvo
½	taza caldo de pollo
1	cucharadita maicena
1	cucharada agua

Calentar el aceite en un wok o en una sartén. Agregar los chícharos, los champiñones y los brotes de bambú. Saltear durante 3 minutos.

Agregar la sal y el curry en polvo y cocer por 1 minuto más. Agregar el caldo de pollo.

Mezclar la maicena con el agua.

Agregar a las verduras. Cocer por 1 minuto.

Servir caliente.

1

En un wok o en una sartén, saltear los chícharos, los champiñones y los brotes de bambú en aceite durante 3 minutos. Agregar la sal y el curry en polvo y cocer por 1 minuto más.

2

Agregar el caldo de pollo.

3

Mezclar la maicena con el agua y agregar a las verduras.

4

Cocer por 1 minuto y servir caliente.

Suflé de Jaiba y Espinacas

8 porciones

284 g.	(*10 onzas*) espinacas
4	huevos, separados
2	cucharadas mantequilla
2	cucharadas harina
⅓	taza crema espesa
1	cucharadita sal
¼	cucharadita pimienta
280 g.	(*10 onzas*) carne de jaiba, cocida
⅓	taza queso Parmesano, rallado

Precalentar el horno a 190 °C (*375 °F*).

Cocer las espinacas al vapor y picarlas finamente.

Batir las claras de huevo a punto de turrón.

Calentar la mantequilla en una cacerola. Incorporar la harina. Cocer por 2 minutos.

Agregar la crema, los condimentos, las espinacas y la carne de jaiba.

Retirar del fuego. Incorporar, batiendo, las yemas de huevo y el queso.

En forma envolvente, incoporar las claras de huevo. Verter en un molde para suflé ligeramente engrasado.

Hornear de 30 a 35 minutos.

Chícharos con Yerbabuena

8 porciones

4	tazas chícharos, frescos o congelados
3	cucharadas mantequilla
2	cucharaditas yerbabuena, machacada
½	cucharadita sal
¼	cucharadita pimienta

Cocer los chícharos en agua hirviendo con sal de 3 a 5 minutos (menos tiempo si los chícharos están congelados). Escurrir.

Incorporar la mantequilla, la yerbabuena, la sal y la pimienta.

Servir.

Col Roja con Alcaravea

6 porciones

½	col roja, de tamaño mediano
½	taza agua hirviendo
1	cucharada jugo de limón
1	cucharada mantequilla
2	cucharadas azúcar morena
½	taza jugo de piña
1	cucharada vinagre
1	cucharada maicena
1	cucharadita semillas de alcaravea (carví), machacadas

Rallar la col. Hervir en el agua y el jugo de limón durante 12 minutos. Escurrir. Incorporar la mantequilla.

Disolver el azúcar morena en el jugo de piña y agregar el vinagre. Incorporar la maicena.

Verter sobre la col y cocer hasta que la salsa se espese.

Agregar las semillas de alcaravea, mezclar y servir.

Col Roja con Alcaravea y Chícharos con Yerbabuena

Calabacitas a la Provenzal

6 porciones

3	cucharadas mantequilla
3	calabacitas, cortadas en tiras delgadas
2	dientes de ajo, finamente picados
1	cebolla, rebanada
3	tazas tomates, sin semillas y picados
1	cucharadita sal
¼	cucharadita pimienta
1	cucharadita perifollo
½	cucharadita albahaca
½	taza vino blanco dulce

Calentar la mantequilla en una sartén grande.

Saltear las calabacitas, el ajo y la cebolla hasta que estén blandos.

Agregar los tomates, los condimentos y el vino. Bajar el fuego.

Cocer a fuego lento hasta que el líquido se haya evaporado completamente.

Servir como platillo acompañante o sobre arroz.

Calabacitas a la Provenzal

Calabaza con Canela

8 porciones

1	calabaza
¾	taza azúcar morena
1	cucharadita canela molida
¼	taza mantequilla

Cocer la calabaza entera en un horno a 180 °C (*350 °F*) durante 1¼ hora.

Sacar la pulpa de la calabaza raspándola con un tenedor. Colocarla en una cazuela ligeramente enmantequillada.

Espolvorear con el azúcar y la canela. Salpicar con la mantequilla.

Regresar al horno por 15 minutos más. Servir muy caliente.

Tomates a la Provenzal

Tomates a la Provenzal

	4 porciones
4	tomates
1	cucharada aceite de oliva
2	cucharadas mantequilla
1	diente de ajo, finamente picado
2	cucharadas cebolla, finamente picada
¼	cucharadita sal
¼	cucharadita pimienta
½	cucharadita perifollo
1	cucharada perejil, picado
⅓	taza queso Parmesano, rallado

Rebanar los tomates a la mitad. Sacar las semillas y la pulpa; apartar.

Calentar el aceite en una sartén. Colocar los tomates en el aceite, con la parte cortada hacia abajo.

Cocer hasta que los lados estén caramelizados. Sacar y colocar en una charola de horno.

Agregar la mantequilla en la sartén. Agregar el ajo y la cebolla. Saltear hasta que estén blandos.

Incorporar los condimentos y la pulpa de tomate.

Saltear durante 1 minuto. Rellenar los tomates con la mezcla.

Espolvorear con el queso. Colocar en el horno, bajo la parrilla, hasta que se doren, aproximadamente 2 minutos.

Servir calientes o fríos.

Buñuelitos de Papas con Almendras

6 porciones

4	huevos
¼	taza crema espesa
2	tazas puré de papas
½	receta pasta para petisú (ver *Postres*)
1½	taza almendras, molidas
4	tazas (*1 L*) aceite

Mezclar 1 huevo y la crema con el puré de papas.

Mezclar perfectamente las papas con la pasta para petisú.

Formar bolitas o croquetas.

Batir el resto de los huevos. Pasar las bolitas por los huevos. Pasar por las almendras.

Calentar el aceite a 180 °C (*350 °F*).

Freír las bolitas hasta que se doren. Servir calientes.

Papas Parisienses

Papas Parisienses

6 porciones

6	papas medianas
3	cucharadas mantequilla
½	taza salsa demi-glace (ver *Salsas*)
¼	cucharadita tomillo
¼	cucharadita perifollo
1	cucharada perejil, picado
1	pizca pimienta

Pelar las papas. Sacar pequeñas bolitas con la cuchara especial para melón.

Medio cocer en agua hirviendo con sal, durante 5 minutos. Escurrir.

Calentar la mantequilla en una sartén.

Agregar las papas y dorar.

Cubrir con la salsa demi-glace y agregar los condimentos.

Cocer a fuego lento durante 5 minutos antes de servir.

Cazuela de Papas y Brócoli

6 porciones

675 g.	(1½ libra) papas
¼	taza mantequilla
3	cucharadas harina
2½	tazas leche
½	cucharadita sal
¼	cucharadita pimienta
450 g.	(1 libra) brócoli
½	taza queso Parmesano, rallado

Precalentar el horno a 180 °C (*350 °F*).

Lavar y pelar las papas. Cortar en rebanadas muy delgadas.

Calentar la mantequilla en una cacerola. Espolvorear con harina, cocer por 2 minutos.

Agregar la leche y los condimentos. Cocer a fuego lento hasta que hierva. Retirar del fuego.

En una cazuela grande y engrasada, colocar capas de papas, alternando con la salsa y pedazos de brócoli.

Terminar con una capa de salsa. Espolvorear el queso Parmesano.

Tapar y hornear durante 15 minutos. Destapar y continuar cociendo por 5 minutos más.

Sacar del horno. Dejar que se enfríe 5 minutos. Servir.

Cazuela de Papas y Brócoli

Papas con Chícharos a la Crema

4 porciones

4	papas grandes
1½	taza crema espesa
1	taza chícharos, frescos o congelados
1	cucharadita sal
¼	cucharadita pimienta

Pelar y rebanar las papas. Hervir las papas hasta que estén medio cocidas, durante 10 minutos.

Calentar la crema hasta que suelte el hervor.

Colocar las papas en una cacerola. Agregar los chícharos y los condimentos.

Verter la crema y cocer a fuego lento hasta que la crema quede reducida a la mitad.

Las papas deberán espesar la crema.

Papas Chantilly

6 porciones

1	taza crema espesa
1	taza queso Havarti, rallado
2	cucharaditas sal
4	tazas puré de papas, caliente

Precalentar el horno a 200 °C (*400 °F*).

Batir la crema hasta que espese. En forma envolvente, incorporar el queso y la sal.

Colocar el puré de papas en una cazuela.

Extender la crema sobre las papas.

Hornear, sin tapar, de 15 a 20 minutos, o hasta que se doren.

Papas Maître d'Hôtel

4 porciones

6	papas medianas
2	tazas leche
½	cucharadita sal
¼	cucharadita pimienta blanca
2	cucharadas perejil, picado
1	cucharadita albahaca

Medio cocer las papas en agua hirviendo con sal, durante 10 minutos. Escurrir.

Pelar y cortar las papas en rebanadas de 1 cm. (*¼ pulg.*) de grueso. Colocar en una cacerola grande.

Calentar la leche hasta que hierva. Verter sobre las papas.

Cocer a fuego lento hasta que la salsa se espese.

Espolvorear los condimentos.

Colocar en un tazón. Servir inmediatamente.

Papas Chantilly y Papas Maître d'Hôtel

Papas en Vino y Crema

4 porciones

450 g.	(*1 libra*) papas, peladas y en rebanadas delgadas
2	cucharadas mantequilla
1	cebolla, finamente picada
½	taza caldo de pollo
½	taza crema espesa
½	taza vino blanco
1	cucharadita sal
½	cucharadita pimienta

Precalentar el horno a 190 °C (*375 °F*).

Colocar las papas en una cazuela engrasada.

Derretir la mantequilla y saltear la cebolla hasta que esté blanda. Con una cuchara, colocar la cebolla sobre las papas.

Mezclar el caldo de pollo, la crema, el vino, la sal y la pimienta. Verter sobre las papas.

Hornear de 35 a 40 minutos. Servir.

Papas Mojo

6 porciones

6	papas grandes
½	cucharadita tomillo
½	cucharadita albahaca
½	cucharadita orégano
1	cucharadita sal
½	cucharadita pimienta
1½	cucharadita paprika
¼	cucharadita pimienta de Cayena
½	cucharadita chile en polvo
1½	taza harina
1	huevo
⅓	taza leche
¼	taza aceite

Precalentar el horno a 230 °C (*450 °F*).

Lavar y cepillar las papas. Cortar las papas en rebanadas triangulares.

Mezclar los condimentos con la harina. Mezclar el huevo con la leche.

Pasar las papas por la leche. Espolvorear con la harina condimentada. Colocar en una charola de horno. Rociar con el aceite.

Hornear de 20 a 25 minutos, hasta que estén doradas y blandas. Servir calientes.

Papas Suflé

8 porciones

8	papas
8	tazas (*2 L*) aceite

Poner 4 tazas (*1 L*) de aceite en una olla. Calentar a 160 °C (*325 °F*).

Poner el resto del aceite en otra olla y calentar a 190 °C (*375 °F*).

Pelar las papas. Cortar en rebanadas de 0,3 cm. (*⅛ pulg.*) de grueso. Lavar y secar las rebanadas.

Freír unas cuantas papas en el aceite menos caliente hasta que floten en la superficie.

Sumergirlas de inmediato en el aceite más caliente. Esto hará que las papas se inflen.

Freír las papas hasta que se doren. Escurrir y condimentar al gusto. Servir calientes.

Papas Mojo

Croquetas de Papas

6 porciones

450 g.	(*1 libra*) papas
2	cucharadas mantequilla
4	huevos
¼	taza crema espesa, calentada
1	taza harina
½	cucharadita sal
½	cucharadita pimienta
½	cucharadita paprika
½	cucharadita tomillo
½	cucharadita chile en polvo
2	tazas pan molido fino
4	tazas (*1 L*) aceite

Pelar y hervir las papas. Hacer puré y pasar a través de un cedazo o procesar en un procesador de alimentos hasta que queden sin grumos.

Agregar la mantequilla, 1 yema de huevo y la crema; mezclar hasta que quede muy suave.

Dividir en círculos. Enfriar. Dar forma de puros.

Mezclar la harina con los condimentos. Batir el resto de los huevos.

Pasar las papas por la harina, pasar por los huevos y luego por el pan molido.

Calentar el aceite. Freír las croquetas hasta que se doren.

1

Agregar la mantequilla, 1 yema de huevo y la crema al puré de papas y mezclar hasta que quede muy suave.

2

Dividir en círculos y enfriar.

3

Dar forma de puros.

4

Freír las croquetas empanizadas en el aceite caliente hasta que se doren.

Pancakes de Papas y Cebollines

8 porciones

Pancakes

2	huevos
3	papas medianas, peladas y ralladas
2	cucharadas harina
⅓	taza cebollines, finamente picados
¼	cucharadita pimienta
½	cucharadita sal
	aceite para freír

Salsa

2	tazas crema agria
1	taza tocino, cocido y desmoronado
½	taza cebollines, finamente picados

En un tazón, mezclar los huevos, las papas y la harina.

Agregar los cebollines y los condimentos. Mezclar bien.

Calentar un poco de aceite en una sartén grande. Dejar caer la mezcla en el aceite caliente a cucharadas.

Freír cada lado hasta que se dore y quede crujiente. Servir con la salsa.

Para preparar la salsa, mezclar todos los ingredientes muy bien.

Pancakes de Papas y Cebollines

Nidos de Papas

6 porciones

8	papas medianas
4	tazas (*1 L*) aceite

Pelar y rallar las papas. Colocar un poco de las papas en un cedazo pequeño o canastita.

Meter otro cedazo o canasta en el primero, forzando a que se forme un hueco en el centro de las papas, como un nido.

Calentar el aceite a 190 °C (*375 °F*).

Sumergir los dos cedazos en el aceite y freír las papas hasta que se doren.

Quitar el cedazo más pequeño. Dar vuelta al otro cedazo para que salga el nido cocido.

Rellenar con un aderezo de su gusto para acompañar el platillo principal.

Papas Gratinadas

6 porciones

675 g.	(1½ libra) papas crudas
2	cucharadas harina
3	cucharadas mantequilla
½	cucharadita sal
¼	cucharadita pimienta
1	taza leche
1	taza crema espesa
½	taza queso Parmesano, rallado

Precalentar el horno a 190 °C (*375 °F*).

Pelar y cortar las papas en rebanadas muy delgadas.

Acomodar en una cazuela. Espolvorear la harina sobre las papas. Salpicar con la mantequilla.

Espolvorear con los condimentos. Verter la leche y la crema sobre las papas. Esparcir el queso.

Hornear durante 40 minutos o hasta que las papas queden blandas.

Papas con Mejorana

6 porciones

6	papas grandes, peladas y en cubitos
1½	taza salsa demi-glace (ver *Salsas*)
1	cucharada mejorana, picada

Hervir las papas hasta que estén medio cocidas.

En una sartén, calentar la salsa demi-glace. Agregar las papas y la mejorana.

Cocer a fuego lento hasta que la mayor parte del líquido se haya evaporado. Servir inmediatamente.

Papas Lyonnaise

4 porciones

4	papas grandes
3	cucharadas mantequilla
1	cebolla grande, rebanada
1	cucharadita sal
½	cucharadita pimienta

Pelar y cortar las papas en cubitos. Hervir las papas durante 10 minutos hasta medio cocerlas.

Calentar la mantequilla en una sartén grande. Dorar tanto la cebolla como las papas en la mantequilla.

Condimentar con la sal y la pimienta. Servir calientes.

Croquetas de Camote y Malvaviscos

8 porciones

8	camotes medianos
3	huevos
½	taza crema ligera
2	cucharadas mantequilla
3	cucharadas azúcar morena
¼	cucharadita canela
16-20	malvaviscos grandes
2	tazas pan molido fino
4	tazas (*1 L*) aceite

Pelar, picar y hervir los camotes hasta que tengan la consistencia de un puré blando.

Incorporarles 1 huevo, ¼ de taza de la crema, la mantequilla, el azúcar y la canela. Enfriar.

Cubrir los malvaviscos con una capa de mezcla de camotes.

Mezclar los huevos con el resto de la crema. Pasar las croquetas por la crema, y después por el pan molido.

Calentar el aceite a 190 °C (*375 °F*).

Freír las croquetas hasta que se doren. Servir calientes.

Delicias de Timoteo

Delicias de Timoteo

	6 porciones
6	papas cocidas, frías
	aceite vegetal
	sal condimentada
¾	taza queso Cheddar mediano, rallado
¾	taza queso Havarti, rallado
4	tiras de tocino, cocidas y desmoronadas
½	taza crema agria

Cortar las papas en rebanadas triangulares y freír poco a poco en 2 cm. (¾ *pulg.*) de aceite caliente, hasta que se doren.

Colocar las papas en una charola de horno, espolvorear ligeramente con la sal condimentada, los quesos rallados y el tocino desmoronado.

Colocar en el horno, bajo la parrilla, hasta que el queso se derrita.

Servir calientes con la crema agria a un lado.

Papas y Tomates al Horno

8 porciones

115 g.	(*¼ libra*) tocino
2	dientes de ajo, finamente picados
1	cebolla, en cubitos
2	tallos de apio, en cubitos
1	pimiento verde, en cubitos
90 g.	(*3 onzas*) champiñones, rebanados
675 g.	(*1½ libra*) tomates, sin semillas y picados
1	cucharadita orégano
1	cucharadita tomillo
1	cucharadita albahaca
1	cucharadita sal
½	cucharadita pimienta
675 g.	(*1½ libra*) papas, peladas y rebanadas
225 g.	(*½ libra*) calabacitas, rebanadas
2	tazas queso Havarti, rallado

Precalentar el horno a 180 °C (*350 °F*).

Picar el tocino y saltear en una sartén grande, con el ajo, la cebolla, el apio, el pimiento verde y los champiñones. Escurrir el exceso de grasa.

Agregar los tomates y los condimentos. Cocer a fuego lento durante 10 minutos. En una cazuela grande y engrasada, alternar capas de papas, salsa y calabacitas, terminando con una capa de salsa.

Tapar y hornear durante 1 hora.

Destapar, espolvorear el queso y hornear durante 10 minutos más.

Papas Ana

6 porciones

8	papas, peladas
¼	cucharadita sal
¼	cucharadita pimienta
⅔	taza mantequilla derretida

Precalentar el horno a 200 °C (*400 °F*).

Cortar las papas en rebanadas de 0,5 cm. (*¼ pulg.*) de grueso. Enjuagar en agua fría.

Acomodar las papas por capas en un refractario redondo. Condimentar.

Verter la mantequilla derretida sobre las papas.

Hornear durante 30 minutos.

Desmoldar en un platón redondo. Servir calientes.

Puré de Papas Dorado

8 porciones

8	papas medianas
1	cucharada cebolla, finamente picada
2	cucharadas mantequilla
⅓	taza crema espesa
⅓	taza vino blanco
1½	taza queso Cheddar añejo, rallado
	sal y pimienta

Pelar y partir las papas en cuatro. Cocer en agua hirviendo con sal hasta que estén blandas; escurrir y hacer puré.

Saltear la cebolla en la mantequilla a fuego mediano hasta que esté blanda.

Incorporar al puré de papas con la crema y el vino; batir hasta que esponje.

Incorporar el queso, condimentar al gusto y servir inmediatamente.

Papas al Horno con Hierbas de Olor

8 porciones

8	papas cocidas al horno, calientes
3	cucharadas mantequilla
3	cucharadas crema agria
½	cucharadita hojas secas de tomillo
¼	cucharadita perifollo seco
1	cucharadita cebollines, picados
	sal y pimienta
1	taza queso suizo, rallado
½	cucharadita paprika

Precalentar el horno a 230 °C (*450 °F*).

Cortar la parte superior de las papas y sacar el centro con una cuchara; hacer puré.

Incorporar la mantequilla, la crema agria, la hierbas de olor y los condimentos al puré de papas.

Rellenar las papas, espolvorear con el queso y la paprika y hornear hasta que se calienten completamente y que el queso se derrita.

Papas al Horno con Queso Azul

6 porciones

6	papas cocidas al horno, calientes
¾	taza queso Azul, desmoronado
¼	taza leche
2	cucharadas mantequilla

Precalentar el horno a 230 °C (*450 °F*).

Cortar la parte superior de las papas y sacar el centro con una cuchara; hacer puré.

Incorporar el queso Azul, la leche y la mantequilla al puré de papas.

Rellenar las papas y hornear hasta que se calienten completamente y se doren.

Papas al Horno con Queso Azul

Pepinos en Escabeche

12 tazas (3 L)

1 kg.	(2¼ libras) pepinos
3	cucharadas sal
4	tazas (1 L) vinagre
3	tazas azúcar
2	cucharaditas semillas de apio
2	cucharaditas semillas de mostaza
1	cucharadita macis
1	cucharadita jengibre
1	cucharadita cúrcuma

Rebanar los pepinos. Espolvorear con la sal. Marinar durante 1 hora.

Escurrir muy bien a través de una estopilla.

Hervir juntos el vinagre, el azúcar y los condimentos durante 10 minutos.

Envasar los pepinos rebanados en frascos esterilizados. Verter la salmuera. Sellar.

Colocar en agua a 77 °C (170 °F) durante 15 minutos.

Pepinillos Escabechados

16 tazas (4 L)

40	pepinillos
7	tazas (1,7 L) agua
2	tazas vinagre
½	taza sal no yodada
6	ramitas de eneldo
12	dientes de ajo
6	cucharadas especias para escabeche
6	cebollas, en rebanadas gruesas

Lavar y cepillar los pepinillos con cuidado. Quitar el tallito del pepinillo.

Mezclar el agua, el vinagre y la sal en una olla grande. Hervir.

Colocar 1 ramita de eneldo, 2 dientes de ajo, 1 cucharada de especias para escabeche, 1 rebanada de cebolla en cada uno de los frascos.

Envasar los pepinillos. Cubrir con salmuera caliente, llenando los frascos hasta 1,2 cm. (½ pulg.) del borde. Sellar.

Sumergir los frascos en agua hirviendo durante 10 minutos.

Betabeles en Escabeche

12 tazas (3 L)

2,2 kg.	(5 libras) betabeles
2	cucharadas especias para escabeche
2	cucharaditas mostaza en polvo
2½	tazas vinagre
½	taza jugo de limón
2	cucharadas sal
1	taza azúcar
8	rebanadas gruesas de cebolla

Cocer los betabeles en agua hirviendo hasta que estén blandos. Pelarlos.

Mezclar las especias para escabeche, la mostaza, el vinagre, el jugo de limón, la sal y el azúcar. Hervir durante 5 minutos.

Retirar del fuego y dejar que se enfríe. Rebanar los betabeles.

Colocar 1 rebanada de cebolla en cada uno de los frascos esterilizados. Envasar los betabeles.

Verter la salmuera, llenando los frascos hasta 1,2 cm. (½ pulg.) del borde. Sellar.

Dejar reposar durante 30 días antes de usar.

Champiñones en Escabeche

12 tazas (3 L)

1 kg.	(2¼ *libras*) champiñones enteros, muy pequeños
2	cebollas, en cubitos
3	tazas vinagre
3	dientes de ajo, finamente picados
1	cucharada sal
2	cucharadas orégano

Esterilizar los frascos.

Lavar, pelar y quitar los tallos a los champiñones. Colocar en los frascos.

Colocar algunos cubitos de cebolla en cada frasco.

Hervir el vinagre, el ajo, la sal y el orégano juntos durante 5 minutos.

Verter sobre los champiñones, llenando los frascos hasta 1,2 cm. (½ *pulg.*) del borde. Sellar.

Dejar reposar durante 30 días antes de usar.

Betabeles en Escabeche, Champiñones en Escabeche (y verduras escabechadas)

Salsa Catsup

4 tazas (1 L)

1,4 kg.	(*3 libras*) tomates
½	cucharadita jengibre
½	cucharadita pimienta de Jamaica
½	cucharadita macis
½	cucharadita canela
½	cucharadita clavo, molido
1	cucharadita pimienta
¼	cucharadita pimienta de Cayena
1	cucharada sal
1	taza vinagre
⅔	taza azúcar morena

Lavar, picar y cocer los tomates durante 10 minutos. Pasar a través de un cedazo.

Disolver los condimentos en el vinagre.

Agregar a los tomates. Incorporar el azúcar. Hervir; bajar el fuego.

Cocer a fuego lento de 1 a 1½ hora, hasta que la mezcla esté muy espesa.

Verter en frascos calientes y esterilizados. Sellar.

Colocar los frascos en agua a 77 °C (*170 °F*) durante 30 minutos.

Salsa de Tomate Picante

12 tazas (3 L)

8	tazas tomates, pelados y picados
1	taza cebollas, finamente picadas
1½	taza pimientos verdes, finamente picados
2	dientes de ajo, finamente picados
1	cucharadita mostaza en polvo
¼	taza sal
¼	cucharadita clavo, molido
½	cucharadita pimienta de Jamaica
1	cucharadita albahaca
1	cucharadita canela
1	taza vinagre
1	taza azúcar morena

En una cacerola grande, combinar los tomates, las cebollas, los pimientos verdes y el ajo.

Disolver los condimentos en el vinagre. Agregar a los tomates. Incorporar el azúcar.

Hervir; reducir el fuego. Cocer a fuego lento hasta que espese.

Verter en frascos esterilizados. Sellar.

Colocar los frascos en agua a 77 °C (*170 °F*) durante 30 minutos.

Picadillo de Pepinos en Escabeche Dulce

6 tazas (1,5 L)

2	pepinos grandes, finamente picados
2	cebollas, finamente picadas
2	cucharadas sal
2	manzanas, peladas, descorazonadas y en cubitos
1	cucharadita semillas de mostaza
1	cucharadita semillas de apio
1	taza azúcar
2	tazas vinagre

Mezclar los pepinos y las cebollas en un tazón. Espolvorear con la sal.

Marinar durante 2 horas. Escurrir bien.

Incorporar las manzanas.

En una cacerola, disolver los condimentos y el azúcar en el vinagre. Hervir; bajar el fuego.

Cocer a fuego lento durante 3 minutos.

Envasar la mezcla de pepinos en frascos esterilizados. Verter el vinagre. Sellar.

Colocar durante 15 minutos en agua a 82 °C (*180 °F*).

Dejar reposar durante 4 semanas antes de usar.

Manzanas Silvestres con Especias

16 tazas (4 L)

2,2 kg.	(*5 libras*) manzanas silvestres
5	tazas (*1,2 L*) azúcar
3	tazas vinagre
2	tazas agua
1	cucharadita sal
¾	cucharadita pimienta de Jamaica
¾	cucharadita clavos, enteros
¼	cucharadita jengibre
¼	cucharadita macis
1	cucharada canela
5	gotas colorante vegetal rojo

Lavar las manzanas. Quitar los tallitos. Perforar el centro de las manzanas con una brocheta de madera.

Mezclar el azúcar, el vinagre, el agua y los condimentos en una cacerola.

Cocer las manzanas, por pequeñas cantidades a la vez, durante 7 minutos. Colocar en frascos esterilizados.

Agregar el colorante vegetal al jarabe. Verter sobre las manzanas. Sellar.

Colocar durante 20 minutos en agua a 77 °C (*170 °F*).

Mantequilla de Manzana

Mantequilla de Manzana

4 tazas (1 L)

4	tazas (*1 L*) jugo de manzana
4	tazas manzanas, peladas, descorazonadas y en cubitos
¾	taza azúcar
½	cucharadita canela, molida
¼	cucharadita clavo, molido
¼	cucharadita jengibre, molido

Calentar el jugo de manzana en una olla. Dejar que reduzca a 2 tazas.

Agregar las manzanas. Hervir; bajar el fuego y cocer a fuego lento durante 30 minutos o hasta que las manzanas estén muy blandas.

Pasar a través de un cedazo o procesar en un procesador de alimentos hasta que la mezcla esté suave.

Colocar en una cacerola con el resto de los ingredientes. Calentar hasta que hierva. Bajar el fuego; cocer a fuego lento durante 1 hora, o hasta que espese.

Envasar en frascos esterilizados. Sellar.

Pastas

Las pastas no sólo se reducen a spaghetti con salsa de tomate. Es más, las pastas aparecieron mucho antes que el tomate, ya que los europeos no lo descubrieron sino hasta el siglo XVI, durante una de sus incursiones a Sudamérica. La leyenda dice que Marco Polo trajo las pastas de Oriente, pero es casi seguro que éstas fueron introducidas mucho antes.

Usted encontrará una amplia selección de recetas de pasta en este capítulo, pero pocas llevan tomates. Las pastas pueden combinar con casi todo : carne, mariscos, verduras y un sinnúmero de quesos. Espero que usted experimente y encuentre nuevos platillos que se conviertan en sus favoritos.

Una vez que se acostumbre a preparar diferentes platillos de pasta, se dará cuenta que puede improvisar con los ingredientes que tenga a la mano e inventar nuevas recetas.

Quizá también quiera tratar de hacer sus propias pastas. He incluído una receta para preparar la masa básica. En cuanto la sepa preparar, la podrá variar agregando hierbas frescas, espinacas o puré de tomate para hacer pastas de color.

Cuando haya usted extendido su masa casera, puede cortarla dándole la forma que guste. Es fácil hacer su propia pasta para lasaña o fettuccine y hasta puede hacer sus propios ravioles.

Desde luego que también puede comprar muy buenas pastas con formas y nombres exóticos. No tenga miedo de experimentar.

Fettuccine Primavera

Fettuccine Primavera

8 porciones

115 g.	(¼ *libra*) brotes de brócoli
115 g.	(¼ *libra*) brotes de coliflor
¼	taza mantequilla
1	cebolla chica, en cubitos finos
1	zanahoria chica, en cubitos finos
90 g.	(*3 onzas*) champiñones, rebanados
¼	taza harina
3	tazas crema ligera
2	cucharadas pimiento morrón enlatado, en cubitos finos
½	taza queso Parmesano, rallado
1	cucharadita pimienta negra, triturada
450 g.	(*1 libra*) fettuccine

Escaldar el brócoli y la coliflor en agua hirviendo. Escurrir y apartar.

Calentar la mantequilla en una cacerola; saltear la cebolla, la zanahoria y los champiñones hasta que estén blandos.

Agregar la harina y revolver. Cocer por 2 minutos. Agregar la crema, el brócoli y la coliflor.

Bajar el fuego. Cocer a fuego lento durante 15 minutos.

Agregar el pimiento morrón, el queso Parmesano y la pimienta.

Cocer el fettuccine «al dente» en una olla de agua hirviendo, con sal. Escurrir.

Colocar el fettuccine en un platón grande. Verterle la salsa y servir.

Masa Básica para Pastas

8 porciones

4	tazas harina
½	cucharadita sal
4	huevos
⅓	taza agua fría

Cernir la harina y la sal juntas. Colocar en el tazón de la batidora. Mezclar a baja velocidad.

Agregar un huevo a la vez. Mezclar un poco después de cada adición.

Lentamente agregar el agua hasta que se forme una masa firme. Amasar 10 minutos. Dividir en 3.

Envolver la masa en un lienzo húmedo y dejar reposar por lo menos 30 minutos.*

Para extender, usar una superficie ligeramente espolvoreada con harina y un rodillo.

Extender la masa en dirección contraria a usted, girando la masa un cuarto de vuelta a la vez y volviendo a extender.

Repetir la operación hasta que la masa tenga 0,3 cm. (*⅛ pulg.*) de espesor.

La masa está lista para cortar o rellenar de acuerdo con la receta que está utilizando.

* La masa puede ser congelada en este momento. Descongelar la masa en el refrigerador durante la noche, después sacar del refrigerador y dejar a temperatura ambiente durante 1 hora antes de usar.

Pasta con Tomates Rellenos de Queso

6 porciones

225 g.	(*½ libra*) pasta de canutillos
6	tomates
1	cucharadita albahaca
½	cucharadita perifollo
½	cucharadita orégano
¼	cucharadita pimienta
½	cucharadita sal
115 g.	(*¼ libra*) queso Mozzarella, rallado
115 g.	(*¼ libra*) queso Cheddar, rallado
½	taza queso Parmesano, rallado
90 g.	(*3 onzas*) mantequilla

Precalentar el horno a 180 °C (*350 °F*).

Cocer la paste «al dente» en una olla de agua hirviendo, con sal. Escurrir.

Sumergir los tomates en agua hirviendo durante 1 minuto. Sacar y pelar los tomates. Cortarles la parte superior.

Con cuidado sacar la pulpa y conservar para otro platillo. Espolvorear los tomates por dentro con los condimentos y rellenar con el queso Mozzarella y el queso Cheddar.

Hornear hasta que los tomates estén blandos y que el queso se derrita.

Colocar la pasta en un platón refractario, engrasado.

Colocar encima los tomates. Espolvorear con el queso Parmesano y salpicar con la mantequilla.

Regresar al horno por 5 minutos. Servir.

Ragú para Pastas

8 tazas (2 L)

225 g.	(*½ libra*) carne de res, molida
225 g.	(*½ libra*) carne de ternera, molida
115 g.	(*¼ libra*) tocino, molido
1	cebolla, finamente picada
1	zanahoria, finamente picada
115 g.	(*4 onzas*) champiñones, rebanados
1	diente de ajo, finamente picado
1	ramillete de hierbas
1	cucharadita sal
4	tazas (*1 L*) tomates hechos puré
1½	taza agua

Dorar la carne de res, la ternera y el tocino juntos.

Agregar las verduras y saltear hasta que estén blandas.

Agregar el ajo, el ramillete de hierbas, la sal, el puré de tomate y el agua.

Bajar el fuego y cocer a fuego lento durante 2 horas, quitando cualquier grasa que suba a la superficie.

Servir sobre alguna pasta de su gusto.

Pasta con Tomates Rellenos de Queso

Fettuccine a Mi Manera

8 porciones

450 g.	(*1 libra*) fettuccine
450 g.	(*1 libra*) camarones gigantes, partidos por la mitad
2	cebollas chicas, en cubitos
½	taza champiñones, rebanados
1	pimiento verde, en cubitos
¼	taza aceite de oliva
¼	taza tomates, sin semillas y picados
2	cucharadas aceitunas negras, rebanadas
1	taza crema espesa
½	taza queso Parmesano, rallado
2	cucharaditas pimienta negra

En una olla grande, cocer el fettuccine «al dente» en agua hirviendo, con sal.

Saltear los camarones, las cebollas, los champiñones y el pimiento verde en el aceite hasta que estén blandos. Agregar los tomates y las aceitunas y revolver para calentar.

Incorporar la crema, el queso y la pimienta. Cocer a fuego lento hasta que espese.

Revolver el fettuccine con la salsa y servir inmediatamente.

Fettuccine Niágara

Fettuccine Niágara

8 porciones

450 g.	(*1 libra*) fettuccine
3	cucharadas mantequilla
1	taza manzanas, en cubitos
3	cucharadas harina
2	tazas crema espesa
¼	taza vino blanco (*muy dulce*)
1	taza camarones pequeños
1	taza duraznos o chabacanos, en cubitos

Cocer el fettuccine «al dente» en una olla grande de agua hirviendo, con sal.

En una cacerola, calentar la mantequilla. Saltear las manzanas hasta que estén blandas.

Agregar la harina y revolver para formar una pasta (roux). Agregar la crema y el vino. Cocer a fuego lento durante 5 minutos. Agregar los camarones y los duraznos.

Verter sobre el fettuccine. Servir inmediatamente.

Fettuccine con Callos de Hacha al Jerez

8 porciones

450 g.	(*1 libra*) fettuccine
450 g.	(*1 libra*) callos de hacha, pequeños
1	cebolla, finamente picada
1	taza champiñones, rebanados
½	taza mantequilla
2	tazas Salsa Béchamel (ver *Salsas*)
½	taza jerez
1	yema de huevo, batida
½	taza perejil fresco, picado

Cocer el fettuccine «al dente» en una olla grande de agua hirviendo, con sal.

Saltear los callos de hacha, la cebolla y los champiñones en la mantequilla.

Agregar la Salsa Béchamel y el jerez. Incorporar, batiendo, la yema de huevo y cocer a fuego lento por 5 minutos.

Colocar el fettuccine en los platos y cubrir con la salsa. Adornar con el perejil.

Fettuccine con Callos de Hacha al Jerez

Fettuccine con Pollo Ahumado

8 porciones

1	cebolla chica, finamente picada
225 g.	(*½ libra*) pollo ahumado, deshuesado y en cubitos
3	cucharadas aceite de oliva
1½	taza tomates, sin semillas y hechos puré
250 g.	(*8 onzas*) queso crema
1	pizca albahaca dulce
450 g.	(*1 libra*) fettuccine cocido

Saltear la cebolla y el pollo en el aceite, agregar los tomates y cocer a fuego lento hasta que la mayor parte del líquido se haya evaporado.

Incorporar el queso crema y la albahaca.

Verter la salsa sobre el fettuccine y servir.

Canelones

8 porciones

½	receta de masa básica para pastas
¾	taza queso Parmesano, rallado
1	taza queso Ricotta
½	taza queso Mozzarella, rallado
½	taza queso Cheddar blanco, rallado
225 g.	(*8 onzas*) mantequilla
1	cucharada perejil, picado
1	cucharadita albahaca
1	cucharadita tomillo
1	cucharadita orégano
1	cucharadita sal
2	huevos
½	taza pan molido
⅓	taza harina
2	tazas crema espesa
2	tazas caldo de pollo (ver *Sopas*)

Precalentar el horno a 180 °C (*350 °F*).

Extender la masa como se explica en la receta de masa básica para pastas. Cortar en rectángulos de 10 x 15 cm. (*4 x 6 pulg.*).

Cocer en agua hirviendo durante 1 minuto. Sacar y colocar en un lienzo.

Mezclar bien todos los quesos, la mitad de la mantequilla, los condimentos, los huevos y el pan molido.

Colocar el relleno uniformemente sobre los rectángulos de pasta. Enrollar y sellar los bordes.

Colocar en una cazuela grande, engrasada.

Derretir el resto de la mantequilla en una cacerola. Añadir la harina y mezclar. Cocer 2 minutos, sin dorar.

Agregar la crema y el caldo. Cocer a fuego lento hasta que la salsa se espese.

Verter la salsa sobre la pasta y hornear durante 30 minutos o hasta que se dore.

Fusilli con Queso y Tomates

8 porciones

¼	taza aceite de oliva
340 g.	(*¾ libra*) tomates, sin semillas y picados
2	cucharaditas orégano
1	cucharadita perifollo
1	cucharadita tomillo
1	cucharadita sal
¼	cucharadita pimienta
450 g.	(*1 libra*) pasta de espirales
¼	taza queso Romano, rallado
225 g.	(*½ libra*) queso Mozzarella, rallado

Calentar el aceite, añadir los tomates y cocer, machacando hasta hacer un puré con los condimentos.

Cocer la pasta «al dente» en una olla de agua hirviendo, con sal. Escurrir.

Mezclar la pasta caliente con la salsa caliente. Incorporar los quesos y servir.

Ñoquis

6 porciones

3	papas medianas, hechas puré y calientes
1	taza harina
1	huevo
1	cucharadita sal
¼	cucharadita pimienta

Colocar el puré de papas en un tazón. Incorporar la harina poco a poco.

Agregar el huevo, la sal y la pimienta. Batir hasta obtener une consistencia lisa.

Amasar en una bola blanda y suave.

Si la masa está pegajosa, agregar un poco más de harina. Extender la masa con el rodillo y formar un rectángulo oblongo. Cortar en cuadros de 2 cm. (*¾ pulg.*). Con un tenedor espolvoreado con harina, presionar cada pieza firmemente.

Cocer inmediatamente o congelar, si se desea.

Para cocer, hervir agua con un poco de sal. Dejar caer los ñoquis unos cuantos a la vez.

Cocer durante 5 minutos, sacar y servir con la salsa de su gusto, como Salsa Alfredo, Salsa Mornay, Salsa de Tomate o Salsa Boloñesa.

Fusilli con Prosciutto y Salsa de Mostaza

Fusilli con Prosciutto y Salsa de Mostaza

8 porciones

450 g.	(*1 libra*) pasta de espirales
¼	taza aceite de oliva
2	tazas tomates hechos puré
1½	cucharadita mostaza en polvo
1	taza crema ligera
450 g.	(*1 libra*) prosciutto
½	taza queso Parmesano, rallado

Cocer la pasta «al dente» en una olla de agua hirviendo, con sal.

Calentar el aceite en una cacerola. Agregar los tomates y la mostaza; cocer a fuego lento hasta que la mezcla quede muy espesa.

Agregar la crema y el prosciutto picado. Cocer a fuego lento durante 8 minutos.

Verter sobre la pasta. Espolvorear con el queso Parmesano y servir.

Lasaña de Mariscos Enrollada

8 porciones

450 g.	(*1 libra*) tallarines de lasaña
1	taza camarones pequeños
1	taza salmón, cocido y desmenuzado
¾	taza queso Parmesano, rallado
2	huevos
1	taza queso Ricotta
½	taza pan molido
⅓	taza mantequilla
⅓	taza harina
1	taza crema ligera
1	taza caldo de pollo (ver *Sopas*)
1	taza queso Romano, rallado

Precalentar el horno a 180 °C (*350 °F*).

Cocer los tallarines «al dente» en una olla grande. Enjuagar con agua fría y escurrir.

Mezclar los camarones, el salmón, el queso Parmesano, los huevos, el queso Ricotta y el pan molido.

En los tallarines extendidos, poner el relleno, cubriendo toda la superficie. Enrollar los tallarines y colocar en una cazuela engrasada.

Calentar la mantequilla en una cacerola. Agregar la harina y revolver hasta formar una pasta (roux). No dejar que se dore. Cocer por 2 minutos.

Agregar la crema y el caldo de pollo. Cocer a fuego lento hasta que espese. Verter sobre los tallarines. Espolvorear el queso Romano.

Hornear durante 30 minutos o hasta que se dore.

Lasaña Verde con Queso

6 porciones

450 g.	(*1 libra*) tallarines de lasaña, verdes
¼	taza mantequilla
340 g.	(*¾ libra*) queso Ricotta
4	huevos
½	taza pan molido
225 g.	(*½ libra*) queso Mozzarella, rallado
225 g.	(*½ libra*) queso Cheddar mediano, rallado
1	cucharadita perifollo
1	cucharadita albahaca
1	cucharadita sal
2	tazas salsa de tomate (ver *Salsas*)
1	taza salsa de tomate, caliente

Precalentar el horno a 200 °C (*400 °F*).

Cocer los tallarines «al dente» en una olla grande de agua hirviendo. Enjuagar con agua fría. Escurrir.

En un procesador de alimentos, mezclar juntos la mantequilla, el queso Ricotta, los huevos y el pan molido.

Colocar en un tazón e incorporar el queso Mozzarella, el queso Cheddar y los condimentos.

Engrasar una cazuela grande. Colocar una capa de tallarines.

Cubrir con una capa delgada de salsa de tomate. Cubrir con un poco de la mezcla de los quesos.

Repetir hasta que se hayan usado todos los rellenos, terminando con una capa de la mezcla de los quesos.

Hornear durante 30 minutos o hasta que se dore.

Sacar y servir con 3 cucharadas de la salsa de tomate caliente vertida sobre cada porción.

Macarrones con Quesos Gruyère y Parmesano

8 porciones

450 g.	(*1 libra*) macarrón de coditos
2	cucharadas mantequilla
1	taza queso Gruyère, rallado
1	taza queso Parmesano, rallado
¼	taza crema espesa
1	cucharadita sal
½	cucharadita pimienta blanca

Cocer los macarrones «al dente» en una olla de agua hirviendo, con sal. Escurrir.

Mientras los macarrones están calientes, incorporar la mantequilla, los quesos, la crema y los condimentos.

Mezclar bien. Servir.

Mi Lasaña

10 porciones

Salsa

1 kg.	(*2¼ libras*) carne de res, molida
450 g.	(*1 libra*) salchichas italianas, en cubitos
3	cebollas, en cubitos finos
1	pimiento verde, en cubitos finos
115 g.	(*4 onzas*) champiñones, rebanados
2	tallos de apio, en cubitos finos
2	cucharadas aceite de oliva
2	tazas tomates, sin semillas y picados
½	taza puré de tomate
2	cucharaditas sal
1	cucharadita pimienta
1	cucharadita ajo en polvo
1	cucharadita romero
1	cucharadita orégano
1	cucharadita albahaca
1	cucharadita tomillo

450 g.	(*1 libra*) tallarines de lasaña
450 g.	(*1 libra*) queso cottage
675 g.	(*1½ libra*) queso Mozzarella, rallado
450 g.	(*1 libra*) queso Cheddar, rallado
1	taza queso Parmesano, rallado

Mi Lasaña

Salsa : Dorar las carnes juntas con las verduras en el aceite.

Agregar los tomates y el puré de tomate; cocer a fuego lento durante 15 minutos.

Agregar los condimentos, reducir el fuego y cocer a fuego lento durante 2 horas.

Cocer los tallarines «al dente».

Precalentar el horno a 180 °C (*350 °F*).

Engrasar un refractario o una cazuela de 37 x 25 x 5 cm. (*15 x 10 x 2 pulg.*). Alternar capas de tallarines, de queso cottage, de salsa, de quesos Mozzarella y Cheddar rallados.

Terminar de modo que el queso rallado sea la última capa. Espolvorear el queso Parmesano.

Hornear de 45 a 50 minutos.

Sacar, rebanar y servir.

Pimientos Rellenos con Pasta

6 porciones

340 g.	(¾ *libra*) macarrones
6	pimientos morrones
2	cucharadas mantequilla
2	tazas salsa de tomate (ver *Salsas*)
1	cucharadita albahaca
2	tazas queso Mozzarella, rallado
½	taza queso Parmesano, rallado

Cocer los macarrones «al dente» en una olla grande de agua hirviendo, con sal. Escurrir y dejar enfriar.

Precalentar el horno a 180 °C (*350 °F*).

Cortar la parte superior de los pimientos. Picar finamente estas tapas y saltearlas en la mantequilla hasta que estén blandas.

Agregar la salsa de tomate y la albahaca y cocer a fuego lento durante 5 minutos.

Mezclar la salsa con los macarrones. Rellenar los pimientos con los macarrones compactándolos.

Espolvorear con el queso Mozzarella y el queso Parmesano. Cubrir con papel de aluminio sin apretar.

Hornear durante 25 minutos o hasta que los pimientos estén blandos.

Servir inmediatamente.

1

Cortar la parte superior de los pimientos.

2

Picar finamente estas tapas y saltearlas en la mantequilla. Agregar la salsa de tomate y la albahaca y cocer a fuego lento durante 5 minutos.

3

Mezclar la salsa con los macarrones cocidos y rellenar apretujadamente los pimientos. Espolvorear con los quesos.

4

Hornear durante 25 minutos, o hasta que los pimientos estén blandos.

Linguine con Prosciutto y Salmón Ahumado

8 porciones

450 g.	(*1 libra*) linguine
2	cucharadas mantequilla
1	cebolla chica, en cubitos finos
115 g.	(*¼ libra*) prosciutto
⅓	taza jerez
2	tazas tomates, pelados, sin semillas y picados
1	cucharadita sal
1	cucharadita paprika
1	cucharadita albahaca
½	cucharadita pimienta
115 g.	(*¼ libra*) salmón ahumado
½	taza crema espesa

Cocer el linguine «al dente» en una olla grande de agua hirviendo, con sal.

Calentar la mantequilla y saltear la cebolla. Cortar el prosciutto en rebanadas. Cocer sólo hasta calentar.

Agregar el jerez y los tomates y cocer a fuego lento durante 15 minutos. Machacar los tomates y agregar los condimentos.

Picar el salmón en cubitos y agregar a la salsa. Incorporar la crema.

Combinar la pasta con la salsa y servir inmediatamente.

Linguine con Prosciutto y Salmón Ahumado

Linguine con Cangrejo de Río a la Diabla

6 porciones

450 g.	(*1 libra*) linguine
3	dientes de ajo, finamente picados
1	cebolla, finamente picada
½	taza aceite de oliva
4	tomates, picados
1	pizca albahaca dulce
½	cucharadita sal
1	cucharadita pimienta negra
2	cucharaditas pimienta de Cayena
1	cucharadita perejil, picado
½	taza vino blanco
450 g.	(*1 libra*) colas de cangrejo de río, cocidas
¼	taza queso Parmesano, rallado

Cocer el linguine «al dente».

Saltear el ajo y la cebolla en el aceite. Agregar los tomates, la albahaca, la sal, las pimientas, el perejil y el vino.

Cocer a fuego lento durante 5 minutos, agregar el cangrejo y cocer a fuego lento 5 minutos más.

Servir el linguine en los platos, cubrir con salsa y espolvorear con el queso Parmesano.

Linguine Estilo Pescador

8 porciones

¼	taza aceite de oliva
1	cebolla mediana, en cubitos finos
1	cebollita de Cambray, en cubitos
1	tallo de apio, en cubitos
2	dientes de ajo, machacados
225 g.	(*8 onzas*) camarones, pelados y desvenados
225 g.	(*8 onzas*) callos de hacha, pequeños
2	tazas tomates, sin semillas y picados
1	cucharada albahaca
1	cucharada orégano
1	cucharada perejil
1	cucharadita sal
1	cucharadita pimienta
1 kg.	(*2¼ libras*) linguine, cocido

Calentar el aceite en una cacerola. Saltear las verduras y el ajo hasta que estén blandos.

Agregar los camarones y los callos de hacha y cocer 5 minutos.

Añadir los tomates y los condimentos y cocer a fuego lento durante 15 minutos.

Verter la salsa sobre el linguine caliente. Servir.

Macarrones con Queso a la Antigua

8 porciones

450 g.	(*1 libra*) macarrón de coditos
3	cucharadas mantequilla
3	cucharadas harina
4	tazas (*1 L*) crema espesa
1	pizca nuez moscada
1	cucharadita sal
½	cucharadita pimienta
1	taza queso Cheddar fuerte, rallado
2	tazas queso Cheddar mediano, rallado
1	taza pan molido fino

Cocer los macarrones «al dente» en agua hirviendo. Escurrir y apartar.

Precalentar el horno a 180 °C (*350 °F*).

Calentar la mantequilla en una cacerola. Agregar la harina y revolver hasta formar una pasta suave (roux); cocer por 2 minutos sin dorar.

Añadir la crema y revolver. Agregar los condimentos. Reducir el fuego y cocer a fuego lento hasta que espese.

Mezclar los quesos y añadir 1½ taza a la salsa.

Enmantequillar una cazuela; espolvorear con la mitad del pan molido.

Agregar los macarrones. Verter la salsa encima. Espolvorear con el queso y el pan molido restantes.

Hornear hasta que se dore. Servir.

Panzerotti

4 porciones

3	cucharadas mantequilla
1	cebolla chica, finamente picada
½	taza pimiento verde, finamente picado
1	tallo de apio, finamente picado
2	dientes de ajo, machacados
1	taza pollo cocido, picado
1	taza tomates, sin semillas y picados
1	cucharadita sal
2	cucharaditas albahaca
1	taza queso Ricotta
1	receta de masa básica para pastas
3	tazas aceite

Calentar la mantequilla en una cacerola.

Agregar las verduras y el ajo y saltear hasta que estén blandos.

Agregar el pollo y los tomates. Cocer a fuego lento hasta que la mezcla esté muy espesa.

Añadir los condimentos. Retirar del fuego y enfriar. Ya fría la mezcla, incorporar el queso Ricotta.

Extender la masa como se indica en la receta de masa básica para pastas. Cortar en cuadros de 10 cm. (*4 pulg.*).

Repartir el relleno en los cuadros. Doblar en dos. Sellar los bordes.

Calentar el aceite a 180 °C (*350 °F*).

Freír la pasta en el aceite hasta que se dore por todos lados.

Canutillos con Ternera y Salsa de Tomate

Canutillos con Ternera y Salsa de Tomate

8 porciones

¼	taza aceite
675 g.	(1½ libra) carne de ternera, en rebanadas delgadas
2	dientes de ajo, finamente picados
1	cebolla chica, finamente picada
1	pimiento verde, en cubitos finos
2	tallos de apio, finamente picados
115 g.	(4 onzas) champiñones, rebanados
1	cucharadita sal
½	cucharadita pimienta
¼	cucharadita orégano
¼	cucharadita albahaca
¼	cucharadita tomillo
2	tazas tomates, machacados
225 g.	(½ libra) canutillos
½	taza queso Feta, desmoronado

Calentar el aceite en una sartén grande. Dorar la carne en el aceite. Sacar la carne y apartar.

Agregar el ajo, la cebolla, el pimiento verde, el apio y los champiñones; saltear hasta que estén blandos.

Añadir los condimentos y los tomates; reducir el fuego y cocer a fuego lento durante 15 minutos.

Agregar la ternera y cocer a fuego lento por otros 10 minutos.

Mientras la salsa se está cociendo a fuego lento, hervir 8 tazas (2 L) de agua con sal en una olla. Agregar los canutillos y cocer «al dente». Escurrir.

Colocar los canutillos en un platón. Cubrir con la salsa de la ternera.

Espolvorear con el queso Feta desmoronado.

Faisán con Canutillos

8 porciones

3	cucharadas mantequilla
3	cucharadas harina
¼	taza jerez
1½	taza crema espesa
1	cucharadita sal
¼	cucharadita pimienta
450 g.	(*1 libra*) carne de faisán, cocida y en cubitos
115 g.	(*¼ libra*) prosciutto, en cubitos
450 g.	(*1 libra*) canutillos
90 g.	(*3 onzas*) queso Parmesano, rallado

Calentar la mantequilla en una cacerola. Agregar la harina y revolver hasta formar una pasta (roux), sin dorar.

Cocerla por 2 minutos. Agregar el jerez y la crema. Cocer a fuego lento hasta que la salsa se espese.

Añadir los condimentos, la carne de faisán y el prosciutto. Cocer a fuego lento por otros 5 minutos.

Cocer los canutillos «al dente» en una olla de agua hirviendo, con sal. Escurrir.

Colocar en un platón. Verter la salsa sobre los canutillos.

Espolvorear con el queso Parmesano. Servir.

Canutillos con Cuatro Quesos

8 porciones

½	taza queso Ricotta, desmoronado
½	taza queso Gruyère, rallado
½	taza queso Gouda, rallado
½	taza queso Romano, rallado
¼	taza crema espesa
1	cucharadita sal
½	cucharadita pimienta, recién machacada
2	cucharaditas perejil seco
450 g.	(*1 libra*) canutillos
3	cucharadas mantequilla

Mezclar todos los quesos. Agregar la crema, la sal y la pimienta.

Espolvorear el perejil y mezclar.

Cocer los canutillos «al dente» en agua hirviendo, con sal. Escurrir bien.

Incorporar la mantequilla y añadir la mezcla de los quesos. Revolver. Servir inmediatamente.

Canutillos con Salmón Ahumado y Chícharos Mangetout

4 porciones

115 g.	(*4 onzas*) chícharos mangetout, sin los hilos
225 g.	(*8 onzas*) canutillos
¼	taza mantequilla
¼	taza harina
1	taza caldo de pollo (ver *Sopas*)
1	taza crema espesa
90 g.	(*3 onzas*) salmón ahumado, en cubitos
1	cucharada perejil seco
½	taza queso Romano, rallado

Escaldar los chícharos en agua hirviendo durante 30 segundos.

En una olla grande, hervir agua con sal y cocer los canutillos «al dente». Escurrir y apartar.

En una cacerola chica, derretir la mantequilla, agregar la harina y revolver hasta formar una pasta (roux).

Agregar el caldo de pollo y la crema. Cocer a fuego lento durante 10 minutos, revolviendo ocasionalmente.

Agregar el salmón y los chícharos. Verter la salsa sobre los canutillos.

Espolvorear el perejil. Servir con el queso.

Canutillos con Salmón Ahumado y Chícharos Mangetout

Rigatoni al Vodka

8 porciones

450 g.	(*1 libra*) rigatoni
2	cucharadas mantequilla
1	cebolla chica, finamente picada
1	diente de ajo, finamente picado
2	cucharadas harina
2	tazas crema ligera
¼	taza vodka
¼	taza puré de tomate
1	cucharadita sal
1	cucharadita pimienta blanca
1	cucharadita albahaca dulce
½	taza queso Romano, rallado

En una olla grande, hervir el rigatoni en agua con sal.

En una cacerola, derretir la mantequilla y añadir la cebolla y el ajo; saltear hasta que estén blandos.

Agregar la harina y revolver hasta formar una pasta suave (roux).

Agregar la crema, el vodka, el puré de tomate y los condimentos. Cocer a fuego lento durante 8 minutos.

Revolver la pasta con la salsa y servir con el queso.

Rigatoni con Carne de Res, Tomates y Champiñones

8 porciones

450 g.	(*1 libra*) rigatoni
2	cucharadas mantequilla
2	cucharadas aceite
115 g.	(*4 onzas*) champiñones, rebanados
225 g.	(*½ libra*) carne de res, en rebanadas delgadas
2	tazas tomates, sin semillas y picados
1	cucharadita sal
1	cucharadita orégano
1	cucharadita albahaca
½	cucharadita pimienta negra

En una olla grande, cocer el rigatoni «al dente» en agua hirviendo, con sal.

Calentar la mantequilla con el aceite; saltear los champiñones y la carne de res hasta que estén blandos.

Agregar los tomates y los condimentos. Cocer a fuego lento hasta que la salsa se espese.

Verter sobre la pasta y servir.

Rotini a la Boloñesa

8 porciones

115 g.	(*¼ libra*) tocino no muy magro, picado
1	cebolla, en cubitos
1	tallo de apio, en cubitos
1	zanahoria, en cubitos
450 g.	(*1 libra*) carne de res magra, molida
450 g.	(*1 libra*) tomates, sin semillas y picados
¾	taza jerez
2	tazas caldo de res (ver *Sopas*)
1	hoja de laurel
2	cucharaditas tomillo
2	cucharaditas orégano
2	cucharaditas sal
450 g.	(*1 libra*) rotini
¼	taza queso Parmesano, rallado

En una olla grande, freír el tocino. Agregar la cebolla, el apio y la zanahoria; saltear hasta que estén blandos.

Agregar la carne y dorar. Agregar los tomates, el jerez, el caldo y los condimentos.

Hervir y luego reducir el fuego. Cocer a fuego lento durante 1 hora o hasta que la salsa esté suficientemente espesa.

Cocer la pasta «al dente» en una olla de agua con sal. Escurrir. Verter en un tazón grande.

Cubrir con la salsa. Espolvorear el queso. Servir.

Ravioles de Queso Ricotta

8 porciones

3	tazas queso Ricotta
2	huevos
½	cucharadita sal
¼	cucharadita pimienta
½	cucharadita albahaca
¾	taza queso Parmesano, rallado
1	receta de masa básica para pastas

Mezclar el queso Ricotta con los huevos. Agregar los condimentos y el queso Parmesano. Mezclar bien.

Preparar la masa básica. Extenderla con el rodillo y cortarla en tiras de 15 cm. (*6 pulg.*) de ancho.

A lo largo de las tiras y cada 9 cm. (*3½ pulg.*), colocar 2 cucharaditas de la mezcla de queso con huevos. Doblar las tiras por encima del relleno y sellar los bordes presionando con un tenedor.

Cortar entre cada montoncito de relleno, sellando estos bordes.

Hervir agua con sal en una olla grande. Agregar los ravioles unos cuantos a la vez y cocer unos 20 minutos.

Servir con su salsa favorita de tomate o de queso.

Ravioles de Queso Ricotta

Spaghetti Marsala

4 porciones

½	receta de masa básica para pastas
3	cucharadas mantequilla
3	cucharadas harina
1	taza crema espesa
½	taza vino Marsala
½	taza queso Parmesano, rallado

Extender y cortar la masa como se indica en la receta de masa básica para pastas.

Cortar la masa en forma de spaghetti y cocer «al dente».

Calentar la mantequilla en una cacerola.

Agregar la harina y revolver hasta formar una pasta (roux). Cocer por 2 minutos.

Añadir la crema y el vino. Cocer a fuego lento hasta que espese ligeramente.

Agregar el queso y cocer a fuego lento hasta que espese.

Verter la salsa sobre el spaghetti y servir.

Spaghetti Carbonara

8 porciones

1	cucharada sal
450 g.	(*1 libra*) spaghetti
340 g.	(¾ *libra*) tocino, picado
340 g.	(¾ *libra*) champiñones frescos
6	dientes de ajo, finamente picados
2	cebollas, en cubitos finos
¼	taza aceite de oliva
3	huevos
¼	taza crema espesa
1	cucharada pimienta negra, triturada
225 g.	(½ *libra*) queso Parmesano, rallado

Hervir agua en una olla grande; agregar sal y cocer el spaghetti.

Saltear el tocino, los champiñones, el ajo y las cebollas en el aceite hasta que estén blandos. Escurrir el aceite.

Mezclar los huevos, la crema, la pimienta negra y el queso Parmesano en un tazón. Incorporar la mezcla de tocino y champiñones.

Escurrir el spaghetti y mezclar bien con la salsa. Servir.

Spaghetti, Prosciutto y Queso Gorgonzola

8 porciones

450 g.	(*1 libra*) spaghetti
2	cucharadas aceite de oliva
225 g.	(½ *libra*) prosciutto, en cubitos
1½	taza crema espesa
225 g.	(½ *libra*) queso Gorgonzola
90 g.	(*3 onzas*) queso Romano, rallado

Cocer el spaghetti «al dente» en una olla grande de agua hirviendo, con sal. Escurrir.

Calentar el aceite y agregar el prosciutto. Cocer sólo para calentar.

Agregar la crema y cocer a fuego lento. Agregar, desmoronándolo, el queso Gorgonzola y revolver hasta que la salsa se espese.

Verter la salsa sobre el spaghetti. Espolvorear el queso Romano.

Spaghetti con Lucio y Hierbas Finas

8 porciones

450 g.	(*1 libra*) spaghetti
3	cucharadas aceite de oliva
450 g.	(*1 libra*) filetes de lucio
3	cucharadas mantequilla
¼	taza harina
3	tazas crema espesa
½	cucharadita albahaca
½	cucharadita perifollo
2	cucharaditas perejil, picado
1	cucharadita romero
1	cucharadita sal
¼	cucharadita pimienta
1	taza queso Ricotta
¼	taza queso Parmesano, rallado

Cocer el spaghetti «al dente» en una olla grande de agua hirviendo, con sal. Escurrir.

Precalentar el horno a 180 °C (*350 °F*).

Colocar el spaghetti en una cazuela grande, engrasada.

Calentar el aceite en una sartén y saltear el pescado 1½ minuto de cada lado. Colocar los filetes sobre el spaghetti.

Calentar la mantequilla en una cacerola, añadir la harina y revolver hasta formar una pasta (roux). Cocer por 2 minutos.

Reducir el fuego, agregar la crema y los condimentos. Cocer a fuego lento hasta que la salsa se espese ligeramente.

Agregar el queso Ricotta y cocer a fuego lento hasta que se derrita.

Verter la salsa sobre el pescado y el spaghetti. Espolvorear el queso Parmesano.

Hornear hasta que se dore.

Tortellini

8 porciones

280 g.	(*10 onzas*) queso Ricotta
90 g.	(*3 onzas*) queso Parmesano, rallado
2	huevos
1	cucharada perejil, picado
1	cucharadita orégano
1	cucharadita tomillo
1	cucharadita albahaca
1	cucharadita sal
½	cucharadita pimienta negra, triturada
1	receta de masa básica para pastas

Batir el queso Ricotta en un procesador de alimentos hasta que quede cremoso.

Añadir el queso Parmesano y los huevos y mezclar. Agregar los condimentos y mezclar.

Extender la masa como se indica en la receta de masa básica para pastas.

Cortar en círculos de 2,5 cm. (*1 pulg.*) de diámetro. Colocar 1½ cucharadita de la mezcla de queso en cada círculo. Doblar los círculos a la mitad. Sellar los bordes y dar forma de tortellini.

Dejar caer algunos a la vez en agua hirviendo y cocer. Sacar tan pronto como suban a la superficie.

Servir con salsa de tomate, de queso o de crema.

1

Extender la masa.

2

Cortar en círculos de 2,5 cm. (*1 pulg.*) y colocar 1½ cucharadita de la mezcla de queso en cada círculo.

3

Doblar los círculos a la mitad, sellar los bordes y dar forma de tortellini.

4

Dejar caer algunos a la vez en agua hirviendo y cocer. Sacar tan pronto como suban a la superficie.

Tortellini Marinara

Tortellini Marinara

10 porciones

1 kg.	(2¼ *libras*) tortellini
675 g.	(1½ *libra*) mejillones o almejas «kiwi»
450 g.	(1 *libra*) camarones medianos
1	cucharada aceite
1	diente de ajo, machacado
3	tazas tomates, sin semillas y finamente picados
2	cucharadas puré de tomate
¼	taza jerez
675 g.	(1½ *libra*) callos de hacha, pequeños
½	taza queso Parmesano, rallado

Cocer los tortellini en agua hirviendo durante 10 minutos o de acuerdo con las instrucciones.

Cocer los mejillones en agua hirviendo, con sal hasta que se abran. Escurrir, sacar y desechar los mejillones que no se hayan abierto.

Sacar la carne y desechar las conchas. Pelar y desvenar los camarones.

Calentar el aceite y saltear el ajo. Agregar los tomates, el puré de tomate y el jerez.

Hervir y luego, bajar el fuego; cocer a fuego lento durante 20 minutos.

Agregar los mariscos y continuar cociendo a fuego lento por otros 15 minutos.

Servir la salsa sobre los tortellini. Espolvorear el queso Parmesano.

Ensalada de Tortellini

8 porciones

½	receta de tortellini
1	cebolla, en cubitos
1	pimiento verde, picado
2	tallos de apio, en cubitos
115 g.	(*4 onzas*) champiñones, rebanados
2	tazas tomates, picados
1	taza aceite de oliva
⅓	taza vinagre
1	cucharadita orégano
1	cucharadita albahaca
1	cucharadita tomillo
1	cucharadita sal
½	cucharadita pimienta

Preparar y cocer los tortellini de acuerdo con las instrucciones de la receta. Escurrir y enfriar.

Revolver las verduras con los tomates.

Mezclar el aceite, el vinagre y los condimentos.

Mezclar las verduras con los tortellini. Verter la vinagreta sobre la ensalada.

Ensalada de Tortellini

Tortellini Gratinados

8 porciones

115 g.	(*1 libra*) tocino, rebanado y picado
3	tazas tomates hechos puré
1	cucharadita perifollo
1	cucharadita tomillo
1	cucharadita orégano
1	cucharadita sal
1	taza crema espesa

1	receta de tortellini
2	tazas queso Mozzarella, rallado
1	taza queso Cheddar mediano, rallado

Freír el tocino en una cacerola. Escurrir el exceso de grasa.

Agregar el puré de tomate y los condimentos. Cocer a fuego lento y reducir el líquido a 2 tazas. Incorporar la crema.

Preparar y cocer los tortellini de acuerdo con las instrucciones de la receta. Escurrir bien.

Precalentar el horno a 180 °C (*350 °F*).

Colocar los tortellini en una cazuela grande, engrasada.

Verter la salsa sobre los tortellini.

Espolvorear con los quesos.

Hornear durante 15 minutos. Servir.

Tortellini al Curry con Camarones

6 porciones

½	taza mantequilla
450 g.	(*1 libra*) camarones, pelados y desvenados
115 g.	(*4 onzas*) champiñones, rebanados
1	cucharada curry en polvo
¼	taza harina
1	taza caldo de pollo (ver *Sopas*)
2	tazas crema espesa
2	cucharaditas sal
½	receta de tortellini
2	tazas queso Mozzarella, rallado

Calentar la mantequilla en una cacerola. Saltear los camarones y los champiñones. Sacar y dejar a un lado.

Añadir el curry en polvo y la harina; revolver hasta formar una pasta (roux). Cocer por 2 minutos.

Incorporar el caldo de pollo, la crema y la sal; bajar el fuego y cocer a fuego lento hasta que espese.

Regresar los camarones y los champiñones a la cacerola.

Cocer los tortellini de acuerdo con las instrucciones de la receta.

Precalentar el horno a 200 °C (*400 °F*).

Colocar los tortellini en una cazuela grande, engrasada. Verter la salsa sobre los tortellini.

Espolvorear con el queso y dorar en el horno. Servir.

Sopa de Mariscos con Tortellini

8 porciones

¼	taza aceite
1	cebolla, finamente picada
1	pimiento verde, finamente picado
2	tallos de apio, finamente picados
1	diente de ajo, finamente picado
3	tazas tomates, picados
8	tazas (*2 L*) caldo de pescado (ver *Sopas*)
1	cucharadita sal
1	cucharada perejil, picado
1	cucharadita albahaca
1	cucharadita orégano
1	cucharadita tomillo
1	cucharadita paprika
½	taza vino Marsala
450 g.	(*1 libra*) huachinango, rebanado
450 g.	(*1 libra*) camarones, pelados y desvenados
24	almejas
24	mejillones
½	receta de tortellini, cocidos

En una olla grande, calentar el aceite.

Agregar la cebolla, el pimiento verde, el apio y el ajo; saltear hasta que queden blandos.

Agregar los tomates, el caldo de pescado, los condimentos y el vino; hervir. Bajar el fuego y cocer a fuego lento durante 40 minutos.

Agregar el huachinango y los camarones; cocer a fuego lento por otros 10 minutos.

Añadir las almejas y los mejillones y continuar cociendo a fuego lento durante 5 minutos. Agregar los tortellini.

Retirar del fuego; esperar 3 minutos y servir.

Ensalada de Mariscos con Pasta de Caracoles

8 porciones

450 g.	(*1 libra*) pasta de caracoles
1	cebolla, en cubitos finos
1	pimiento verde, en cubitos finos
1	tallo de apio, en cubitos finos
225 g.	(*½ libra*) camarones pequeños, cocidos
225 g.	(*½ libra*) carne de jaiba, cocida
225 g.	(*½ libra*) salmón, cocido
1	taza mayonesa
2	cucharaditas albahaca
1	taza tomates, sin semillas y picados

Cocer la pasta «al dente» en una olla de agua hirviendo, con sal. Enjuagar con agua fría y escurrir.

Combinar la pasta con las verduras y los mariscos. Mezclar la mayonesa, la albahaca y los tomates e incorporar a la pasta. Servir.

Ensalada de Mariscos con Pasta de Caracoles

Ensalada de Alcachofas y Pasta de Caracoles

8 porciones

450 g.	(*1 libra*) pasta de caracoles
6	alcachofas
½	taza aceite de oliva
3	cucharadas jugo de limón
1	cucharadita albahaca dulce
1	cucharadita sal
½	cucharadita pimienta
1	taza tomates frescos, pelados, sin semillas y picados

Cocer la pasta «al dente» en agua hirviendo, con sal. Escurrir y enjuagar la pasta con agua fría.

Limpiar, mondar y partir en cuatro las alcachofas.

Quitar el corazón y luego hervir los cuartos de alcachofas en agua con sal hasta que estén blandos. Escurrir y enfriar.

Mezclar el aceite, el jugo de limón y los condimentos con los tomates.

Revolver la pasta con las alcachofas y verter el aderezo de tomates sobre la mezcla.

Fideos Pesto

8 porciones

450 g.	(*1 libra*) fideos
¼	taza hojas de albahaca
90 g.	(*3 onzas*) queso Romano, rallado
¼	taza perejil, picado
2	dientes de ajo
1	cucharada piñones
2	cucharadas aceite de oliva
2	cucharadas caldo de res (ver *Sopas*)

Cocer los fideos «al dente» en una olla grande. Escurrir.

Machacar la albahaca, el queso, el perejil, el ajo y los piñones y hacer una pasta suave.

Incorporar el aceite y el caldo de res. Verter sobre los fideos.

Fideos Estilo Edmonton

8 porciones

450 g.	(*1 libra*) fideos
¼	taza aceite de oliva
1	cebolla mediana, en cubitos finos
1	pimiento verde, en cubitos finos
1	tallo de apio, en cubitos finos
2	dientes de ajo, machacados
4	tazas tomates, sin semillas y picados
1	cucharada albahaca
1	cucharada orégano
1	cucharadita pimienta negra
2	cucharaditas sal
450 g.	(*1 libra*) pollo cocido, en cubitos
225 g.	(*½ libra*) kolbassa (*salchicha polaca*), en cubitos
½	taza queso Parmesano, rallado

En una olla grande, cocer los fideos «al dente» en agua hirviendo, con sal.

En una cacerola, calentar el aceite. Saltear las verduras y el ajo hasta que estén blandos.

Añadir los tomates, los condimentos, el pollo y la kolbassa. Cocer a fuego lento durante 20 minutos.

Verter la salsa sobre la pasta y servir con el queso.

Fideos con Manzanas

8 porciones

1 kg.	(*2¼ libras*) manzanas, peladas, descorazonadas y en cubitos
¼	taza aceite
1	tallo de apio, finamente picado
4	tazas tomates, machacados
1	cucharadita sal
1	cucharadita albahaca
¼	cucharadita pimienta de Cayena
1	cucharadita tomillo
1	cucharadita orégano
450 g.	(*1 libra*) fideos

Hacer puré las manzanas en un procesador de alimentos.

Calentar el aceite en una cacerola. Agregar el apio y saltear hasta que esté blando.

Añadir los tomates y los condimentos. Cocer a fuego lento durante 10 minutos.

Añadir el puré de manzana, reducir el fuego y cocer a fuego lento durante 40 minutos hasta que quede muy espeso.

Cocer los fideos «al dente» en una olla de agua hirviendo, con sal. Escurrir.

Revolver la salsa con los fideos y servir.

Ravioles Empanizados

8 porciones

3	cucharadas mantequilla
1½	taza pollo, desmenuzado
1	taza queso Ricotta o queso crema
2	huevos
1	cucharadita sal
1	cucharadita albahaca
½	cucharadita pimienta
1	receta de masa básica para pastas
4	tazas pan molido
2	cucharaditas sal
½	cucharadita pimienta
1	cucharadita tomillo
¼	cucharadita orégano
3	tazas aceite

Calentar la mantequilla en una sartén. Saltear el pollo hasta que esté bien cocido. Sacar y enfriar. Una vez que se haya enfriado, mezclar el pollo con el queso.

Agregar los huevos y los condimentos.

Preparar la masa siguiendo las instrucciones de la receta de masa básica para pastas. Cortar y extender con el rodillo.

Cortar la masa en tiras de 12 cm. (*5 pulg.*) de ancho. A lo largo de las tiras y cada 9 cm. (*3½ pulg.*), colocar 2 cucharaditas de relleno.

Doblar las tiras por encima del relleno y sellar los bordes presionando con un tenedor.

Cortar entre cada montoncito de relleno y sellar estos bordes.

Ravioles Empanizados

Mezclar el pan molido con los condimentos.

Pasar cada raviole por el pan molido condimentado.

Calentar el aceite a 180 °C (*350 °F*); freír unos cuantos ravioles a la vez.

Cocer aproximadamente 2½ minutos. Servir con salsa de tomate.

Arroz

El arroz es el principal feculento consumido por dos tercios de la población mundial. Por eso, no es sorprendente que se preste a tanta variedad de platillos. En este capítulo, usted encontrará algunos de mis platillos favoritos de arroz, incluyendo varios que podrá utilizar como plato principal para un almuerzo o merienda ligera.

Una de las maneras más sencillas de darle vida a un platillo de arroz es sustituir el agua en que se hierve por un líquido diferente. Pruebe jugos de fruta, caldo de pollo o de res, o jugo de verduras.

Arroz Blanco

A este arroz se le ha quitado la capa de salvado durante su preparación. No importa que compre arroz de grano corto, mediano o largo, la técnica básica para cocinarlo es la misma: Agregue 1 taza de arroz a 3 tazas de agua hirviendo, con sal. Esto le dará 3 tazas de arroz cocido.

Arroz Precocido o de Cocimiento Rápido

Este arroz ha sido deshidratado después de su cocción.

Arroz Basmati

Este arroz fragante y sabroso viene de la India o de Pakistán y se puede conseguir en tiendas asiáticas o de especialidades. Usted puede prepararlo como el arroz blanco, pero su sabor es tal que rara vez se mejora cuando se le agregan otros condimentos o ingredientes.

Arroz Silvestre

El arroz silvestre no es realmente un arroz, sino las semillas de una gramínea que crece en Norteamérica. Es cosechado a mano, usualmente por los indios nativos y por lo tanto, es bastante caro. Pero su extraordinario sabor a nueces lo hace que valga su precio. Para prepararlo, cueza 1 taza de arroz silvestre en 6 tazas (*1,5 L*) de agua hirviendo con sal, de 50 a 60 minutos.

Arroz con Queso, Fruta y Nueces

Arroz con Queso, Fruta y Nueces

6 porciones

4	tazas (*1 L*) caldo de res (ver *Sopas*)
2	tazas arroz café
3	cucharadas mantequilla
115 g.	(*4 onzas*) champiñones, en rebanadas delgadas
½	taza manzanas, peladas y en cubitos
½	taza chabacanos secos, rebanados
1	cucharadita sal
1	cucharadita tomillo
½	taza anacardos (*nueces de la India*)
2	tazas queso Cheddar, rallado

Hervir el caldo de res. Agregar el arroz y cocer a fuego lento, tapado, durante 45 minutos.

Retirar del fuego. Escurrir. Mantener caliente.

Derretir la mantequilla y saltear los champiñones. Agregar las manzanas y los chabacanos y saltear hasta que estén blandos.

Condimentar con la sal y el tomillo. Agregar al arroz y mezclar con las nueces.

Añadir el queso y revolver hasta que el queso se derrita. Servir.

Tomates Rellenos con Arroz

8 porciones

8	tomates grandes
2	tazas arroz cocido, enfriado
1	cucharadita albahaca
1	cucharadita sal
¼	cucharadita pimienta
2	cucharadas cebollines, picados
3	cucharadas jugo de limón
¼	taza aceite
1	taza queso Cheddar, rallado

Precalentar el horno a 200 °C (*400 °F*).

Cortar la parte superior de los tomates. Sacar la pulpa, sin romper la piel.

Mezclar el arroz con los condimentos, la pulpa de los tomates, el jugo de limón y el aceite.

Rellenar los tomates. Espolvorear con el queso.

Hornear durante 20 minutos.

 1

Cortar la parte superior de los tomates y sacar la pulpa.

 2

Mezclar el arroz con los condimentos, la pulpa, el jugo de limón y el aceite.

3

Rellenar los tomates con la mezcla.

 4

Espolvorear con el queso y hornear durante 20 minutos.

Arroz con Pollo y Tomates

6 porciones

¼	taza mantequilla
¼	taza cebolla, en cubitos finos
¼	taza apio, en cubitos finos
¼	taza pimiento verde, en cubitos finos
115 g.	(*4 onzas*) champiñones, rebanados
1	taza tomates, picados
1½	taza salsa de tomate (ver *Salsas*)
450 g.	(*1 libra*) pollo, cocido y en cubitos
4	tazas arroz cocido
2	tazas queso Cheddar añejo, desmoronado

Precalentar el horno a 200 °C (*400 °F*).

Calentar la mantequilla en una sartén. Agregar la cebolla, el apio, el pimiento verde y los champiñones. Saltear hasta que estén blandos.

Agregar los tomates y la salsa de tomate. Cocer a fuego lento durante 7 minutos.

Colocar el pollo y el arroz en un tazón. Incorporar la salsa.

Vaciar en una cazuela ligeramente engrasada. Espolvorear con el queso.

Hornear de 20 a 30 minutos.

Arroz con Naranja

Arroz con Naranja

6 porciones

3	cucharadas mantequilla
½	taza apio, en cubitos
½	taza cebollitas de Cambray, picadas
1½	taza arroz sin cocer
4	tazas (*1 L*) caldo de pollo
2	tazas jugo de naranja
2	cucharaditas cáscara de naranja, rallada
½	cucharadita sal
1	taza pasas, sin semillas
1	taza almendras, tostadas

Precalentar el horno a 180 °C (*350 °F*).

Derretir la mantequilla en un refractario. Saltear el apio, las cebollitas y el arroz hasta que el arroz se dore ligeramente.

Agregar el caldo de pollo, el jugo de naranja, la cáscara de naranja, la sal y las pasas. Tapar y hornear durante 35 minutos.

Sacar del horno y incorporar las almendras. Servir caliente.

Arroz con Pollo a la Florentina

8 porciones

284 g.	(*10 onzas*) espinacas
4	huevos
1	taza crema espesa
½	cucharadita pimienta negra
1	cucharadita paprika
1	cucharadita sal
1	cucharadita ajo, finamente picado
1	cebolla chica, finamente picada
4	tazas arroz de grano largo, cocido
450 g.	(*1 libra*) pollo, cocido y en cubitos
½	taza queso Parmesano, rallado
12	rebanadas de tomate

Precalentar el horno a 180 °C (*350 °F*).

Cortar los tallos y picar las espinacas. Cocer al vapor durante 5 minutos.

Batir los huevos con la crema y agregar los condimentos, el ajo y la cebolla.

Colocar las espinacas en el fondo y en los lados de una cazuela grande ligeramente engrasada.

Colocar el arroz sobre las espinacas. Cubrir con el pollo.

Verter la mezcla de los huevos sobre el pollo. Espolvorear con el queso. Cubrir con las rebanadas de tomate.

Hornear de 45 a 55 minutos, o hasta que se dore. Servir caliente.

Arroz Cajun

8-10 porciones

115 g.	(*¼ libra*) mollejas de pollo
115 g.	(*¼ libra*) corazones de pollo
115 g.	(*¼ libra*) higaditos de pollo
½	taza mantequilla
1 kg.	(*2¼ libras*) salchichas picantes
1	cebolla española, en cubitos
1	pimiento verde, en cubitos
3	tallos de apio, en cubitos
6	cebollitas de Cambray, en cubitos
115 g.	(*4 onzas*) jamón
1 kg.	(*2¼ libras*) arroz cocido
1	cucharadita pimienta de Cayena
2	cucharaditas sal
1	cucharadita pimienta
1	cucharadita paprika

Hervir las menudencias de pollo en agua con sal hasta que estén cocidas. Escurrir y apartar tanto las menudencias de pollo como el caldo.

En una sartén grande, calentar la mantequilla y freír las salchichas. Sacar.

Agregar la cebolla, el pimiento verde y el apio. Saltear hasta que estén blandos. Agregar las cebollitas y cocer a fuego lento durante 10 minutos.

Picar el jamón, las menudencias de pollo y las salchichas y añadir a las verduras.

Agregar 1 taza del caldo de pollo. Cocer a fuego lento durante 15 minutos.

Con movimiento envolvente, incorporar el arroz y los condimentos. Servir.

Arroz con Curry

8 porciones

2	cucharadas mantequilla
2	cebollas, en cubitos
3	tallos de apio, en cubitos
2	cucharaditas sal
2	cucharadas curry en polvo
8	tazas (*2 L*) caldo de pollo
4	tazas arroz de grano largo
1	taza pasas, sin semillas
1½	taza chícharos, escaldados
1	taza almendras, rebanadas a lo largo y tostadas

Calentar la mantequilla en una olla. Agregar las cebollas y el apio; saltear hasta que estén blandos.

Agregar la sal y el curry en polvo; saltear 2 minutos.

Añadir el caldo y calentar hasta que suelte el hervor. Agregar el arroz y cocer a fuego lento, tapado, hasta que esté blando, aproximadamente 20 minutos.

Escurrir, incorporar las pasas, los chícharos y las almendras.

Servir caliente, o refrigerar y servir como una ensalada fría de arroz.

Arroz con Curry

Tres Clases de Arroz con Ejotes, Almendras y Champiñones

4 porciones

3	tazas ejotes verdes, cortados
1	taza arroz de grano largo cocido, caliente
1	taza arroz café cocido, caliente
½	taza arroz silvestre cocido, caliente
¼	taza mantequilla
2	tazas champiñones, pequeños
1	taza almendras, rebanadas a lo largo y tostadas
1	cucharadita tomillo
1	cucharadita orégano
½	cucharadita pimienta
1	cucharadita sal

Escaldar los ejotes durante 7 minutos.

Colocar el arroz en un tazón y mantener caliente.

Calentar la mantequilla en una sartén. Saltear los champiñones y los ejotes hasta que estén blandos.

Incorporar al arroz junto con las almendras y los condimentos.

Servir caliente.

Ensalada de Arroz con Pimientos

6 porciones

6	pimientos verdes
2	tazas camarones pequeños
2	tazas arroz cocido, enfriado
¼	taza cebolla, en cubitos finos
¼	taza apio, en cubitos finos
115 g.	(*4 onzas*) tocino, cocido y desmoronado
1	cucharadita albahaca
1	cucharadita sal
¼	cucharadita pimienta
1	taza mayonesa
6	camarones gigantes, pelados, desvenados, cocidos y fríos
6	tomates miniatura

Cortar la parte superior de los pimientos verdes. Limpiar los pimientos por dentro, quitando las semillas y las venas. Picar en cubitos la parte superior cortada.

En un tazón, mezclar estos cubitos de pimiento, los camarones pequeños, el arroz, las verduras, el tocino y los condimentos con la mayonesa.

Rellenar los pimientos verdes.

Adornar con los camarones gigantes y los tomates miniatura.

Cazuela de Arroz con Jamón y Okra

8 porciones

450 g.	(*1 libra*) okra (*quingombó*)
8	tazas (*2 L*) caldo de pollo
3	tazas arroz de grano largo
1	cucharadita sal
¼	cucharadita pimienta
450 g.	(*1 libra*) jamón, en cubitos
3	tazas Salsa Mornay (ver *Salsas*)
2	tazas queso Havarti, rallado

Picar la okra en cubitos y escaldar durante 3 minutos.

Calentar el caldo de pollo en una olla hasta que hierva. Agregar el arroz, tapar y cocer a fuego lento durante 20 minutos. Escurrir.

Precalentar el horno a 200 °C (*400 °F*).

En un tazón, mezclar el arroz, la okra, los condimentos, el jamón y la Salsa Mornay.

Verter en una cazuela ligeramente enmantequillada.

Espolvorear con el queso.

Hornear durante 20 minutos.

Trío de Arroz con Almendras

6 porciones

2	tazas arroz de grano largo cocido, caliente
2	tazas arroz café cocido, caliente
1	taza arroz silvestre cocido, caliente
2	cucharadas mantequilla
115 g.	(*4 onzas*) champiñones, rebanados
½	cucharadita albahaca
¼	cucharadita pimienta
1	cucharadita sal
1	taza almendras, rebanadas a lo largo y tostadas

Colocar el arroz en un tazón. Mantener caliente.

Calentar la mantequilla en una sartén. Saltear los champiñones hasta que estén blandos.

Espolvorear con los condimentos. Incorporar al arroz.

Esparcir las almendras encima. Servir inmediatamente.

Trío de Arroz con Almendras

Risi e Bisi

6 porciones

2	cucharaditas mantequilla
4	tiras de tocino, picadas
1	cebolla chica, finamente picada
1½	taza arroz de grano largo
3	tazas caldo de pollo (ver *Sopas*)
2	tazas chícharos, frescos o congelados
½	cucharadita nuez moscada
¼	taza queso Parmesano, rallado
3	cucharadas jerez

Calentar la mantequilla en una sartén. Agregar el tocino y la cebolla. Saltear hasta que estén blandos. Agregar el arroz y cocer, revolviendo por 1 minuto.

Añadir el caldo de pollo y cocer a fuego lento durante 20 minutos, o hasta que el arroz esté blando. Incorporar los chícharos, la nuez moscada, el queso y el jerez.

Cocer por 3 minutos más. Servir.

¡Qué Rico Arroz!

8 porciones

½	taza aceite de oliva
1 kg.	(*2¼ libras*) carne de cordero, en cubitos
1	cebolla, en cubitos finos
115 g.	(*4 onzas*) champiñones, rebanados
2	tallos de apio, en cubitos finos
1	taza manzanas, en cubitos
½	taza chabacanos secos, en cubitos
3	tazas arroz de grano largo
1	taza arroz café
½	taza pasas
8	tazas (*2 L*) caldo de pollo (ver *Sopas*)
2	cucharaditas sal
1	cucharadita canela
½	cucharadita clavo molido
¼	taza piñones

Precalentar el horno a 190 °C (*375 °F*).

En una sartén grande, calentar el aceite. Saltear la carne hasta que se dore. Sacar y apartar.

Agregar la cebolla, los champiñones, el apio, las manzanas y los chabacanos en la sartén. Saltear hasta que estén blandos.

Colocar el arroz en una cazuela grande. Cubrir con la carne, la fruta y las verduras salteadas y las pasas.

Calentar el caldo de pollo con los condimentos hasta que hierva. Verter sobre el arroz. Espolvorear con los piñones.

Hornear durante 30 minutos en la rejilla más baja del horno. Sacar, tapar y dejar reposar durante 5 minutos. Servir.

Arroz con Queso y Cebollines

6 porciones

6	tazas (*1,5 L*) caldo de pollo
2	tazas arroz de grano largo
2	tazas Salsa Mornay (ver *Salsas*)
3	cucharadas cebollines, picados
2	tazas queso Cheddar, rallado

Hervir el caldo de pollo. Agregar el arroz. Tapar y cocer a fuego lento durante 20 minutos. Escurrir.

Precalentar el horno a 180 °C (*350 °F*).

Colocar el arroz en una cazuela ligeramente enmantequillada. Verter la salsa sobre el arroz.

Espolvorear con los cebollines. Cubrir con el queso.

Hornear de 15 a 20 minutos o hasta que se dore ligeramente.

Arroz Pilaf

6-8 porciones

8	tiras de tocino, picadas en pedazos de 1 cm. (*½ pulg.*)
1	cebolla, finamente picada
1	tallo de apio, en rebanadas delgadas
1	zanahoria, finamente picada
1	pimiento verde, en cubitos
¼	taza mantequilla
3	tazas arroz cocido, caliente

Freír el tocino hasta que esté blando, pero no crujiente; escurrir bien.

Saltear las verduras en la mantequilla hasta que estén blandas.

Combinar el tocino, las verduras y el arroz; mezclar bien y servir.

Arroz con Brócoli Gratinado

Arroz con Brócoli Gratinado

	6 porciones
2	tazas brotes de brócoli
1	taza Salsa Mornay (ver *Salsas*)
3	tazas arroz cocido
¼	taza queso Cheddar suave, rallado
¼	taza queso Havarti, rallado
2	cucharadas queso Parmesano, rallado
2	cucharadas pan molido fino

Precalentar el horno a 150 °C (*300 °F*).

Cocer el brócoli en agua hirviendo con sal hasta que esté «al dente», aproximadamente 3 minutos. Escurrir.

Combinar la Salsa Mornay, el arroz y los quesos; con movimiento envolvente, incorporar el brócoli.

Con una cuchara, colocar en un refractario engrasado de 20 x 22 cm. (*8 x 8 pulg.*).

Espolvorear con el pan molido y hornear de 35 a 45 minutos.

Salsas

Algunos chefs franceses juzgan a un cocinero por sus salsas, y es verdad que éstas desempeñan un papel particularmente importante en la cocina francesa.

Considero que es una buena idea que todo cocinero tenga un repertorio de salsas básicas, que se puedan adaptar según las necesidades.

Las salsas pueden ser calientes o frías, pero definitivamente las calientes constituyen la mayoría de las salsas. Las salsas calientes se preparan por lo general a partir de una salsa oscura básica (la Salsa Española o la salsa de tomate, por ejemplo) o de una salsa blanca básica, la cual incluye la Salsa Béchamel y la Salsa de Pollo.

La salsa oscura básica o Salsa Española está hecha a base de huesos de res dorados, caldo oscuro, «pasta» café (roux) y verduras y hierbas. Se cuece a fuego lento durante un tiempo largo, luego se cuela y se desgrasa. Usted puede usar la receta para la Salsa Española de este capítulo como la base de muchas otras salsas.

La salsa blanca básica o Salsa Béchamel se hace con «pasta» blanca y crema o leche, y es cocida a fuego lento hasta obtener la consistencia deseada. Se usa como la base de la Salsa Suprema (ver la receta) y muchas otras salsas.

Además de estas dos salsas, le sugiero que trate de dominar las recetas de Salsa de Tomate y de Salsa Holandesa. Variaciones de estas cuatro recetas le proporcionarán un sinfín de delicias culinarias.

Salsa Criolla

Salsa Criolla

3 tazas

2	dientes de ajo, finamente picados
¼	taza aceite de oliva
1	cebolla mediana, finamente picada
2	pimientos verdes, finamente picados
1½	taza champiñones, finamente picados
4	tomates grandes, sin semillas y picados
½	cucharadita sal
1	pizca pimienta
3	gotas de salsa Tabasco
¼	taza cebollitas de Cambray, picadas
2	cucharadas perejil, picado

En una cacerola, cocer el ajo en el aceite durante 1 minuto.

Añadir la cebolla, los pimientos y los champiñones; saltear hasta que las verduras estén blandas.

Incorporar los tomates y cocer a fuego lento hasta que la salsa se haya reducido y espesado.

Condimentar con la sal, la pimienta y la salsa Tabasco.

Antes de servir, incorporar las cebollitas y el perejil.

Salsa de Champaña

1¾ taza

3	cucharadas mantequilla
3	cucharadas harina
½	taza caldo de pollo (ver *Sopas*)
½	taza crema espesa
½	taza champaña

Derretir la mantequilla en una cacerola. Agregar la harina y revolver hasta formar una pasta (roux).

Añadir el caldo de pollo, la crema y el champaña. Batir a mano todos los ingredientes.

Cocer a fuego lento durante 10 minutos a fuego mediano.

Salsa de Vino Blanco I

1¾ taza

3	cucharadas mantequilla
3	cucharadas harina
½	taza caldo de pollo (ver *Sopas*)
½	taza crema espesa
½	taza vino blanco

En una cacerola, calentar la mantequilla. Agregar la harina y cocer por 2 minutos.

Agregar los líquidos y cocer a fuego lento hasta que la salsa se espese.

Salsa de Vino Blanco II

2 tazas

4	cucharaditas mantequilla
4	cucharaditas harina
1½	taza caldo de pollo (ver *Sopas*)
½	taza vino blanco
1	yema de huevo

En una cacerola, calentar la mantequilla. Agregar la harina y cocer durante 2 minutos.

Agregar el caldo de pollo y el vino. Cocer a fuego lento durante 5 minutos.

Retirar del fuego y batir a mano agregando la yema de huevo.

Salsa de Pollo

4 tazas (1 L)

½	taza mantequilla
½	taza harina
4	tazas (*1 L*) caldo de pollo (ver *Sopas*)

En una cacerola, derretir la mantequilla, agregar la harina y revolver hasta formar una pasta rubia (roux).

Agregar el caldo de pollo y revolver.

Cocer a fuego lento durante 30 minutos.

Salsa Cremosa de Champiñones y Queso Parmesano

2½ tazas

1½	taza champiñones, rebanados
4	cucharaditas mantequilla
4	cucharaditas harina
¾	taza caldo de pollo (ver *Sopas*)
¾	taza crema espesa
2	cucharadas queso Parmesano, rallado
	sal y pimienta

Saltear los champiñones en la mantequilla a fuego alto hasta que estén blandos.

Espolvorear con harina y cocer, revolviendo, por 2 minutos.

Poco a poco incorporar el caldo y la crema; calentar justo hasta que hierva ligeramente.

Incorporar el queso Parmesano; sazonar al gusto.

Salsa Cremosa de Champiñones y Queso Parmesano

Salsa Suprema

1 taza

1	taza Salsa de Pollo
1	taza crema espesa
2	cucharadas mantequilla fría

A fuego alto, reducir la Salsa de Pollo a ½ taza.

Batir a mano agregando la crema y continuar reduciendo hasta que la salsa se espese y que quede aproximadamente 1 taza.

Cortar la mantequilla en cubitos y agregarlos poco a poco batiendo a mano, a fuego mediano.

Salsa Española

6 tazas (1,5 L)

2 kg.	(*4½ libras*) huesos de res o de ternera
1	cebolla, en cubitos
4	zanahorias, en cubitos
3	tallos de apio, en cubitos
3	hojas de laurel
3	dientes de ajo
2	cucharaditas sal
½	taza harina
12	tazas (*3 L*) agua
1	ramillete de hierbas
1	taza tomates hechos puré
¾	taza poros, picados
3	ramitas de perejil

Precalentar el horno a 230 °C (*450 °F*).

Colocar los huesos, la cebolla, las zanahorias, el apio, las hojas de laurel, el ajo y la sal en una charola para asar.

Hornear de 45 a 50 minutos hasta que los huesos estén bien dorados, teniendo cuidado de no quemarlos.

Espolvorear con la harina y hornear por otros 15 minutos.

Pasar los ingredientes a una olla para caldo. Meneando rápidamente, agregar un poco de agua en la charola. Verter esta mezcla en la olla.

Agregar todos los ingredientes restantes. Hervir.

Reducir el fuego y cocer a fuego lento de 3 a 4 horas o hasta que el líquido se haya reducido a la mitad.

Quitar la espuma que se haya subido a la superficie. Colar la salsa para quitar los huesos, etc.

Colar por segunda vez a través de una estopilla.

Usar según se necesite.

Salsa Demi-Glace

1¾ taza

3	tazas Salsa Española
1¼	taza caldo de res (ver *Sopas*)
¼	taza jerez

Combinar la Salsa Española y el caldo de res.

Cocer a fuego lento hasta que la salsa se haya reducido en volumen a una tercera parte.

Agregar el jerez y usar según se necesite.

Salsa Chasseur

2 tazas

2	cucharadas mantequilla
115 g.	(*4 onzas*) champiñones, rebanados
1	cucharada chalotes, finamente picados
½	cucharadita sal
¼	taza vino blanco
1	taza salsa demi-glace
½	taza salsa de tomate

Calentar la mantequilla en una cacerola; saltear los champiñones, los chalotes y la sal hasta que la mayor parte del líquido se haya evaporado.

Agregar el vino, la salsa demi-glace y la salsa de tomate.

Cocer a fuego lento durante 20 minutos, revolviendo ocasionalmente. Usar según se necesite.

Salsa de Champiñones con Vino Tinto o Madera

2½ tazas

2	tazas Salsa Española (ver *Salsas*)
1	taza vino tinto o Madera
1½	taza champiñones, rebanados
1	cucharada mantequilla
2	cucharaditas harina

Hervir la Salsa Española hasta que se haya reducido a la mitad.

Incorporar el vino tinto o Madera y cocer a fuego lento durante 5 minutos.

Saltear los champiñones en la mantequilla a fuego alto.

Agregar la harina; revolver bien. Incorporar la mezcla de los champiñones a la salsa; cocer a fuego lento durante 5 minutos.

Salsa de Champiñones con Vino Tinto o Madera

Salsa Italiana

3 tazas

8	tiras de tocino, picadas
1	cebolla chica, en cubitos finos
115 g.	(*4 onzas*) champiñones, rebanados
2	tallos de apio, en cubitos finos
1	pimiento verde, en cubitos finos
3	tazas salsa de tomate (ver *Salsas*)
¼	taza jerez

Freír el tocino en una cacerola.

Agregar la cebolla, los champiñones, el apio y el pimiento verde.

Cocer hasta que estén blandos. Escurrir la grasa.

Agregar la salsa de tomate y el jerez.

Cocer a fuego lento durante 10 minutos y usar según se necesite.

Salsa Béchamel

1¼ taza

2	cucharadas mantequilla
2	cucharadas harina
1	taza leche
¼	cucharadita sal
¼	cucharadita pimienta blanca
1	pizca nuez moscada

Derretir la mantequilla en una cacerola.

Agregar la harina y revolver hasta formar una pasta (roux).

Agregar la leche y revolver; cocer a fuego lento hasta que espese.

Agregar los condimentos y cocer a fuego lento por 2 minutos más.

1

Derretir la mantequilla en una cacerola y agregar la harina.

2

Revolver hasta formar una pasta (roux).

3

Agregar la leche y revolver, cociendo a fuego lento hasta que espese.

4

Agregar los condimentos y cocer a fuego lento por 2 minutos más.

Salsa Mornay

1 1/4 taza

2	cucharadas mantequilla
2	cucharadas harina
½	taza caldo de pollo (ver *Sopas*)
½	taza crema espesa
¼	cucharadita sal
¼	cucharadita pimienta
¼	taza queso Parmesano, rallado

En una cacerola, derretir la mantequilla, agregar la harina y revolver hasta formar una pasta (roux).

Agregar el caldo de pollo, la crema y los condimentos.

Cocer a fuego lento, revolviendo, hasta que espese.

Agregar el queso y cocer a fuego lento por 2 minutos más.

Salsa Teriyaki

Salsa Teriyaki

2 tazas

⅓	taza azúcar morena
1	cucharadita jengibre, molido
1	taza caldo de res
⅓	taza salsa soya
2	cucharadas maicena
¼	taza vino blanco

Disolver el azúcar y el jengibre en el caldo y la salsa soya.

Hervir.

Mezclar la maicena con el vino.

Agregar al caldo.

Cocer a fuego lento hasta que espese.

Salsa para Barbacoa

3 tazas

1	taza cebollas, picadas
1/3	taza aceite
2	tazas salsa de tomate (ver *Salsas*)
2/3	taza agua
1/3	taza jugo de limón
1/3	taza azúcar morena
4	cucharaditas salsa inglesa
4	cucharaditas mostaza preparada
1	cucharada sal
1/2	cucharadita salsa Tabasco

Mezclar todos los ingredientes.

Cocer a fuego lento durante 15 minutos.

Retirar del fuego.

Salsa para Barbacoa con Vino

1 1/2 taza

2	cucharadas cebolla, picada
1	cucharada mantequilla
1/4	taza vino blanco
1/4	taza salsa catsup
1	pizca pimienta negra
1/2	cucharadita orégano
1/2	cucharadita comino
2	cucharadas azúcar morena
1	lata (*10 onzas*) tomates, picados
1	pizca sal
1	cucharada maicena
3	cucharadas agua

Saltear la cebolla en la mantequilla hasta que esté blanda.

Agregar el vino, la salsa catsup, la pimienta, el orégano, el comino, el azúcar morena y los tomates.

Calentar la salsa hasta que hierva ligeramente. Cocer a fuego lento durante 20 minutos y agregar la sal.

Mezclar la maicena con el agua, agregar a la salsa y cocer, revolviendo constantemente, hasta que la salsa adquiera la consistencia deseada.

Salsa de Curry

1 1/2 taza

2	cucharadas mantequilla
2	cucharadas harina
2	cucharaditas curry en polvo
2/3	taza caldo de pollo (ver *Sopas*)
1/2	taza crema espesa

En una cacerola, calentar la mantequilla. Agregar la harina y el curry en polvo.

Mezclar hasta formar una pasta suave (roux). Cocer por 2 minutos.

Agregar el caldo y bajar el fuego.

Cocer a fuego lento durante 3 minutos.

Agregar la crema y cocer a fuego lento por 2 minutos más. Usar según se necesite.

Salsa para Barbacoa y Salsa para Barbacoa con Vino

Salsa Holandesa

¾ taza

½	taza mantequilla
2	yemas de huevo, batidas
2	cucharaditas jugo de limón
1	pizca pimienta de Cayena

Derretir la mantequilla hasta que quede muy caliente.

Colocar las yemas de huevo en baño maría, a fuego bajo.

Agregar lentamente el jugo de limón. Asegurarse que esté completamente incorporado.

Retirar del fuego. Lentamente agregar la mantequilla caliente, batiendo a mano.

Agregar la pimienta de Cayena y usar la salsa inmediatamente.

1

Colocar las yemas de huevo en baño maría, a fuego bajo y lentamente agregar el jugo de limón.

2

Lentamente agregar la mantequilla derretida, batiendo a mano.

3

Agregar la pimienta de Cayena.

4

La salsa está lista para servir.

Salsa Pesto Simple, Salsa Béarnaise y Salsa Holandesa

Salsa Pesto Simple

2 tazas

1½	taza hojas de albahaca, frescas
6	dientes de ajo
⅓	taza piñones, tostados
⅔	taza queso Parmesano, rallado
1	cucharadita sal
½	cucharadita pimienta
¾	taza aceite de oliva

Combinar todos los ingredientes en el procesador de alimentos.

Mezclar hasta que todos estén bien incorporados.

Revolver con pastas calientes.

Salsa Béarnaise

¾ taza

3	cucharadas vino blanco
1	cucharada hojas de estragón, secas
½	cucharadita jugo de limón
½	taza mantequilla
3	yemas de huevo

Combinar el vino, el estragón y el jugo de limón en una cacerola chica.

A fuego alto, reducir a 2 cucharadas.

En otra cacerola chica, derretir la mantequilla y calentar hasta casi hervir.

En una licuadora o procesador de alimentos, procesar las yemas de huevo hasta que estén mezcladas.

Con la máquina funcionando, agregar la mantequilla lentamente, a chorrito tenue.

Con la máquina apagada, agregar la mezcla del vino.

Procesar sólo hasta que se mezcle.

Salsa de Miel y Mostaza

1⅓ taza

⅔	taza mayonesa (ver *Aderezos*)
⅓	taza miel
⅓	taza mostaza Dijon

Mezclar todos los ingredientes. Refrigerar.

Salsa de Rábano Picante Cremosa

1¾ taza

½	taza crema agria
1	taza queso crema
¼	taza rábano picante, rallado

Mezclar perfectamente todos los ingredientes.
Refrigerar antes de usar.

Salsa de Hierbas Finas

½ taza

½	taza mayonesa (ver *Aderezos*)
1	cucharadita hojas de albahaca, secas
1	cucharadita perifollo seco (*opcional*)
1	cucharadita cebollines, picados
1	cucharadita perejil, picado

Batir a mano todos los ingredientes hasta que la mezcla quede suave.

Salsa de Tomate Picante y Cremosa

¾ taza

¼	taza salsa de tomate picante (ver *Verduras*)
½	taza vinagreta francesa (ver *Aderezos*)
1	cucharadita paprika
1	cucharadita sal condimentada
½	cucharadita chile en polvo
1	cucharadita jugo de limón
1	cucharadita salsa inglesa

Batir a mano todos los ingredientes hasta que la mezcla quede suave.

Salsa de Licor de Naranja

¾ taza

½	taza mermelada de naranja
¼	taza licor de naranja o brandy
2	cucharadas agua

Mezclar todos los ingredientes.
Hervir, bajar el fuego y cocer a fuego lento durante 5 minutos, revolviendo hasta que espese.

Salsa de Ajo y Miel

1 taza

1	taza miel líquida
1	cucharada ajo, en polvo o finamente picado

Calentar la miel en una cacerola o en el microondas. Agregar el ajo batiendo a mano.

Salsa de Hierbas Finas, Salsa de Licor de Naranja, Salsa de Ajo y Miel y Salsa de Tomate Picante y Cremosa

Salsa de Tomate

2½ – 3 tazas

¼	taza mantequilla
2	zanahorias, en cubitos
2	tallos de apio, en cubitos
2	dientes de ajo, finamente picados
1	cebolla, en cubitos
3	hojas de laurel
1	cucharadita tomillo
1	cucharadita orégano
1	cucharadita albahaca
1	cucharada sal
1	cucharadita pimienta
1,4 kg.	(*3 libras*) tomates, pelados, sin semillas y picados

Calentar la mantequilla y saltear las zanahorias, el apio, el ajo y la cebolla hasta que estén blandos.

Agregar los condimentos y los tomates. Cocer a fuego lento durante 2 horas.

Colar la salsa. Regresar al fuego y cocer a fuego lento hasta que tenga la consistencia deseada.

Salsa de Tomate

Salsa Cherbourg

3½ tazas

6	cucharadas mantequilla
3	cucharadas harina
1	taza caldo de pollo
1	taza crema ligera
1½	taza colas de cangrejo de río o carne de camarón, cocidas
¼	cucharadita sal
1	pizca pimienta blanca
1	pizca paprika

Calentar la mitad de la mantequilla en una cacerola. Agregar la harina y cocer por 2 minutos, sin dorar.

Agregar el caldo de pollo y la crema. Bajar el fuego y cocer a fuego lento durante 15 minutos o hasta que la salsa se espese.

Hacer un puré con el resto de la mantequilla y ½ taza de la carne de cangrejo. Retirar la salsa del fuego. Agregar el puré batiendo a mano. Agregar los mariscos y los condimentos restantes. Servir con mariscos, pescado, pollo o sobre tallarines.

Salsa de Especias Cajun

2¼ tazas

2	cucharadas aceite
2	cucharadas cebolla, finamente picada
2	cucharadas pimiento verde, finamente picado
2	dientes de ajo, finamente picados
1	taza salsa catsup
1	taza tomates hechos puré
½	taza agua
1	cucharada salsa inglesa
½	cucharadita salsa Tabasco
1	cucharadita paprika
½	cucharadita orégano
½	cucharadita tomillo
1	cucharadita sal

En una cacerola, calentar el aceite. Saltear la cebolla, el pimiento verde y el ajo hasta que estén blandos.

Agregar el resto de los ingredientes. Hervir.

Bajar el fuego. Cocer a fuego lento durante 20 minutos.

Salsa de Frambuesas

Salsa de Frambuesas

3 tazas

1 kg.	(2¼ libras) frambuesas
1	cucharada maicena
3	cucharadas jerez
4	cucharadas azúcar fina

En el procesador de alimentos, hacer puré las frambuesas. Colar. Desechar la pulpa y las semillas.

Mezclar 3 tazas del jugo de frambuesa con la maicena, el jerez y el azúcar.

Calentar lentamente hasta que la salsa se espese.

Usar según se necesite.

Quesos

Hay cientos de variedades de quesos en el mundo. Tan sólo en Francia, ¡se hacen más de 400! No hay excusa entonces para limitarse a los mismos quesos de siempre. Pero tampoco se deben menospreciar los quesos domésticos. Algunos son increíblemente buenos y pueden ser mucho más baratos que los importados.

Los quesos pueden ser una gran aventura y una de las maneras más interesantes de probarlos es organizar una fiesta de queso, pan y vino. Prevea entonces 170 g. (*6 onzas*) de queso por persona.

El queso es también un gran ingrediente para cocinar. Este capítulo le dará una idea de las muchas maneras como puede utilizarlo y en todos los platillos, desde las sopas hasta los postres.

Cuando cocine con queso, recuerde que de un fuego demasiado alto resultará un producto hilachudo y posiblemente duro.

Conservación de los Quesos

Todos los quesos deben guardarse a temperaturas entre 2 °C y 4 °C (*36 °F* y *40 °F*). Los quesos de pasta blanda, tipo crema, pueden conservarse hasta 14 días en el refrigerador, si están bien envueltos. El queso de hebra (tipo Mozzarella o Oaxaca) es un queso que definitivamente es mejor recién comprado, entonces compre sólo lo necesario.

Los quesos de pasta dura se pueden guardar hasta 90 días, si están bien envueltos. Si aparece una capa de moho, no es peligroso; simplemente hay que rasparla.

Es mejor no congelar el queso, pero si tiene que hacerlo, córtelo en trozos de 225 g. (*½ libra*) y envuélvalo bien. Uselo dentro de un período de 90 días y descongélelo en el refrigerador.

Asimismo, evite congelar los pasteles de queso hechos en casa. Pues tienden a desmoronarse.

Panecillos de Queso

12 porciones

2	tazas harina
¼	taza polvo de hornear
½	cucharadita azúcar granulada
¼	cucharadita sal
¼	taza manteca
⅔	taza leche
2	tazas queso Cheddar mediano, en cubitos finos
1	huevo

Precalentar el horno a 200 °C (*400 °F*).

Combinar la harina, el polvo de hornear, el azúcar y la sal.

Incorporar la manteca, cortándola hasta que la masa quede grumosa.

Agregar toda la leche al mismo tiempo; mezclar con un tenedor hasta obtener una masa lisa y suave.

Colocar la masa en una tabla ligeramente espolvoreada con harina y suavemente amasar, agregando el queso.

Extender la masa con el rodillo hasta que tenga 2,5 cm. (*1 pulg.*) de espesor y cortarla en 12 cuadros.

Acomodarlos en una charola de horno no engrasada.

Batir el huevo; untar la masa.

Hornear durante 15 minutos o hasta que se doren ligeramente.

Rollos de Queso

Rollos de Queso

8 porciones

1	paquete de 398 g. (*14 onzas*) masa hojaldrada, descongelada
1	huevo, batido
¼	taza queso Romano, rallado

Precalentar el horno a 230 °C (*450 °F*).

Extender la masa con el rodillo hasta que tenga un espesor de 0,5 cm. (*¼ pulg.*) en una superficie ligeramente espolvoreada con harina.

Untar con el huevo batido y espolvorear con el queso.

Cortar la masa horizontalmente en tiras de 1 cm. (*½ pulg.*) de ancho. Cortar según el largo deseado.

Torcer las tiras varias veces y colocar en una charola de horno no engrasada, presionando las puntas para evitar que la masa se desenrolle.

Hornear de 8 a 10 minutos o hasta que se doren ligeramente.

Sopa de Papa y Queso

4-6 porciones

1	taza papas, ralladas en forma gruesa
2½	tazas caldo de pollo (ver *Sopas*)
1	taza crema espesa
1	taza queso Brick, rallado
1½	cucharada mantequilla
2	cucharadas harina
	sal y pimienta
¼	taza cebollitas de Cambray, picadas
4	tiras de tocino, cocidas y desmoronadas

Cocer las papas a fuego lento en el caldo de pollo hasta que estén blandas. No escurrir. Batir hasta que la consistencia esté suave. Incorporar la crema y el queso.

Derretir la mantequilla en una cacerola chica; agregar la harina y revolver hasta que la consistencia esté lisa.

Agregar esta mezcla a la sopa, batiendo a mano para mezclar. Condimentar al gusto.

Cocer a fuego lento de 4 a 5 minutos o hasta que espese ligeramente.

Adornar con las cebollitas y el tocino y servir.

Crepas a la Manicotti

6 porciones

1	paquete de 250 g. (*8 onzas*) queso crema, a temperatura ambiente
½	taza queso cottage, escurrido
½	taza queso Cheddar mediano, rallado en forma gruesa
½	taza queso Havarti, rallado en forma gruesa
1½	cucharada mantequilla, suavizada
1	huevo
3	cucharadas perejil, picado
3	cucharadas cebollita de Cambray, picada
½	cucharadita sal
12	crepas de 20 cm. (*8 pulg.*) (ver *Panes*)
2	tazas salsa de tomate (ver *Salsas*)
½	taza queso Romano, rallado

Precalentar el horno a 180 °C (*350 °F*).

Combinar los quesos, la mantequilla y el huevo; batir hasta que queden bien mezclados.

Incorporar el perejil, la cebollita y la sal.

Poner de 3 a 4 cucharadas de la mezcla en cada crepa; enrollar y colocar en un platón refractario de 32 x 22 cm. (*13 x 9 pulg.*).

Verter la salsa de tomate sobre las crepas y espolvorear con el queso Romano.

Hornear de 25 a 30 minutos.

Pancakes de Papa y Queso

6-8 porciones

1	paquete de 250 g. (*8 onzas*) queso crema, a temperatura ambiente
3	cucharadas harina
2	huevos
¼	cucharadita sal
3	tazas papas crudas, ralladas
2	tazas crema agria, separada
1	taza queso Havarti, en cubitos
¼	taza margarina
450 g.	(*1 libra*) tocino, cocido y desmoronado

Combinar el queso crema con la harina; batir hasta que queden bien mezclados. Agregar los huevos y la sal; batir hasta que la consistencia esté suave.

Colocar las papas ralladas en una licuadora o en un procesador de alimentos con cuchillas de metal; procesar hasta que la consistencia esté suave.

Batiendo, incorporar el puré de papas a la mezcla del queso crema. Incorporar 1 taza de crema agria y el queso Havarti.

En una sartén medianamente caliente y untada con margarina, dejar caer la mezcla a cucharadas.

Voltear cuando se dore y continuar cociendo hasta que el otro lado se dore.

Añadir margarina cuando se necesite.

Servir calientes, con la crema agria restante y el tocino esparcido encima.

Fondue de Queso Cremoso

4 porciones

¾	taza queso Havarti, rallado
¾	taza queso Cheddar añejo, rallado
¾	taza queso suizo, rallado
1	cucharada maicena
1	cucharadita paprika
1½	taza vino blanco seco
¼	taza brandy
	sal y pimienta
	pan francés, cortado en cubos
	coliflor, brócoli, calabacitas, pimientos rojos o champiñones, cortados en pedazos chicos

Combinar los quesos, la maicena y la paprika y mezclar bien.

Verter el vino en una olla de fondue y a fuego mediano, calentar hasta que hierva.

Incoporar la mezcla de los quesos poco a poco, dejando que el queso se derrita antes de agregar más.

Cocer, revolviendo constantemente, hasta que la mezcla esté muy caliente y suave. Incorporar el brandy. Condimentar al gusto.

Colocar la olla de fondue sobre un hornillo.

Acomodar el pan y las verduras en un platón para acompañar el fondue.

1

Verter el vino en la olla de fondue y a fuego mediano, calentar hasta que hierva. Incorporar la mezcla de los quesos poco a poco.

2

Dejar que el queso se derrita antes de agregar más.

3

Verter el brandy, revolviendo constantemente hasta que la mezcla quede muy caliente y suave.

4

Colocar la olla de fondue sobre un hornillo y servir con el pan y las verduras.

Fondue de Queso en Cubos

8 porciones

1 kg.	(2¼ libras) queso Havarti, cortado en cubos
1	taza harina
3	huevos, bien batidos
2	tazas pan molido fino
1	cucharada sal condimentada
1	pizca hojas de albahaca, secas
1	pizca hojas de orégano, secas
2 – 3	tazas aceite vegetal

Pasar cada cubo de queso por la harina, luego por los huevos, luego por una mezcla de pan molido, sal y hierbas, asegurándose que el queso quede completamente cubierto después de cada etapa.

Dejar reposar durante 30 minutos a temperatura ambiente.

Calentar el aceite hasta que quede muy caliente en la olla de fondue.

Ensartar cada cubo de queso en una brocheta y dorar en el aceite. Servir con un surtido de salsas.

También pueden ser cocinados de esta misma manera, cubos de carne de res, de pollo o mariscos.

Precaución : Las brochetas de metal se calientan mucho al ponerlas en aceite muy caliente. Si se colocan en la boca directamente de la olla de fondue, pueden causar serias quemaduras.

Pan Tostado con Queso

6 porciones

¼	taza mantequilla
¼	taza harina
1	taza crema espesa
¼	cucharadita mostaza, en polvo
¼	cucharadita salsa inglesa
½	taza cerveza
2	tazas queso Cheddar añejo, rallado
	sal y pimienta
6	rebanadas de pan tostado

Derretir la mantequilla, espolvorear con la harina; revolver hasta que queden bien mezcladas.

Agregar la crema y cocer a fuego lento, revolviendo hasta que espese.

Incorporar la mostaza, la salsa inglesa y la cerveza.

Espolvorear el queso gradualmente, revolviendo constantemente. Condimentar con sal y pimienta.

Cuando todo el queso se haya derretido, verter sobre el pan tostado y servir.

Pan Tostado con Queso y Curry

6 porciones

2	tazas leche
1	cucharada maicena
2½	tazas queso Gruyère o suizo, rallado
¼	cucharadita curry en polvo
2	chalotes, finamente picados (*opcional*)
2	cebollitas de Cambray, finamente picadas
1	cucharada chutney (salsa picante)
6	rebanadas de pan tostado
1	cucharada cebollines, picados

Calentar 1½ taza de leche en una cacerola hasta que hierva ligeramente.

Agregar la maicena a la ½ taza de leche restante y revolver hasta que la mezcla quede suave. Verter en la leche caliente y cocer a fuego lento, revolviendo, hasta que espese ligeramente.

Incorporar el queso, el curry en polvo, los chalotes, las cebollitas y la salsa chutney; cocer a fuego lento de 2 a 3 minutos hasta que todo quede bien mezclado.

Verter sobre el pan tostado, espolvorear los cebollines y servir.

Pan Tostado con Queso y Curry

Lasaña de Bob

8 porciones

6	tallarines de lasaña
1 kg.	(*2¼ libras*) carne de res magra, molida
2	tazas salsa de tomate (ver *Salsas*)
1½	taza queso cottage, escurrido
¾	taza crema agria
1½	taza queso Brick, rallado
1½	taza queso Mozzarella, rallado

Precalentar el horno a 220 °C (*425 °F*).

Cocer los tallarines de lasaña de acuerdo con las instrucciones del paquete; escurrir.

Cocer la carne de res hasta que pierda el color rosa; escurrir. Incorporar la carne a la salsa de tomate.

Extender una capa delgada de salsa de carne en un refractario de 32 x 22 cm. (*13 x 9 pulg.*).

Cubrir con tres tallarines de lasaña, la mitad de la salsa de carne y la mitad del queso cottage.

Repetir la operación con los tallarines, la salsa de carne y el queso cottage restantes.

Cubrir con la crema agria, espolvorear con los quesos, y hornear de 35 a 40 minutos o hasta que el queso se dore ligeramente.

Pizza

6 porciones

3	cucharadas aceite vegetal
2	dientes de ajo, finamente picados
1	cebolla pequeña, finamente picada
1	tallo de apio, finamente picado
½	pimiento verde, finamente picado
6	tomates medianos, pelados, sin semillas y en cubitos
¼	cucharadita hojas secas de orégano
¼	cucharadita hojas secas de tomillo
¼	cucharadita hojas secas de albahaca
½	cucharadita sal
¼	cucharadita pimienta
1	cucharada salsa inglesa
1	cucharada vino tinto (*opcional*)
⅓	taza puré de tomate
½	receta de masa para Pizza (ver *Panes*)

Cubiertas secas : salchichas, jamón, jaiba, cebollas, picadillo de res

Queso rallado : Mozzarella, Brick, Suizo, Monterey Jack o una combinación de todos éstos

Cubiertas húmedas : tomates, pimientos verdes, champiñones, piña, camarones

Salsa : Saltear las verduras en aceite, a fuego mediano, hasta que estén blandas.

Incorporar los condimentos, el vino y el puré de tomate. Cocer a fuego lento durante 10 minutos.

Preparación : Precalentar el horno a 230 °C (*450 °F*).

Cubrir la masa ya extendida con una capa delgada de salsa.

Esparcir la cubierta seca de su preferencia sobre la salsa. Espolvorear con el queso rallado.

Colocar su selección de cubierta húmeda sobre el queso.

Hornear de 15 a 20 minutos o hasta que se dore la corteza y que el queso esté burbujeante.

Pan de Jamón y Queso Suizo

1 barra grande

4	tazas harina
1	cucharadita sal
1	sobre de 8 g. de levadura instantánea
1¼	taza leche
3	cucharadas mantequilla
450 g.	(*1 libra*) jamón, en rebanadas delgadas
4	tazas queso suizo, rallado en forma gruesa
1	huevo
2	cucharadas leche

Apartar 1 taza de harina. Mezclar el resto de la harina, la sal y la levadura en un tazón grande. Calentar la leche y la mantequilla sin que hiervan. Incorporar a la mezcla de harina.

Agregar suficiente harina de la apartada para hacer una masa lisa. Amasar sobre una superficie ligeramente espolvoreada con harina hasta que quede suave y no pegajosa, aproximadamente 10 minutos. Colocar la masa en un tazón engrasado, dando vueltas a la masa para que quede toda engrasada. Cubrir y dejar que suba al doble, como 30 minutos.

Golpear la masa con el puño para adelgazarla, luego extenderla con el rodillo hasta formar un rectángulo de 0,3 cm. (*⅛ pulg.*) de espesor. Cubrir con las rebanadas de jamón y espolvorear con el queso. Enrollar la masa apretadamente y colocarla en una charola de horno engrasada, con el pliegue hacia abajo. Doblar los extremos por debajo. Cubrir y dejar que suba al doble de su volumen.

Precalentar el horno a 180 °C (*350 °F*).

Combinar el huevo con la leche; revolver hasta que queden bien mezclados. Untar el pan y hornear de 40 a 45 minutos o hasta que la corteza se dore. Dejar que se enfríe en una rejilla.

Ostiones a la Florentina

Ostiones a la Florentina

6-8 porciones

284 g.	(*10 onzas*) espinacas, picadas en forma gruesa
¼	taza mantequilla
2	cucharadas jugo de limón
1	cucharada salsa inglesa
32	ostiones
½	taza queso Cheddar añejo, rallado
½	taza queso suizo, rallado
½	taza queso Azul, desmoronado
1	taza Salsa Mornay (ver *Salsas*)

Saltear las espinacas en la mantequilla a fuego alto, revolviendo hasta que estén blandas, aproximadamente de 2 a 3 minutos. Incorporar el jugo de limón y la salsa inglesa.

Abrir los ostiones; escurrir. Desechar la concha plana de arriba.

Colocar sobre cada ostión en su concha, un poco de la mezcla de espinacas y un poco de Salsa Mornay.

Combinar los quesos y espolvorearlos sobre los ostiones. Colocar en el horno bajo la parrilla precalentada aproximadamente 3 minutos, o hasta que el queso se derrita. Servir calientes.

Pirojki

4-6 docenas

Masa

4	tazas harina
½	cucharadita sal
1	huevo, bien batido
1	taza, agua tibia

Relleno

10	papas, hervidas y en puré
2	tazas queso fundido procesado, rallado
¼	taza crema agria
4	tiras de tocino, cocidas y desmoronadas
6	cebollitas de Cambray, rebanadas
¼	taza rebanadas de champiñones, salteadas en mantequilla

Guarnición

¼	taza mantequilla
2	cebollas españolas grandes, en cubitos
2	tazas crema agria
1	taza tocino, cocido y desmoronado

Masa : Mezclar la harina y la sal en un tazón hondo. Agregar el huevo y suficiente agua para hacer una masa lisa.

Amasar sobre una tabla espolvoreada con harina justo hasta que la masa esté suave (no amasar demasiado para que no se endurezca).

Colocar la masa en un tazón engrasado, dándole vueltas para que quede toda engrasada. Cubrir y dejar reposar de 10 a 15 minutos.

Relleno : Combinar todos los ingredientes; mezclar bien.

Extender la masa con el rodillo sobre una superficie ligeramente espolvoreada con harina. Cortarla en cuadros de 7,5 cm. (*3 pulg.*).

Colocar una cucharada del relleno en el centro de cada cuadro y doblar en triángulos; presionar los lados para sellar.

Dejar caer los pirojki, unos cuantos a la vez, en una olla grande de agua hirviendo con sal. Revolver cuidadosamente con un cucharón de madera para que no se peguen.

Continuar hirviendo hasta que cada pirojk se infle y flote a la superficie. Sacar con un cucharón con agujeros; escurrir bien.

Guarnición : Saltear las cebollas en la mantequilla a fuego bajo hasta que estén blandas.

Revolver los pirojki con la mezcla de mantequilla y cebollas.

Servir con crema agria y tocino desmoronado.

Verduras Gratinadas (para un Buffet)

15-18 porciones

1	coliflor chica
1	brócoli
225 g.	(*½ libra*) champiñones, pequeños
1	cebolla, rebanada
3	calabacitas chicas, rebanadas
3	zanahorias, rebanadas
3	tallos de apio, rebanados
2	pimientos verdes, rebanados
2	pimientos rojos, rebanados
2	pimientos amarillos, rebanados
225 g.	(*½ libra*) chícharos mangetout
2	tazas pan molido fino
4	tazas (*1 L*) Salsa Mornay (ver *Salsas*)
1	taza queso suizo, rallado
1	taza queso Cheddar mediano, rallado
1	taza queso Havarti, rallado

Precalentar el horno a 190 °C (*375 °F*).

Cortar la coliflor y el brócoli en trocitos. Combinar todas las verduras.

Extender el pan molido uniformemente en un refractario engrasado de 32 x 22 cm. (*13 x 9 pulg.*).

Agregar las verduras combinadas; cubrir con la Salsa Mornay.

Espolvorear con los quesos y hornear, sin tapar, durante 45 minutos o hasta que las verduras estén blandas.

Pimientos Verdes Rellenos

Pimientos Verdes Rellenos

6 porciones

6	pimientos verdes grandes
450 g.	(*1 libra*) carne de res magra, molida
1	cebolla chica, finamente picada
1	tallo de apio, finamente picado
2	zanahorias medianas, finamente picadas
1	cucharada chile en polvo
1	cucharadita paprika
½	cucharadita hojas secas de orégano
½	cucharadita hojas secas de albahaca
½	cucharadita hojas secas de tomillo
1	cucharadita sal
1	taza salsa de tomate (ver *Salsas*)
1	taza arroz cocido
1	taza queso Edam, rallado

Precalentar el horno a 180 °C (*350 °F*).

Cortar la parte superior de los pimientos verdes y sacar las semillas. Escaldar los pimientos en agua hirviendo durante 5 minutos; escurrir.

Saltear la carne en una sartén con revestimiento antiadhesivo hasta que la carne pierda el color rosa. Incorporar las verduras, los condimentos y la mitad de la salsa de tomate; calentar hasta que suelte el hervor. Incorporar el arroz.

Rellenar los pimientos con la mezcla y colocarlos en un refractario no engrasado.

Verter el resto de la salsa sobre los pimientos, tapar y hornear durante 45 minutos.

Destapar y continuar cociendo durante 15 minutos.

Espolvorear con el queso, dejar reposar hasta que el queso se derrita y servir.

Pastel de Queso con Coco

6-8 porciones

2	paquetes de queso crema de 250 g. (*8 onzas*) cada uno, a temperatura ambiente
¾	taza azúcar granulada
2	cucharadas harina
¾	taza crema para batir
1	cucharada crema de coco (*opcional*)
¼	taza ron oscuro
4	huevos, separados
½	taza coco, en hojuelas
1	pasta para pay de 22 cm. (*9 pulg.*), sin cocer

Precalentar el horno a 160 °C (*325 °F*).

Batir el queso crema con ½ taza de azúcar hasta que esté suave. Batiendo, incorporar la harina, la crema para batir, la crema de coco y el ron.

Agregar las yemas de huevo, una por una, batiendo muy bien después de cada adición. Incorporar el coco.

Batir las claras de huevo hasta que queden espumosas. Gradualmente agregar el resto del azúcar (*¼ taza*) y continuar batiendo hasta que las claras estén a punto de turrón; en forma envolvente, incorporar a la mezcla del queso.

Vaciar en la pasta para pay y hornear durante 60 minutos. Apagar el horno y abrir un poco la puerta del horno.

Después de 30 minutos, sacar y dejar enfriar en una rejilla. Refrigerar por lo menos 4 horas.

Pay de Manzana y Queso Cheddar

6 porciones

Pasta

2	tazas harina
½	cucharadita sal
¼	taza mantequilla, fría
¼	taza manteca, fría
1	huevo
¼	taza agua fría

Relleno

4	manzanas grandes Granny Smith, peladas, descorazonadas y rebanadas
½	taza pasas
⅓	taza pacanas, en trozos
1	taza queso Cheddar mediano, rallado en forma gruesa
½	taza azúcar granulada
1	cucharadita canela

Precalentar el horno a 200 °C (*400 °F*).

Pasta : Combinar la harina y la sal. Agregar la mantequilla y la manteca, cortándolas hasta que la mezcla esté grumosa. Batir juntos el huevo y el agua hasta que estén bien mezclados.

Revolviendo con un tenedor, agregar sólo el líquido suficiente, 1 cucharada a la vez, para que la masa tenga consistencia. Formar una bola y extender inmediatamente o envolver en plástico y refrigerar. (Permitir que la pasta refrigerada se suavice un poco a temperatura ambiente antes de extender).

Extender las ⅔ partes de la pasta con el rodillo y forrar un molde de pay de 22 cm. (*9 pulg.*).

Relleno : Combinar las manzanas, las pasas, las pacanas y el queso en un tazón grande.

Mezclar el azúcar con la canela; espolvorear sobre las manzanas y revolver justo hasta que se mezclen.

Con una cuchara, colocar el relleno en la pasta preparada. Extender el resto de la pasta y colocar sobre el relleno. Recortar la pasta de arriba, dejando que 2,5 cm. (*1 pulg.*) cuelguen a los lados.

Meter el borde de la pasta de arriba debajo del borde de la pasta inferior, y luego, para sellar, presionar firmemente los bordes con un tenedor o con los dedos.

Hacer pequeñas hendiduras en la pasta de arriba para que salga el vapor.

Hornear aproximadamente 40 minutos o hasta que las manzanas estén blandas y la pasta se dore.

Pan de Ajo con Queso

	2 barras
1	taza leche
2	cucharadas azúcar
2	cucharaditas sal
1	cucharada mantequilla
1	cucharadita azúcar
1	taza agua tibia
1	paquete de levadura seca
5	tazas harina
1	cucharada ajo, finamente picado
1	taza queso Cheddar añejo, rallado
1	taza queso Monterey Jack, rallado

En una cacerola, combinar la leche, 2 cucharadas de azúcar, la sal y la mantequilla. Calentar hasta que la mantequilla se derrita. Dejar que se entibie. En un tazón grande, disolver 1 cucharadita de azúcar en agua tibia; espolvorear la levadura encima y dejar reposar 10 minutos o hasta que se formen burbujas en la superficie. Agregar a la levadura la mezcla de leche, 1 taza de harina, el ajo y los quesos; batir hasta que se mezclen bien, aproximadamente 3 minutos. Gradualmente agregar lo suficiente de la harina restante para hacer una masa lisa y uniforme. Amasar en una superficie ligeramente espolvoreada con harina hasta que quede suave y no pegajosa, aproximadamente 10 minutos. Colocar la masa en un tazón engrasado, dando vueltas a la masa para que quede toda engrasada. Cubrir y dejar que suba al doble de su volumen, aproximadamente 1 hora. Precalentar el horno a 180 °C (*350 °F*). Golpear la masa con el puño para adelgazarla, formar 2 barras de pan y colocar en 2 moldes de pan engrasados de 20 x 10 cm. (*8 x 4 pulg.*). Dejar

Pan de Ajo con Queso

que suban al doble de su volumen.Hornear durante 45 minutos o hasta que la corteza se dore ligeramente y que los panes suenen a hueco cuando se les golpee ligeramente en la parte de abajo. Desmoldar y dejar enfriar en una rejilla.

Corazón a la Crema

	6-8 porciones
2	paquetes de queso crema de 250 g. (*8 onzas*) cada uno, a temperatura ambiente
2	cucharadas mantequilla, suavizada
1½	taza queso cottage, escurrido
½	taza crema espesa
⅓	taza azúcar glass
4	tazas fresas frescas

En una licuadora o procesador de alimentos con cuchillas de metal, combinar el queso crema, la mantequilla, el queso cottage, la crema espesa y el azúcar glass; procesar hasta que la mezcla esté suave.Verter la mezcla en un molde de 4 tazas (*1 L*) con forma de corazón, forrado con una estopilla ligeramente humedecida. Colocar el molde sobre un plato para que recoja lo que escurra. Refrigerar de 24 a 48 horas hasta que el queso cuaje perfectamente. Desmoldar el corazón sobre un plato de servicio y colocar las fresas alrededor.

Sandwiches

A John Montagu, el 4º Conde de Sandwich, se le acredita la invención del sandwich, aparentemente porque se negaba a levantarse de la mesa de juego cuando estaba pasando por una buena racha.

Pero aunque él le haya dado su nombre al sandwich, parece ser que desde que el pan se inventó, la gente ha estado comiendo una u otra forma de «sandwiches».

Todas las cocinas del mundo, al parecer, tienen sus propias variantes : llámense pizza, empanadas o egg rolls.

Este capítulo no sólo tiene recetas para sandwiches hechos con pan de caja, pero también sugerencias de rellenos para pan árabe, tortillas o tacos y para untar a rebanadas de pan de nuez casero.

Lo que no encontrará aquí serán recetas para sandwichitos finos que se sirven a las damas a la hora del té o consejos para variar un plato de canapés.

En cambio, me he concentrado en sandwiches que pueden, por sí solos, constituir un buen almuerzo o una comida. Algunos de ellos son tan poco comunes que los va a querer servir en ocasiones especiales para impresionar a sus invitados.

Un sandwich puede ser tan bueno como la ocasión, entonces haga todos sus sandwiches sensacionales.

Torta de Tocino, Tomate y Albahaca

Tortas de Tocino, Tomate y Albahaca

4 porciones

12	rebanadas de tomate
1	cucharadita sal
1	cucharadita albahaca
½	cucharadita pimienta
8	tiras de tocino
4	bollos Kaiser o bolillos
4	rebanadas de queso Cheddar

Espolvorear las rebanadas de tomate con los condimentos.

Freír el tocino. Desechar la grasa.

Rebanar los bollos a la mitad. En la parte inferior de cada bollo, colocar 3 rebanadas de tomate.

Cubrir con 2 rebanadas de tocino y 1 rebanada de queso. Acomodar en una charola de horno y colocar bajo la parrilla hasta que el queso se derrita.

Cubrir con la parte superior del bollo. Servir con una ensalada de papas.

Pan Arabe con Pollo y Anacardos

4 porciones

3	tazas de pollo, cocido y en cubitos
1	taza anacardos (nueces de la India)
1	taza mayonesa
2	cucharadas cebolla, finamente picada
2	cucharadas pimiento verde, finamente picado
2	cucharadas pimiento morrón enlatado, finamente picado
4	piezas de pan árabe
1½	taza germen de alfalfa

Mezclar el pollo, las nueces, la mayonesa, la cebolla, el pimiento verde y el pimiento morrón.

Abrir el pan árabe. Rellenar con la mezcla y el germen de alfalfa.

Tortas de Pollo

6 porciones

6	bolillos
2	cucharadas mantequilla, derretida
2	tazas carne de pollo, deshuesada y cocida
¼	taza cebolla, en cubitos finos
¼	taza apio, en cubitos finos
¼	taza pimiento verde, en cubitos finos
½	taza mayonesa
¼	cucharadita sal
1	pizca pimienta
1	pizca paprika
1	taza queso Cheddar, rallado
1	taza queso suizo, rallado

Cortar la parte superior de los bolillos. Sacar el migajón. Untar con la mantequilla por dentro y tostar en el horno, bajo la parrilla.

Combinar el pollo, las verduras, la mayonesa y los condimentos. Rellenar los bolillos. Espolvorear con el queso.

Meter al horno, bajo la parrilla, por 2 minutos más.

Tapar las tortas con la parte superior de los bolillos. Servir inmediatamente.

Tortas de Pollo en Salsa de Barbacoa

6 porciones

1	cucharada aceite
½	taza cebolla, finamente picada
¾	taza agua
¼	taza salsa de tomate
¼	taza salsa catsup
½	cucharadita sal
½	cucharadita paprika
½	cucharadita orégano
½	cucharadita tomillo
½	cucharadita pimienta
½	cucharadita chile en polvo
450 g.	(*1 libra*) pollo, cocido y en cubitos
6	bollos Kaiser o bolillos

Calentar el aceite en una sartén. Agregar la cebolla y saltear hasta que esté blanda.

Agregar el agua, la salsa de tomate, la salsa catsup y los condimentos. Cocer a fuego lento durante 20 minutos.

Agregar el pollo y cocer a fuego lento durante 5 minutos.

Rebanar los bollos. Rellenar con el pollo. Servir.

Tortas de Carne de Res en Salsa de Barbacoa

6 porciones

1	cucharada aceite
½	taza cebolla, en cubitos finos
¾	taza agua
1	cucharada salsa inglesa
¼	taza salsa de tomate
¼	taza salsa catsup
½	cucharadita sal
¼	cucharadita pimienta
¼	cucharadita chile en polvo
¼	cucharadita paprika
450 g.	(*1 libra*) carne de res, cocida y en rebanadas muy delgadas
6	bollos Kaiser o bolillos, grandes

Calentar el aceite en una sartén. Saltear la cebolla hasta que esté blanda.

Agregar el agua, la salsa inglesa, la salsa de tomate, la salsa catsup y los condimentos.

Reducir el calor y cocer a fuego lento durante 20 minutos, o hasta que la salsa esté muy espesa.

Agregar la carne y seguir cociendo a fuego lento durante 5 minutos.

Rebanar los bollos a la mitad. Rellenar con la carne y la salsa.

Tapar con la parte superior del bollo. Servir muy calientes.

1

En una sartén, saltear la cebolla en el aceite hasta que esté blanda.

2

Agregar el agua, la salsa inglesa, la salsa de tomate, la salsa catsup y los condimentos. Bajar el fuego y cocer a fuego lento durante 20 minutos.

3

Agregar la carne de res y continuar cociendo a fuego lento durante 5 minutos.

4

Rebanar los bollos a la mitad y rellenar con la carne y la salsa.

Pan Francés Relleno con Pollo

6 porciones

2	tazas queso crema
1	huevo
1	cucharadita paprika
1	cucharadita albahaca
¼	cucharadita pimienta
¼	cucharadita sal
3	tazas pollo, en cubitos finos
1	taza piñones
1	pan francés, tipo baguette

Precalentar el horno a 180 °C (*350 °F*).

Revolver el queso crema con el huevo y los condimentos hasta que la mezcla esté cremosa. En forma envolvente, agregar el pollo y los piñones.

Cortar las extremidades del pan francés y sacar el migajón sin romper la corteza.

Rellenar el pan con la mezcla. Envolver apretadamente en papel de aluminio.

Hornear durante 20 minutos. Sacar y rebanar. Servir con una ensalada de espinacas.

Sandwiches de Pollo Oscar

4 porciones

1	cucharada mantequilla
4	pechugas de pollo de 90 g. (*3 onzas*) cada una, deshuesadas
4	rebanadas gruesas de pan de centeno oscuro
225 g.	(*½ libra*) carne de jaiba
12	puntas de espárragos, escaldadas
1	taza Salsa Béarnaise (ver Salsas)

Calentar la mantequilla en una sartén. Saltear las pechugas de pollo durante 2½ minutos de cada lado.

Colocar cada pechuga sobre una rebanada de pan. Cubrir con la carne de jaiba y los espárragos.

Verter ¼ de taza de la salsa sobre cada porción. Colocar bajo la parrilla, en el horno, durante 1 minuto.

Sandwiches de Pollo Gratinados

4 porciones

2	bollos Kaiser o bolillos
4	pechugas de pollo de 90 g. (*3 onzas*) cada una, deshuesadas
1	taza tocino, picado
¼	taza cebolla, en cubitos finos
¼	taza apio, en cubitos finos
¼	taza pimiento verde, en cubitos finos
½	taza tomates, picados
4	rebanadas de queso Cheddar

Rebanar los bollos a la mitad.

Asar el pollo a la parrilla en el horno de 2 a 3 minutos de cada lado.

Freír el tocino hasta que quede crujiente. Escurrir el exceso de grasa. Agregar las verduras y cocer hasta que estén blandas.

Colocar una pechuga de pollo en cada mitad de bollo. Cubrir con la mezcla de verduras salteadas.

Cubrir con el queso. Colocar bajo la parrilla, en el horno, durante 2 minutos. Servir inmediatamente.

Sandwiches de Manzana

6 porciones

3	tazas manzanas, peladas y en cubitos
3	cucharadas miel de abeja
½	taza mayonesa
½	cucharadita canela, molida
1	barra de Pan de Manzana con Pasas y Nueces (ver *Panes*)
1½	taza queso Cheddar mediano, rallado

Mezclar las manzanas, la miel, la mayonesa y la canela.

Rebanar el pan. Cubrir cada rebanada con una cantidad igual de mezcla. Colocar en una charola de horno.

Espolvorear con el queso.

Colocar bajo la parrilla, en el horno, hasta que el queso se derrita. Servir inmediatamente.

Sandwich de Jaiba y Aguacate

Sandwiches de Jaiba y Aguacate

6 porciones

1	taza mayonesa
¼	taza azúcar glass
450 g.	(*1 libra*) carne de jaiba
2	aguacates, en cubitos
1	taza uvas rojas, sin semillas
½	taza nueces, en trozos
1	barra de pan de plátano

Mezclar la mayonesa con el azúcar.

Mezclar la carne de jaiba, los aguacates, las uvas y las nueces.

Incorporar la mayonesa. Cortar el pan en rebanadas gruesas.

Cubrir con la mezcla de carne de jaiba. Servir.

Croque Monsieur

4 porciones

340 g.	(*12 onzas*) jamón, en rebanadas muy delgadas
4	rebanadas de queso Gruyère de 60 g. (*2 onzas*) cada una
8	rebanadas de pan, sin corteza
⅓	taza mantequilla

Precalentar el horno a 220 °C (*425 °F*).

Colocar 90 g. (*3 onzas*) de jamón y 1 rebanada de queso entre dos rebanadas de pan. Untar la parte exterior del sandwich con mantequilla.

Hornear durante 5 minutos o hasta que se doren.

Cortar en cuatro y servir con una ensalada de papas.

Sandwiches de Jaiba Monte Cristo

4 porciones

8	rebanadas de pan blanco
2	tazas carne de jaiba
1	cucharada cebolla, finamente picada
1	cucharada apio, finamente picado
½	taza mayonesa
¼	cucharadita paprika
¼	cucharadita pimienta
¼	cucharadita sal
4	rebanadas de queso suizo
2	huevos
⅓	taza leche
3	cucharadas mantequilla

Quitarle la corteza al pan. Mezclar la carne de jaiba, la cebolla, el apio, la mayonesa y los condimentos.

Repartir el relleno sobre 4 rebanadas de pan.

Cubrir con una rebanada de queso y tapar con una rebanada de pan.

Mezclar los huevos con la leche.

Calentar la mantequilla en una sartén grande.

Pasar los sandwiches por la mezcla de huevos con leche.

Freír los sandwiches en la mantequilla hasta que se doren. Servir inmediatamente.

Camarones a la Criolla en Pan Francés

1 porción

1	pan francés, tipo baguette, de 25 cm. (*10 pulg.*)
1	cucharada mantequilla
115 g.	(*4 onzas*) camarones, pelados y desvenados
¼	cucharadita sal
1	pizca pimienta de Cayena
1	pizca paprika
1	pizca ajo en polvo
1	pizca tomillo
1	pizca orégano
1	pizca pimienta
¼	taza queso rallado (cualquier tipo)
½	taza lechuga, rallada

Cortar el pan a la mitad y a lo largo.

En una sartén, calentar la mantequilla. Saltear los camarones hasta que estén color de rosa. Espolvorear con los condimentos.

Colocar la mezcla en la parte inferior del pan. Espolvorear con el queso.

Colocar bajo la parrilla, en el horno, durante 2 minutos. Cubrir con la lechuga.

Cubrir con la parte superior del pan.

Camarones a la Criolla en Pan Francés

Sandwiches de Tomate con Ajo

2-4 porciones

1	pan francés, tipo baguette, de 30 cm. (*12 pulg.*)
½	taza cebolla, en cubitos finos
½	taza pimiento verde, en cubitos finos
2	tazas tomates, picados y escurridos
¼	taza mantequilla de ajo
2	tazas queso Cheddar, rallado

Rebanar el pan a la mitad y a lo largo.

En una sartén, a fuego lento, saltear la cebolla, el pimiento verde y los tomates en la mantequilla de ajo.

Untar las mitades del pan con la mezcla. Espolvorear con el queso.

Colocar bajo la parrilla, en el horno, durante 2 minutos. Servir calientes.

Sandwiches de Tomate con Ajo

Pan Arabe con Pollo al Curry

4 porciones

1	taza pollo, cocido y deshuesado
1	cebolla, en cubitos finos
½	pimiento verde, en cubitos finos
½	taza piñones
½	taza mayonesa
1	cucharadita curry en polvo
4	piezas de pan árabe
1	taza germen de alfalfa
8	tomates miniatura

Cortar el pollo en cubitos. Mezclar el pollo con la cebolla, el pimiento verde, los piñones, la mayonesa y el curry en polvo.

Abrir el pan árabe. Rellenar con la mezcla de pollo.

Cubrir con el germen de alfalfa. Adornar con los tomates miniatura.

Torta de Pollo Hawaiana

Tortas de Pollo Hawaiana

4 porciones

1	cucharada azúcar morena
¼	cucharadita jengibre, molido
1	cucharada salsa soya
4	pechugas de pollo de 90 g. (*3 onzas*) cada una, deshuesadas
4	rebanadas de piña
4	bollos Kaiser o bolillos
2	cucharadas mostaza Dijon
4	rebanadas de queso suizo

Mezclar el azúcar, el jengibre y la salsa soya.

Asar las pechugas de pollo y las rebanadas de piña a la parrilla, en el horno, de 2½ a 3 minutos por cada lado, untándolas con la salsa.

Rebanar los bollos a la mitad. Untar con la mostaza.

Colocar una pechuga en la parte inferior de cada bollo.

Cubrir con una rebanada de piña y luego con una rebanada de queso. Colocar bajo la parrilla, en el horno, hasta que el queso se derrita.

Cubrir con la parte superior del bollo y servir.

Sandwiches de Langosta con Queso

4 porciones

225 g.	(*½ libra*) carne de langosta, en cubitos gruesos
¼	taza mayonesa
2	cucharaditas jugo de limón
1	cucharadita salsa de rábano picante, suave
2	bollos Kaiser o bolillos
8	rebanadas de tomate
2	tazas queso Cheddar, rallado

Mezclar la carne de langosta con la mayonesa, el jugo de limón y la salsa de rábano picante.

Rebanar los bollos a la mitad. Cubrir cada mitad con una cantidad igual de mezcla.

Colocar 2 rebanadas de tomate en cada una. Espolvorear con el queso y colocar bajo la parrilla, en el horno, durante 2 minutos.

Servir con una sopa de langosta.

Sandwiches a la India

Sandwiches a la India

4 porciones

115 g.	(*4 onzas*) queso crema
¼	taza mango, en cubitos
1	cucharadita curry en polvo
184 g.	(*6,5 onzas*) salmón enlatado, escurrido
2	bagels
4	rebanadas de naranja de 0,5 cm. (*¼ pulg.*) de grueso

Precalentar el horno a 200 °C (*400 °F*).

Mezclar el queso crema con el mango. Incorporar el curry en polvo. Mezclar con el salmón.

Cortar cada bagel a la mitad.

Repartir la mezcla del salmón sobre esas mitades; cubrir con 1 rebanada de naranja.

Colocar en una charola de horno. Hornear durante 6 minutos.

Sandwiches Milwaukee

4 porciones

8	rebanadas de pan, con mantequilla
450 g.	(*1 libra*) carne de pollo, cocida y rebanada
170 g.	(*6 onzas*) queso Roquefort, desmoronado
1	cucharadita paprika

Entre 2 rebanadas de pan, con la mantequilla untada por fuera, colocar 115 g. (*4 onzas*) de pollo y 42 g. (*1½ onza*) de queso. Espolvorear con la paprika.

Saltear a fuego mediano hasta que se doren.

Servir calientes.

Sandwich Milwaukee

Saag Paratha

4 porciones

4	piezas de pan árabe
3	cucharadas mantequilla
2	tazas pollo, deshuesado, cocido y en cubitos
284 g.	(*10 onzas*) espinacas, picadas
2	cucharaditas curry en polvo
½	cucharadita sal
1	taza queso Feta, picado en cubitos

Cortar el pan a la mitad.

Calentar la mantequilla en una sartén. Agregar el pollo y las espinacas; saltear durante 2 minutos. Espolvorear con el curry en polvo y la sal.

Agregar el queso y saltear por 1 minuto más. Rellenar el pan.

Servir con una ensalada de arroz frío o una Sopa Puchero (ver *Sopas*).

Cuerno con Camarones

1 porción

½	taza camarones pequeños
1	cucharada cebolla, finamente picada
1	cucharada pimiento verde, finamente picado
1	cucharada apio, finamente picado
4	cucharaditas mayonesa
1	cuerno
¼	taza germen de alfalfa
1	hoja de lechuga
2	tomates miniatura

Mezclar los camarones, la cebolla, el pimiento verde y el apio con la mayonesa.

Rebanar el cuerno a la mitad. Rellenar con la mezcla de camarones.

Adornar con el germen de alfalfa, la lechuga y los tomates miniatura.

Sandwich de Salmón Ahumado

1 porción

1	huevo duro, picado
1	cucharadita cebolla, finamente picada
1	cucharadita apio, finamente picado
1	pizca sal
1	pizca pimienta
1	cucharada mayonesa
1	rebanada de pan de centeno oscuro, con mantequilla
90 g.	(*3 onzas*) salmón ahumado
3	anillos de cebolla
1	cucharada caviar rojo
½	cucharadita cebollines, finamente picados

Mezclar el huevo con la cebolla, el apio, los condimentos y la mayonesa. Untar el pan con esta mezcla.

Colocar el salmón sobre el relleno. Cubrir con los anillos de cebolla.

Esparcir el caviar y los cebollines.

Tortas de Carne de Res Molida

8 porciones

4	cucharaditas aceite
1	cebolla, finamente picada
1	pimiento verde, finamente picado
2	dientes de ajo, finamente picados
115 g.	(*4 onzas*) champiñones, rebanados
675 g.	(*1½ libra*) carne de res magra, molida
2	cucharaditas sal
1	cucharadita pimienta
½	cucharadita pimienta de Cayena
2	cucharaditas chile en polvo
1	cucharadita albahaca
1	cucharada salsa inglesa
3	cucharadas harina
½	taza tomates, machacados
⅓	taza agua
2	cucharadas puré de tomate
8	bollos Kaiser o bolillos, tostados
2	tazas queso Cheddar mediano, rallado

Calentar el aceite. Saltear la cebolla, el pimiento verde, el ajo y los champiñones. Agregar la carne y cocer perfectamente. Escurrir el exceso de grasa.

Agregar todos los condimentos y espolvorear la harina. Cocer a fuego lento durante 3 minutos.

Agregar los tomates, el agua y el puré de tomate. Cocer a fuego lento durante 15 minutos o hasta que la mezcla esté muy espesa.

Con una cuchara, colocar la mezcla en la parte inferior de los bollos, cubrir con el queso y tapar con la parte superior del bollo. Servir.

Sandwiches
Wiener Schnitzel

4 porciones

1	huevo
¼	taza leche
4	escalopas de ternera de 60 g. (*2 onzas*) cada una, aplanadas
¼	taza harina
½	taza pan molido condimentado
2	cucharadas mantequilla
3	cucharadas puré de manzana
3	cucharadas mayonesa
4	bollos Kaiser o bolillos
4	hojas de lechuga

Mezclar el huevo con la leche. Espolvorear la ternera con la harina. Pasar la carne por la mezcla de leche. Pasar por el pan molido.

Calentar la mantequilla en una sartén grande y saltear la carne empanizada durante 2½ minutos de cada lado.

Mezclar el puré de manzana con la mayonesa.

Rebanar los bollos a la mitad. Untarlos con mayonesa de manzana.

Colocar una hoja de lechuga y una milanesa en cada bollo.

Tapar y servir.

Sandwiches Wiener Schnitzel

Tacos Tex-Mex

8 porciones

450 g.	(*1 libra*) carne de res magra, molida
2	dientes de ajo, finamente picados
1	cebolla chica, finamente picada
1	cucharadita salsa inglesa
1	cucharadita sal
2	cucharaditas chile en polvo
¼	cucharadita pimienta de Cayena
½	taza aceite
8	tortillas
1	taza Salsa para Enchiladas (ver *Enchiladas*)
¼	lechuga, rallada
2	tomates, en cubitos
2	tazas queso Cheddar fuerte, desmoronado

Saltear la carne con el ajo y la cebolla. Escurrir el exceso de grasa.

Agregar la salsa inglesa y los condimentos. Combinar.

Calentar el aceite y freír las tortillas. Mientras se están friendo, doblarlas.

Retirar del aceite y escurrir bien. Rellenar las tortillas con la mezcla de la carne.

Cubrir con 1 cucharada de salsa, la lechuga, los tomates y el queso.

Club Sandwich

1 porción

2	tiras de tocino
3	rebanadas de pan
1	cucharadita mayonesa
4	rebanadas de tomate
2	hojas de lechuga
1	pechuga de pollo de 90 g. (*3 onzas*), asada y rebanada

Freír el tocino. Tostar el pan. Untar 2 rebanadas de pan con mantequilla y untar la tercera con la mayonesa.

En una rebanada de pan, colocar los tomates, el tocino y una hoja de lechuga. Cubrir con una rebanada de pan.

Colocar la otra hoja de lechuga y la pechuga de pollo en esta rebanada.

Colocar la última rebanada de pan encima. Cortar en cuatro. Servir con papas fritas.

Pan de Timoteo

4 porciones

4	panes franceses, tipo baguette, de 30 cm. (*12 pulg.*) cada uno
¼	taza mostaza Dijon
1	cebolla, rebanada
1	pimiento verde, rebanado
115 g.	(*4 onzas*) champiñones, rebanados
2	cucharadas mantequilla
4	salchichas ahumadas de 60 g. (*2 onzas*) cada una
450 g.	(*1 libra*) asado de carne de res, en rebanadas delgadas
115 g.	(*4 onzas*) queso Cheddar mediano, rallado
115 g.	(*4 onzas*) queso Havarti, rallado

Rebanar los panes a lo largo y a la mitad. Untar con la mostaza.

Saltear la cebolla, el pimiento verde y los champiñones en la mantequilla hasta que estén blandos. Colocar en las mitades de los panes.

Rebanar las salchichas ahumadas a lo largo. Freír rápidamente en la sartén.

Colocar sobre las verduras. Cubrir con la carne y los quesos.

Asar en el horno, bajo la parrilla, durante 2 minutos. Servir inmediatamente.

Tortillas

12-16 tortillas

2	tazas harina de maíz
1	taza harina
1	cucharadita sal
1	cucharadita mantequilla
⅓	taza agua
1	cucharada aceite

Cernir juntos los ingredientes secos. Incorporar la mantequilla cortándola.

Agregar justo lo suficiente de agua para amasar y formar una bola firme.

Dejar reposar durante 30 minutos.

Precalentar el horno a 180 °C (*350 °F*).

Dividir la masa en porciones iguales. Formar bolitas.

Extender la masa en círculos delgados.

Engrasar ligeramente los círculos y hornear hasta que estén secas las tortillas pero flexibles.

1

Preparar la masa y amasar formando una bola firme; dejar reposar durante 30 minutos.

2

Dar forma de bolitas y extender formando círculos delgados.

3

Engrasar ligeramente los círculos.

4

Hornear hasta que estén secas las tortillas pero flexibles.

Sandwiches Tropicales

8 porciones

1	papaya
1	mango
2	cucharadas miel de abeja
½	taza mayonesa
1	taza camarones pequeños
8	rebanadas de pan de plátano
1	taza queso Monterey Jack, rallado

Pelar y picar en cubitos la papaya y el mango.

Mezclar con la miel y la mayonesa. Agregar los camarones. Mezclar.

Cubrir cada rebanada de pan con la mezcla. Colocar en una charola de horno.

Espolvorear con el queso. Meter al horno, bajo la parrilla, hasta que el queso se derrita.

Tortas de Bacalao

6 porciones

6	bollos Kaiser o bolillos
2	cucharadas mantequilla
2	huevos
½	taza leche
6	colas de bacalao de 90 g. (*3 onzas*) cada una
1	taza harina
2	tazas pan molido fino, condimentado
4	tazas (1 L) aceite
⅔	taza salsa tártara

Rebanar los bollos y untarles mantequilla. Mezclar los huevos con la leche.

Espolvorear el bacalao con la harina. Pasar por la mezcla de huevos con leche. Pasar por el pan molido.

Calentar el aceite. Freír el bacalao durante 3 minutos o hasta que se dore.

Untar cada bollo con 2 cucharadas de salsa tártara.

Cubrir con una cola de bacalao frita. Servir con una sopa de almejas.

Cuernos con Atún y Queso

4 porciones

4	cuernos
2	tazas atún, escurrido y desmenuzado
¼	taza cebolla, finamente picada
¼	taza apio, finamente picado
½	taza mayonesa
1	cucharada mostaza Dijon
1	taza queso Cheddar, rallado
1	taza queso suizo, rallado

Rebanar los cuernos a la mitad.

Mezclar el atún con la cebolla, el apio, la mayonesa y la mostaza.

Untar los cuernos con la mezcla. Espolvorear con los quesos y meter al horno, bajo la parrilla, durante 2 minutos.

Servir con una sopa cremosa.

Cuernos con Atún y Queso

Sandwiches del Chef

4 porciones

8	rebanadas de pan de centeno claro
340 g.	(*12 onzas*) pavo cocido, en rebanadas delgadas
170 g.	(*6 onzas*) jamón, en rebanadas delgadas
12	tiras de tocino cocido
12	rebanadas de tomate
4	rebanadas de queso suizo
4	rebanadas de queso Cheddar añejo
	mantequilla, suavizada

Entre dos rebanadas de pan, colocar 85 g. (*3 onzas*) de pavo, 42 g. (*1½ onza*) de jamón, 3 tiras de tocino, 3 rebanadas de tomate, 1 rebanada de queso suizo y 1 rebanada de queso Cheddar.

Untar la parte exterior de los sandwiches con mantequilla y asarlos hasta que se doren por los dos lados.

Servir con una Sopa de Cebolla Gratinada.

Sandwich del Chef

Sandwiches Monte Cristo

4 porciones

8	rebanadas de pan blanco, sin la corteza
225 g.	(*8 onzas*) pavo cocido, en rebanadas delgadas
225 g.	(*8 onzas*) jamón, en rebanadas delgadas
8	rebanadas de queso suizo
4	huevos
¼	taza leche
	margarina

Entre dos rebanadas de pan, colocar 56 g. (*2 onzas*) de pavo, 56 g. (*2 onzas*) de jamón y 2 rebanadas de queso.

En una fuente poco honda, batir los huevos y la leche con un tenedor. Pasar los dos lados del sandwich por la mezcla.

En una sartén, derretir la margarina a fuego mediano. Asar el sandwich hasta que esté dorado por los dos lados.

Repetir con el resto de los sandwiches, agregando margarina cuando se necesite.

Servir calientes con una ensalada de fruta fresca.

Sandwiches Reuben con Salsa de Mostaza

4 porciones

Sandwiches

8	rebanadas de pan de centeno oscuro
340 g.	(¾ *libra*) carne de res salada, cocida y en rebanadas delgadas
¾	taza col fermentada (sauerkraut), escurrida
8	rebanadas de queso suizo

Salsa de Mostaza

¼	taza mayonesa
2	cucharadas mostaza Dijon
1	cucharada salsa de rábano picante, preparada

Entre dos rebanadas de pan, colocar unos 85 g. (3 onzas) de carne de res salada, 3 cucharadas de col fermentada y 2 rebanadas de queso.

Untar la parte exterior de los sandwiches con mantequilla y asarlos hasta que se doren por los dos lados.

Servir con la salsa de mostaza y papas fritas a la francesa.

Para preparar la salsa de mostaza, combinar todos los ingredientes y mezclar bien.

Sandwich Reuben con Salsa de Mostaza

Algo Diferente

4 porciones

2	mangos
8	rebanadas delgadas de prosciutto
4	rebanadas de Pan de Nuez y Calabacitas (ver *Panes*)
8	rebanadas de queso Monterey Jack

Pelar y rebanar los mangos en cuatro.

Envolver cada trozo de mango con una rebanada de prosciutto. Colocar 2 de estas envolturas en una rebanada de pan.

Cubrir con una rebanada de queso. Colocar en una charola de horno.

Meter al horno, bajo la parrilla, hasta que el queso se derrita. Servir inmediatamente.

Tortas Philadelphia de Bistec y Queso

4 porciones

2	cebollas grandes, rebanadas
1	pimiento verde, rebanado
	mantequilla
1	taza champiñones, rebanados
450 g.	(*1 libra*) carne de res (sirloin), en rebanadas muy delgadas
8	rebanadas de queso fundido, procesado
4	bolillos de 20 cm. (*8 pulg.*)

Saltear las cebollas y el pimiento verde en mantequilla, a fuego mediano, hasta que estén blandos; colocar en el horno para mantener calientes.

Saltear los champiñones en más mantequilla, a fuego alto; agregar a la mezcla de las cebollas en el horno.

En mantequilla adicional, a fuego alto, saltear la carne según el grado de cocción deseado.

Rebanar los bolillos a la mitad y a lo largo. Colocar 115 g. (*4 onzas*) de carne en la mitad inferior de cada bolillo, cubrir con la cuarta parte de las verduras y dos rebanadas de queso.

Colocar bajo la parrilla precalentada hasta que el queso se derrita. Tostar la parte superior de los bolillos y colocar sobre las tortas.

Pasta de Jamón Picante

3 tazas

1	paquete de 250 g. (*8 onzas*) de queso crema
¼	taza mayonesa
¼	cucharadita salsa Tabasco
2	cucharadas mostaza preparada
1	cucharadita cebolla, finamente picada
280 g.	(*10 onzas*) jamón, finamente picado
½	cucharadita chile en polvo
½	cucharadita paprika

Mezclar el queso con la mayonesa.

Agregar los ingredientes restantes. Mezclar muy bien.

Usar para untar sandwiches o como dip. Riquísimo con verduras.

Pasta de Camarones con Jaiba

3 tazas

1	paquete de 250 g. (*8 onzas*) de queso crema
½	taza crema agria
115 g.	(*4 onzas*) carne de jaiba, cocida y picada
115 g.	(*4 onzas*) carne de camarón, cocida y picada
1	cucharada cebolla, finamente picada
1	cucharadita paprika
½	cucharadita pimienta
½	cucharadita sal
3	cucharadas salsa de tomate picante

Mezclar el queso con la crema agria.

Incorporar los mariscos, la cebolla y los condimentos.

Agregar la salsa de tomate picante y mezclar bien.

Sandwiches de las Islas Fiji

Sandwiches de las Islas Fiji

8 porciones

1	taza coco, rallado
¼	taza crema de coco
1	lata (*14 onzas*) de piña en trocitos, escurrida
1	taza mayonesa
450 g.	(*1 libra*) carne de jaiba, desmenuzada
1	lata (*10 onzas*) de mandarinas, escurridas
2	plátanos, rebanados
1	barra de Pan de Plátano con Nueces (ver *Panes*), cortada en 8 rebanadas gruesas
1	taza queso suizo, rallado
1	taza queso Cheddar suave, rallado

Combinar el coco, la crema de coco y los trocitos de piña. Agregar la mayonesa y mezclar bien.

Suavemente incorporar la carne de jaiba, los gajos de mandarina y las rebanadas de plátano.

Colocar una porción generosa de la mezcla de carne de jaiba en cada rebanada de pan, espolvorear con los quesos y colocar bajo la parrilla precalentada hasta que el queso se derrita.

Servir con Ensalada Romana con Naranjas o Sopa de Brócoli y Cheddar.

Panes

Sin duda conoce usted el refrán : «No sólo de pan vive el hombre».

Aunque esto es cierto, también es verdad que las comidas serían mucho más aburridas si no existiera la infinita variedad de panes y otros productos de panadería disponibles.

En este capítulo, le ofrezco una selección de las mejores recetas de pan y panquecitos que, aunque limitada, puede ser fácilmente adaptada a muchas ocasiones. Aquí encontrará usted recetas para pan de diario, incluyendo pan integral y panecillos, pero también algunas recetas que agregarán un toque particular a sus comidas especiales.

Descubrirá usted recetas exclusivas de panquecitos para los almuerzos de fin de semana y panes de nuez con fruta para servir con el té o como bocadillos.

Para darles autenticidad a las comidas tex-mex o cajun, he incluído algunas recetas especiales de pan para estos tipos de comida.

Consejos Para Hornear Pan

1. Cuando la receta pida leche o huevos, déjelos primero entibiarse a temperatura ambiente.

2. Si la superficie del pan se dora demasiado rápido antes de que éste quede completamente cocido por dentro, cúbrala con papel de aluminio y continúe horneando.

3. Mida todos los ingredientes cuidadosamente. Este no es el momento de experimentar, a menos que realmente sepa lo que está haciendo.

4. Use el tipo de harina indicado en la receta.

5. Recuerde que la levadura es un producto vivo. Alimentarla con un poco de azúcar la ayudará a crecer más rápidamente, pero el agua caliente a más de 55 °C (*130 °F*) la matará.

Panquecitos de Tocino

Panquecitos de Tocino

	12 panquecitos
450 g.	(*1 libra*) tocino
1½	taza harina
1	cucharada polvo de hornear
½	taza mantequilla
1	huevo, batido
½	taza crema espesa
1	taza queso Cheddar fuerte, rallado
3	cebollitas de Cambray, rebanadas

1	cucharada semillas de alcaravea (carví)

Precalentar el horno a 200 °C (*400 °F*).

Freír el tocino. Escurrir el exceso de grasa, apartando 1 cucharada. Picar o desmoronar el tocino.

En un tazón, cernir juntos la harina y el polvo de hornear.

Incorporar la mantequilla cortándola. Agregar el huevo y la crema y mezclar.

Agregar el tocino, el queso y las cebollitas.

Engrasar un molde para 12 panquecitos con la grasa del tocino apartada.

Colocar la mezcla en cada moldecito llenándolo sólo hasta las ¾ partes. Espolvorear con las semillas de alcaravea.

Hornear de 15 a 20 minutos o hasta que se doren. Servir calientes.

Pan Francés

2 barras

2	cucharadas levadura seca
2½	tazas agua tibia
7½	tazas harina cernida
2	cucharaditas sal
1	clara de huevo, ligeramente batida
1	cucharada agua fría

En un tazón, suavizar la levadura en el agua tibia. Remojar durante 10 minutos.

En otro tazón, mezclar 2 tazas de harina con la sal. Agregarlas al agua con levadura y mezclar bien. Agregar el resto de la harina, 1 taza a la vez. Incorporar muy bien después de añadir cada taza. Amasar con el procesador de alimentos de 20 a 25 minutos, no menos. La masa debe estar suave y elástica.

Colocarla en un tazón ligeramente engrasado. Cubrir y dejar que suba al doble de su volumen, de 1¼ a 1½ hora.

Golpear la masa con el puño para adelgazarla, cubrir y dejar reposar 1 hora para que suba por segunda vez.

Colocar la masa en una tabla espolvoreada con harina. Dividir en dos. Extender cada mitad con el rodillo y formar dos rectángulos grandes de 40 x 35 cm. (*16 x 14 pulg.*). Enrollar la masa apretadamente como «Niño Envuelto». Sellar las puntas. Colocar en una charola de horno engrasada, con el pliegue hacia abajo.

Mezclar la clara de huevo con el agua fría. Untar el pan. Cubrir con un lienzo. Dejar que el pan suba al doble de su volumen por tercera vez.

Precalentar el horno a 190 °C (*375 °F*).

Colocar un refractario poco hondo, medio lleno de agua, en la rejilla inferior del horno.

Hornear el pan en la rejilla del centro durante 20 minutos.

Untar por segunda vez con la clara de huevo y hornear por otros 20 minutos.

Pan Blanco

3 barras

1	taza leche
⅓	taza azúcar
⅓	taza mantequilla
1	cucharada sal
60 g.	(*2 onzas*) levadura seca
12	tazas harina
3	tazas agua tibia
2	huevos

Calentar la leche hasta que esté tibia. Incorporar el azúcar, la mantequilla y la sal.

Espolvorear con la levadura y apartar por 10 minutos.

Poner la harina en un tazón grande. Lentamente incorporar los líquidos. Agregar los huevos y mezclar; amasar durante 10 minutos o hasta que se forme una bola suave.

Cubrir y dejar que suba al doble de su volumen. Golpear la masa con el puño para adelgazarla, dar forma de barras de pan o dividir en 3 porciones iguales.

Colocar en moldes de pan engrasados. Dejar que suban por lo menos al doble de su volumen.

Cocer en un horno precalentado a 180 °C (*350 °F*) de 40 a 45 minutos.

Desmoldar y dejar enfriar en una rejilla.

Pan de Salvado de Avena

2 barras

2	tazas leche muy caliente, pero no hervida
¼	taza azúcar morena, bien apretada
1	cucharada sal
2	cucharadas mantequilla
2	tazas salvado de avena
1	cucharada levadura seca
½	taza agua tibia
5	tazas harina
1	clara de huevo, ligeramente batida
1	cucharada agua fría

Verter la leche caliente en un tazón grande; incorporar el azúcar morena, la sal, la mantequilla y el salvado de avena. Dejar enfriar.

En un tazón chico, suavizar la levadura en el agua tibia por 10 minutos.

Combinar la mezcla del salvado de avena, la levadura y 2 tazas de harina y batir hasta obtener una mezcla suave.

Seguir agregando la harina 1 taza a la vez, mezclando bien. Amasar durante 8 minutos. Colocar en un tazón ligeramente engrasado.

Cubrir y dejar reposar 1¼ ó 1½ hora a que suba. Golpear la masa con el puño para adelgazarla y esperar a que suba por segunda vez.

Precalentar el horno a 190 °C (*375 °F*).

Colocar la masa en una superficie espolvoreada con harina. Dividir en dos; dar forma de barras de pan. Colocar en dos moldes de 22 cm. (*9 pulg.*) y dejar reposar 1 hora a que suban.

Barnizar con la clara de huevo mezclada con el agua fría.

Hornear de 35 a 40 minutos.

Pan de Maíz Sureño

1 barra

2	huevos
2	tazas suero de leche
1	cucharadita bicarbonato
2	tazas harina de maíz
1	cucharadita sal
1	cucharadita azúcar

Precalentar el horno a 230 °C (*450 °F*).

Engrasar un molde de 22 cm. (*9 pulg.*).

Mezclar los huevos con el suero de leche.

En un tazón, cernir juntos todos los ingredientes secos.

Combinar la mezcla de leche con los ingredientes secos hasta que la mezcla quede suave.

Colocar en el molde y hornear durante 25 minutos.

Cortar en cuadros y servir muy calientes.

Medias Lunas

Medias Lunas

24 medias lunas

30 g.	(*1 onza*) levadura
1	taza agua tibia
3	cucharadas azúcar
3	cucharadas mantequilla
1	cucharadita sal
1	huevo
3	tazas harina

Precalentar el horno a 190 °C (*375 °F*).

En un tazón grande, disolver la levadura en el agua con el azúcar. Apartar por 10 minutos.

Agregar la mantequilla, la sal y el huevo. Incorporar la harina. Amasar hasta formar una bola suave y lisa.

Cubrir y dejar que suba al doble de su volumen. Golpear la masa con el puño para adelgazarla y dar forma de medias lunas.

Colocar en charolas de horno y hornear durante 15 minutos o hasta que se doren.

Pan de Plátano con Nueces

2 barras

4	huevos
1½	taza azúcar granulada
1	taza mantequilla derretida
1	cucharadita extracto de almendra
4	plátanos bien maduros, medianos, hechos puré
2½	tazas harina
2½	cucharaditas polvo de hornear
1	cucharadita bicarbonato
1	cucharadita sal
1	taza coco, rallado
1	taza nueces, picadas en forma gruesa
1	taza cerezas marrasquino, en mitades

Precalentar el horno a 180 °C (*350 °F*).

Batir muy bien los huevos. Poco a poco y batiendo, agregar el azúcar, la mantequilla derretida y el extracto de almendra. Incorporar el puré de plátano.

En un tazón grande, mezclar la harina, el polvo de hornear, el bicarbonato y la sal.

Agregar la mezcla de los huevos, revolviendo justo hasta que quede incorporada. En forma envolvente, incorporar el coco, las nueces y las cerezas.

Verter en dos moldes engrasados de 20 x 10 cm. (*8 x 4 pulg.*) y hornear durante 1 hora o hasta que se pueda introducir un palillo en el centro del pan y que salga seco.

Dejar enfriar en los moldes durante 10 minutos, luego desmoldar en una rejilla y dejar enfriar completamente.

 1

Incorporar el puré de plátano a la mezcla de los huevos.

2

Agregar la mezcla de los plátanos a la mezcla de la harina, revolviendo justo hasta que quede incorporada.

3

Verter la mezcla en moldes engrasados.

 4

Desmoldar el pan en una rejilla y dejar enfriar completamente.

Pan de Calabaza de Castilla

2 barras

1	taza aceite
1	taza miel de abeja
2	tazas azúcar
4	huevos, batidos
3½	tazas harina
1	cucharadita polvo de hornear
1	cucharadita sal
½	cucharadita clavo, molido
½	cucharadita nuez moscada
½	cucharadita pimienta de Jamaica
2	cucharaditas canela
2	tazas puré de calabaza de Castilla
1½	taza nueces, en trozos

Precalentar el horno a 160 °C (*325 °F*).

Mezclar el aceite, la miel, el azúcar y los huevos.

Cernir juntos todos los ingredientes secos. Incorporarlos al aceite endulzado. Añadir el puré de calabaza. Mezclar bien.

Agregar las nueces. Verter la mezcla en 2 moldes de 22 cm. (*9 pulg.*) bien engrasados.

Hornear durante 1¼ hora. Sacar del horno y dejar reposar 10 minutos. Desmoldar en una rejilla y dejar enfriar.

Pan de Mantequilla de Cacahuate

Pan de Mantequilla de Cacahuate

1 barra

4	cucharadas mantequilla de cacahuate
3	cucharadas mantequilla
2	cucharadas azúcar
1	huevo
1	taza harina
½	cucharadita sal
1	cucharadita polvo de hornear
½	taza leche

Precalentar el horno a 180 °C (*350 °F*).

Acremar juntos la mantequilla de cacahuate, la mantequilla y el azúcar.

Agregar el huevo. Incorporar la harina, la sal y el polvo de hornear.

Incorporar lentamente la leche.

Verter en un molde ligeramente engrasado.

Hornear de 45 a 50 minutos. Desmoldar en una rejilla y dejar enfriar.

Pan de Nuez y Calabacitas

2 barras

½	taza mantequilla
½	taza aceite
1¾	taza azúcar
2	huevos
1	cucharadita vainilla
½	taza crema espesa
1½	taza harina integral
1	taza harina
½	cucharadita polvo de hornear
1	cucharadita bicarbonato
½	cucharadita canela
½	cucharadita clavo, molido
½	cucharadita nuez moscada
2	tazas calabacitas, en cubitos finos
1	taza nueces, picadas

Precalentar el horno a 180 °C (*350 °F*).

Acremar juntos la mantequilla, el aceite y el azúcar. Añadir los huevos, la vainilla y la crema.

Mezclar todos los ingredientes secos. Incorporarlos a la primera mezcla. Agregar las calabacitas y las nueces.

Verter la mezcla en dos moldes de pan engrasados.

Hornear de 30 a 35 minutos.

Desmoldar en una rejilla y dejar enfriar antes de servir.

Pan Integral Dulce como la Miel

2 barras

¼	taza azúcar morena, bien apretada
¼	taza miel de abeja
1	cucharada sal
2	cucharadas manteca vegetal
1½	taza agua hirviendo
1	cucharadita azúcar
¼	taza agua tibia
1	cucharada levadura seca
6	tazas harina integral
¼	taza mantequilla derretida

Combinar el azúcar morena, la miel, la sal y la manteca vegetal en el tazón de la batidora.

Verterles el agua hirviendo y revolver hasta que queden disueltos. Dejar entibiar.

Disolver 1 cucharadita de azúcar en el ¼ de taza de agua. Espolvorear la levadura y dejar reposar 10 minutos. Agregarla al agua endulzada.

Lentamente incorporar la harina. Amasar durante 10 minutos con la batidora.

Cubrir y esperar de 1½ a 2 horas a que doble de volumen. Golpear la masa con el puño para adelgazarla.

Colocar la masa en dos moldes de pan de 22 cm. (*9 pulg.*) bien engrasados. Esperar de 1 a 1½ hora a que suba de nuevo.

Hornear en un horno precalentado a 190 °C (*375 °F*) de 25 a 30 minutos. Desmoldar en una rejilla y dejar enfriar. Untar con la mantequilla derretida.

Pan de Manzana

1 barra

½	taza manteca vegetal
1	taza azúcar
2	huevos
2	tazas harina
1	cucharadita sal
1	cucharadita bicarbonato
1	cucharadita polvo de hornear
1	cucharadita extracto de vainilla
2	cucharadas crema espesa
2	tazas manzanas, peladas y picadas en cubitos

Precalentar el horno a 180 °C (*350 °F*).

Batir la manteca vegetal con el azúcar hasta que la mezcla quede muy ligera.

Añadir los huevos y la crema al mismo tiempo.

Incorporar la harina, la sal, el bicarbonato y el polvo de hornear en cantidades pequeñas.

Agregar la vainilla y mezclar. Añadir las manzanas. Verter la mezcla en un molde de pan engrasado.

Hornear de 55 a 60 minutos.

Desmoldar y dejar enfriar en una rejilla.

Pan de Manzana con Pasas y Nueces

Pan de Manzana con Pasas y Nueces

	1 barra
2	tazas harina cernida
1	cucharadita bicarbonato
1	cucharadita polvo de hornear
½	cucharadita sal
½	taza mantequilla
1	taza azúcar
2	huevos

2	cucharadas crema agria
1	cucharadita vainilla
½	taza nueces, picadas
1	taza manzanas, peladas y picadas en cubitos
½	taza pasas

Precalentar el horno a 180 °C (*350 °F*).

Cernir juntos la harina, el polvo de hornear, el bicarbonato y la sal.

En otro tazón, acremar la mantequilla con el azúcar. Incorporar los huevos uno por uno.

Añadir la crema agria y la vainilla a la mezcla de la mantequilla y mezclar bien.

Agregar la mezcla de la harina y mezclar bien. Incorporar las nueces, las manzanas y las pasas.

Verter en un molde para pan engrasado y hornear de 30 a 35 minutos.

Verificar si ya está cocido.

Panecillos Parker House

3-4 docenas

2	cucharadas azúcar
¼	taza agua tibia
1	cucharada levadura
2	tazas leche
1	cucharadita sal
3	cucharadas mantequilla
6½	tazas harina
1	huevo, batido
¼	taza crema espesa

Mezclar 1 cucharadita de azúcar con el agua. Agregar la levadura y dejar reposar 10 minutos.

En una cacerola, combinar la leche, el resto del azúcar, la sal y la mantequilla. Calentar sin dejar que hiervan. Dejar enfriar y luego pasar al tazón de la batidora.

Incorporar la levadura y 3 tazas de harina. Batir durante 2 minutos.

Esperar 1 hora a que suba, luego incorporar, batiendo, el huevo y el resto de la harina.

Amasar durante 8 minutos con la batidora. Cubrir y dejar que suba.

En una superficie espolvoreada con harina, extender la masa con el rodillo hasta que esté a ⅓ de su espesor. Cortarla en círculos de 7 cm. (*3 pulg.*). Cortar una ranura en el centro de cada círculo, de aproximadamente 0,3 cm. (*⅛ pulg.*) de profundidad.

Doblar, sellando los bordes. Colocar en una charola de horno, dejando un espacio de 2,5 cm. (*1 pulg.*) entre cada uno.

Dejar que doblen de volumen. Barnizar con la crema.

Hornear en un horno precalentado a 220 °C (*425 °F*) de 15 a 17 minutos o hasta que se doren.

Pan de Chabacano

1 barra

⅔	taza leche
4	cucharaditas mantequilla
4	cucharaditas azúcar
¾	cucharadita sal
2	cucharaditas levadura seca
4	cucharaditas agua
1	huevo, batido
3¼	tazas harina

Calentar la leche sin dejar que hierva. Agregar la mantequilla, el azúcar y la sal. Disolver y dejar enfriar.

Suavizar la levadura en el agua. Agregarla a la leche ya fría. Agregar el huevo.

Lentamente incorporar la harina. Amasar durante 8 minutos con una batidora.

Dejar que doble de volumen. Golpear la masa con el puño para adelgazarla.

Dejar que doble de volumen. Golpearla con el puño y extenderla con el rodillo hasta que tenga 0,5 cm. (*¼ pulg.*) de espesor.

Untarla con el relleno (ver más adelante). Enrollar como «Niño Envuelto». Sellar los bordes y las puntas.

Cubrir y dejar que suba otra vez al doble de su volumen.

Hornear en un horno precalentado a 180 °C (*350 °F*) de 25 a 30 minutos. Dejar enfriar.

Relleno

1	taza chabacanos secos
1	taza agua
½	taza miel de abeja
¼	cucharadita canela

Remojar los chabacanos en el agua por 1 hora.

Hervir. Agregar la miel y la canela.

Hacer puré con un tenedor. Bajar el fuego.

Cocer a fuego lento hasta que espese y que la mayor parte del líquido se haya evaporado.

Panquecitos de Crema Agria y Especias

12 panquecitos

2	tazas harina
2	cucharaditas canela
½	cucharadita pimienta de Jamaica
½	cucharadita nuez moscada
½	cucharadita sal
1	cucharadita bicarbonato
3	huevos
½	taza mantequilla
2	tazas azúcar morena, bien apretada
1	taza crema agria

Precalentar el horno a 180 °C (*350 °F*).

Cernir juntos la harina, las especias, la sal y el bicarbonato. Acremar juntos los huevos, la mantequilla y el azúcar.

En forma envolvente, incorporar la crema agria. Con cuidado y batiendo, agregar los ingredientes secos.

Engrasar un molde para 12 panquecitos. Llenar sólo hasta las ⅔ partes.

Hornear de 25 a 30 minutos.

Dejar enfriar 5 minutos antes de servir.

Panquecitos de Arándanos

12 panquecitos

1½	taza harina cernida
2	cucharaditas polvo de hornear
½	cucharadita sal

Panquecitos de Arándanos

¾	taza azúcar
¼	taza mantequilla
⅔	taza leche
1	cucharadita vainilla blanca
1	taza arándanos*

Precalentar el horno a 180 °C (*350 °F*).

Cernir juntos los ingredientes secos.

Agregar la mantequilla cortándola, añadir la leche y la vainilla. Batir durante 3 minutos con una batidora. Agregar los arándanos en forma envolvente.

Engrasar ligeramente un molde para 12 panquecitos o usar moldes de papel para panquecitos. Llenar sólo hasta las ⅔ partes.

Hornear de 30 a 35 minutos o hasta que se doren.

* Si se usan arándanos congelados, usar sin descongelar y reducir la cantidad a ½ taza. Sin embargo, es mejor utilizar arándanos frescos.

Panquecitos de Manzana y Especias

12 panquecitos

2	tazas harina
1	cucharada polvo de hornear
1	cucharadita canela
¼	cucharadita nuez moscada
¼	cucharadita clavo, molido
¼	cucharadita pimienta de Jamaica
⅔	taza azúcar morena, bien apretada
1	taza cereal con pasas y nueces
2	huevos
⅔	taza leche
¼	taza aceite
1	taza manzanas, peladas, descorazonadas y en cubitos

Precalentar el horno a 180 °C (*350 °F*).

Cernir juntos la harina, el polvo de hornear y las especias.

Combinar con el azúcar y el cereal.

Batir juntos los huevos, la leche y el aceite. Combinar con los ingredientes secos. Mezclar por 2 minutos. Agregar las manzanas.

Engrasar ligeramente un molde para 12 panquecitos. Verter la mezcla llenando los moldecitos sólo hasta las ¾ partes.

Hornear de 15 a 20 minutos.

Panquecitos de Mermelada de Naranja

12 panquecitos

½	taza mermelada de naranja
2	cucharadas jugo de limón
¾	taza leche
1	cucharadita vainilla blanca
¼	taza mantequilla
¾	taza azúcar
2	huevos
2½	tazas harina
1	cucharadita polvo de hornear
1	cucharadita bicarbonato
1	cucharadita sal

Precalentar el horno a 180 °C (*350 °F*).

Mezclar la mermelada, el jugo de limón, la leche y la vainilla.

En un tazón grande, acremar la mantequilla con el azúcar. Agregar los huevos.

En otro tazón, cernir juntos la harina, el polvo de hornear, el bicarbonato y la sal.

En forma envolvente, incorporar la harina a la mezcla de la mantequilla, alternando con la mezcla de la mermelada, en cantidades de ⅓ cada vez.

Engrasar un molde para 12 panquecitos. Llenar los moldecitos sólo hasta las ⅔ partes.

Hornear de 30 a 35 minutos. Verificar si ya están cocidos.

Dejar enfriar 5 minutos antes de desmoldar.

Panquecitos de Salvado de Avena

12 panquecitos

1	taza harina
1	cucharadita polvo de hornear
1	cucharadita bicarbonato
½	cucharadita sal
1	taza pasas
1	taza salvado de avena
1	taza crema espesa
⅓	taza aceite
3	cucharadas miel de maíz
1	huevo
¼	taza azúcar morena, bien apretada
½	cucharadita vainilla

Precalentar el horno a 190 °C (*375 °F*).

En un tazón, combinar la harina, el polvo de hornear, el bicarbonato, la sal y las pasas.

En un tazón chico, remojar el salvado de avena en la crema por 5 minutos.

Agregarle el aceite, la miel de maíz, el huevo, el azúcar y la vainilla. Vaciar en los ingredientes secos.

Batir durante 2 minutos. La mezcla debe tener grumos.

Engrasar un molde para 12 panquecitos. Verter la mezcla llenando los moldecitos sólo hasta las ⅔ partes.

Hornear de 20 a 25 minutos.

Panquecitos de Zanahoria

Panquecitos de Zanahoria

12 panquecitos

2	tazas harina
¾	taza azúcar
1	cucharadita polvo de hornear
1	cucharadita bicarbonato
½	cucharadita sal
1	cucharadita canela
1	pizca pimienta de Jamaica
1	pizca nuez moscada
1	pizca clavo, molido
2	huevos
½	taza aceite
1	taza zanahorias, ralladas
1	taza manzanas, peladas y en cubitos finos
½	taza nueces
½	taza pasas

Precalentar el horno a 200 °C (*400 °F*).

Cernir juntos la harina, el azúcar, el polvo de hornear, el bicarbonato y las especias.

Batir los huevos hasta que queden espumosos, agregar el aceite, las zanahorias, las manzanas, las nueces y las pasas.

En forma envolvente, incorporar esta mezcla a los ingredientes secos. Mezclar durante 2 minutos.

Engrasar 1 molde para 12 panquecitos. Verter la mezcla llenando los moldecitos sólo hasta las ¾ partes.

Hornear de 20 a 25 minutos.

Dejar enfriar 5 minutos antes de desmoldar.

Mezcla para Crepas

16-18 crepas

1	taza harina
¼	cucharadita sal
2	cucharadas aceite
1	taza leche
¼	taza agua o agua de Seltz
1	huevo

Cernir juntas la harina y la sal.

Mezclar el aceite, la leche y el agua.

Batir el huevo y agregarlo al líquido. Incorporar los ingredientes secos.

Batir hasta obtener una mezcla suave y delgada.

Para cocer las crepas, verter 3 cucharadas de mezcla en una sartén ligeramente enmantequillada.

Cocer a fuego mediano aproximadamente 1½ minuto, dar vuelta y cocer 1 minuto.

Mezcla para Waffles

16-18 waffles

2	tazas harina
½	cucharadita sal
2	cucharadas polvo de hornear
1	cucharada azúcar
1	taza leche
1	taza crema espesa
3	huevos
4	cucharaditas mantequilla derretida

Cernir juntos la harina, la sal, el polvo de hornear y el azúcar.

En un tazón, batir la leche con la crema, los huevos y la mantequilla hasta que la mezcla quede espumosa.

Lentamente agregar los ingredientes secos para obtener una mezcla espesa.

Cocer en un molde para hacer waffles bien engrasado.

Mezcla para Pancakes

12 pancakes

1½	taza harina
2½	cucharaditas polvo de hornear
¾	cucharadita sal
1	huevo, batido
1¼	taza leche
3	cucharadas aceite

Cernir juntos la harina, el polvo de hornear y la sal.

Mezclar el huevo, la leche y el aceite. Lentamente agregar los ingredientes secos. Revolver hasta obtener una mezcla suave.

Cocer en una sartén caliente y engrasada, dando vuelta solamente una vez.

Crepas Suzette Rellenas

8 porciones

16	crepas de 20 cm. (*8 pulg.*) cada una

Relleno

1	paquete de 250 g. (*8 onzas*) de queso crema, a temperatura ambiente
¼	taza crema espesa
1	taza azúcar glass
½	taza pacanas, picadas (*opcional*)

Salsa

½	taza mantequilla
½	taza azúcar
1	taza jugo de naranja
⅓	taza licor Grand Marnier
4	cucharaditas maicena
4	cucharaditas jugo de limón
1	lata (*10 onzas*) de mandarinas, escurridas

Relleno : Batir el queso crema con la crema y el azúcar glass hasta que la mezcla esté suave. Incorporar las pacanas. Colocar unas 2 cucharadas de la mezcla en cada crepa y enrollar. Refrigerar el relleno si no se va a usar inmediatamente.

Salsa : En una cacerola gruesa, derretir la mantequilla. Incorporar el azúcar a fuego bajo y cocer, revolviendo hasta que el azúcar tenga un color café dorado. Agregar el jugo de naranja y el licor Grand Marnier. Mezclar la maicena con el jugo de limón y verter en la salsa. Cocer a fuego lento, revolviendo, hasta que la salsa se espese. Colocar 2 crepas en cada plato. Cubrir con algunos gajos de mandarina y rociar con salsa caliente. Servir inmediatamente.

1

Incorporar las pacanas a la mezcla de queso crema.

2

Colocar unas 2 cucharadas de la mezcla en cada crepa y enrollar.

3

Preparar la salsa y cocer a fuego lento, revolviendo, hasta que se espese la salsa. Incorporar los gajos de mandarina, apartando unos para adornar.

4

Rociar las crepas con salsa caliente y adornar con los gajos de mandarina apartados.

Masa para Pizza

4 pizzas de 20 cm. (8 pulg.)
o 2 pizzas de 35 cm. (14 pulg.)

1	cucharadita azúcar granulada
1	taza agua tibia
1	sobre de levadura seca o 1 cucharada
2	cucharadas mantequilla, derretida y fría
3	tazas harina
1	pizca sal

En un tazón grande, disolver el azúcar en el agua tibia.

Espolvorear con la levadura y dejar reposar 10 minutos o hasta que se forme espuma. Incorporar la mantequilla a la mezcla de la levadura.

Incorporar como la mitad de la harina y la pizca de sal a la mezcla de la levadura. Lentamente incorporar la suficiente de la harina restante para obtener una bola ligeramente pegajosa.

Amasar en una superficie ligeramente espolvoreada con harina hasta que la masa quede suave y elástica, aproximadamente 5 minutos.

Colocar la masa en un tazón engrasado y dejar reposar 15 minutos.

Golpear la masa con el puño para adelgazarla; dividir en dos. Extender cada mitad con el rodillo hasta formar un círculo de 28 cm. (*11 pulg.*) de diámetro.

Colocar en un molde para pizza de 35 cm. (*14 pulg.*) engrasado. Dejar reposar 15 minutos.

Con las yemas de los dedos, presionar la masa del centro hacia afuera hasta que la masa cubra el molde completamente.

La masa ya está lista para agregar la salsa y la cubierta.

Pudín Yorkshire

12 porciones

3	huevos
1	taza leche, calentada casi hasta que hierva y luego enfriada
1	taza harina
½	cucharadita sal
¼	cucharadita pimienta
¼	cucharadita nuez moscada
¼	taza grasa de res

Precalentar el horno a 230 °C (*450 °F*).

Batir los huevos con la leche.

En otro tazón, cernir juntos todos los ingredientes secos.

Agregarles la mezcla de leche y huevos. Revolver hasta obtener una mezcla suave.

Calentar la grasa. Verterla en un molde para 12 panquecitos. Vaciar la mezcla llenando los moldecitos sólo hasta la mitad.

Hornear durante 30 minutos.

Servir con rosbif.

Bollos de Huevo

16-20 bollos

½	taza leche, calentada casi hasta que hierva y luego enfriada
½	taza mantequilla
⅓	taza + 2 cucharaditas azúcar
¼	taza agua tibia
2	cucharadas levadura
3¾	tazas harina
1	huevo, separado
4	huevos, batidos

Acremar la mantequilla con ⅓ taza de azúcar.

En un tazón chico, mezclar 1 cucharadita de azúcar con el agua, agregar la levadura y esperar aproximadamente 15 minutos a que se suavice.

Mezclar la levadura, la mantequilla, la harina, la yema de huevo y los huevos batidos. Batir durante 2 minutos.

Cubrir y dejar que suba al doble de su volumen. Golpear la masa con el puño para adelgazarla. Batir durante 2 minutos.

Cubrir con papel de aluminio engrasado y refrigerar durante 8 horas o toda la noche.

Golpear con el puño y colocar en una superficie espolvoreada con harina.

Dividir y dar forma a 16 ó 20 bollos.

Colocar en un molde para panquecitos o para bollos bien engrasado.

Cubrir y esperar a que doblen de volumen.

Precalentar el horno a 220 °C (*425 °F*).

Batir la clara de huevo con 1 cucharadita de azúcar. Barnizar los bollos.

Hornear de 15 a 20 minutos o hasta que se doren.

Rollos de Canela

Rollos de Canela

*12 rollos grandes o
24 rollitos*

1	taza azúcar
¼	taza agua tibia
2	cucharadas levadura
4	huevos, batidos
1¼	taza leche, calentada casi hasta que hierva y luego enfriada
1	taza mantequilla derretida
7	tazas harina
2	cucharadas canela
2	tazas pacanas, picadas
2	tazas pasas
2	tazas azúcar morena

Disolver 1 cucharadita de azúcar en el agua. Espolvorear con la levadura. Dejar reposar 10 minutos.

En un tazón grande, acremar juntos los huevos, la leche, el resto del azúcar y la mitad de la mantequilla.

Agregar la harina, 1 taza a la vez, mezclando muy bien después de cada adición.

Agregar la levadura y mezclar muy bien. Amasar durante 8 minutos con la batidora.

Cubrir. Dejar que suba al doble de su volumen.

Precalentar el horno a 160 °C (*325 °F*).

Extender la masa con el rodillo hasta que tenga 0,3 cm. (*⅛ pulg.*) de espesor.

Untar con el resto de la mantequilla. Espolvorear con la canela. Esparcir las pacanas, las pasas y el azúcar morena.

Enrollar estilo «Niño Envuelto». Rebanar en rollos de 3 cm. (*1¼ pulg.*) de espesor.

Colocarlos en una charola de horno engrasada, dejando un espacio de 5 cm. (*2 pulg.*) entre cada uno. Dejar que doblen de volumen.

Hornear de 25 a 30 minutos o hasta que se doren.

Postres

A casi todo el mundo le gusta 1o dulce. Unos son adictos al chocolate, otros a los helados, y muchos otros tienen pasión por todo lo que tenga fruta.

Afortunadamente, este capítulo le propone postres para cada gusto. Muchos de ellos son mis «favoritos de siempre» y creo que podrían convertirse en los «nuevos favoritos» de quienes nunca los han probado.

Por ejemplo, he incluído una receta de «Arroz con Leche» que siempre ha formado parte de mi repertorio desde que trabajé como chef en un pequeño hotel de Jasper, Alberta. ¡Nuestra clientela se comía por lo menos 5 galones de arroz con leche al día!

También he incluído recetas de nieves, sorbetes y helados de crema, pues le proporcionan una ligera y refrescante conclusión a una comida copiosa.

Y usted encontrará aquí sencillas recetas de dulces. Creo que si trata de hacer dulces en casa en vez de comprarlos, se divertirá más y quienes los reciban los apreciarán más.

Notará que bastantes recetas en este capítulo tienen chocolate como ingrediente principal. Quizá la razón sea que yo crecí en Niágara Falls, Canadá. Ahí fue donde se inventaron las copitas de mantequilla de cacahuate de la firma Reese, pero también donde la famosa compañía Hershey hacía una exposición sobre la fabricación del chocolate.

Yo pasé muchas horas hipnotizado por ese espectáculo y desde entonces he estado fascinado por el chocolate. ¡Ciertamente no soy el único! Los aztecas fueron los primeros en usar el chocolate, luego los conquistadores españoles lo introdujeron en Europa. En su historia, el chocolate ha sido conocido no sólo como alimento sino como estimulante, afrodisíaco, moneda de cambio y sustancia sagrada.

Los holandeses refinaron el cacao para hacerlo polvo y descubrieron las maravillas de la mantequilla de cacao, la cual fue rápidamente transformada en barra de chocolate. Fue de nuevo en Norteamérica donde el chocolate finalmente obtuvo el reconocimiento debido y constituyó la base de numerosas fortunas : Hershey, Cadbury, Mars, Fry, etc.

Espero que usted pruebe algunas de estas recetas con chocolate y contribuya a perpetuar esta maravillosa tradición.

Pays, Pasteles y Galletas

Nada es tan gratificador como las sonrisas y las alabanzas de sus amigos o familiares cuando usted les ofrece un pay o un pastel hecho en casa.

Desgraciadamente hoy en día, parece que mucha gente ha perdido el gusto por hacer repostería casera. Espero que a usted no le haya sucedido eso o que abandone sus reticencias y experimente algunas de las recetas que se incluyen en este capítulo.

Recuerde que el arte de hornear es muy preciso y por lo tanto, se deben seguir algunas reglas básicas.

1. Siempre lea toda la receta antes de empezar.

2. Prepare y engrase todos los moldes de antemano. Saque todos los ingredientes y manténgalos a temperatura ambiente.

3. Prenda el horno con mucho tiempo de anticipación. Pida que revisen su horno cada año para asegurarse que está funcionando de acuerdo con las temperaturas marcadas.

4. Siga al pie de la letra las instrucciones sobre las mezclas. Se deben cernir todos los ingredientes secos juntos para asegurarse que están bien mezclados.

5. Bata las claras de huevo a punto de turrón antes de incorporarlas a la mezcla en forma envolvente. Evite mezclar demasiado la preparación.

6. Mezclar demasiado es la causa principal del endurecimiento de la pasta para pay. Cuando agregue la mantequilla, cortándola, o la manteca vegetal a la harina, hágalo sólo hasta obtener una textura burda y grumosa. Esto asegurará que la pasta esté más hojaldrada. Para obtener una pasta todavía más hojaldrada, añada un huevo o un poco de vinagre a la masa.

Cocinando con Fruta

La fruta fresca proporciona un incomparable sabor, pero debe tratarse con cuidado.

Para evitar que la fruta se ponga de color café (cuando las enzimas oxidan los taninos en la fruta), frótela con algo ácido, como jugo de limón. O agregue un antioxidante como el azúcar o la sal.

Postre de Chocolate, Moka y Menta

8 porciones

2	cucharadas grenetina en polvo
3	tazas café, caliente
115 g.	(*4 onzas*) chocolate amargo
¾	taza azúcar
1	pizca sal
½	cucharadita extracto de menta
2	tazas crema para batir

Suavizar la grenetina en el café caliente. Derretir el chocolate en baño maría.

Agregar el café, el azúcar, la sal y el extracto de menta. Enfriar en el refrigerador sin dejar que cuaje.

Batir la crema hasta que espese. Incorporarla en forma envolvente a la mezcla del chocolate enfriado.

Verter en un molde de 8 tazas (*2 L*) de capacidad.

Refrigerar durante 3 horas.

Desmoldar y servir con Salsa de Dulce de Chocolate.

Medallones de Chocolate y Menta

24-30 medallones

¼	taza mantequilla
450 g.	(*1 libra*) azúcar glass
3	cucharadas crema para batir
1	cucharadita extracto de menta
170 g.	(*6 onzas*) chocolate semiamargo
2	cucharadas mantequilla derretida

En un tazón, acremar la mantequilla, agregar la mitad del azúcar, la crema y el extracto de menta.

Batir hasta que quede muy suave. Lentamente incorporar el resto del azúcar.

Rápidamente, formar bolitas de 1 cm. (*½ pulg.*) y aplanarlas.

Dar forma de círculos iguales. Encajar un palillo en el borde de cada medallón. Dejar secar 1 hora.

En baño maría, derretir el chocolate. Agregar la mantequilla derretida y revolver.

Pasar cada medallón por el chocolate. Colocar los medallones en un platón forrado con papel encerado.

Refrigerar hasta que se vayan a servir.

Fondue de Chocolate

1½ taza

225 g.	(*8 onzas*) chocolate semiamargo
½	taza crema para batir
3	cucharadas jugo de naranja, fresco
1	cucharadita cáscara de naranja, rallada

En baño maría, derretir el chocolate. Agregar la crema, el jugo y la cáscara de naranja.

Revolver hasta que los ingredientes queden bien incorporados.

Verter en una olla de fondue y encender debajo de ésta una vela. Servir.

Usar fresas, plátanos, naranjas, duraznos, kiwis, malvaviscos, etc. para mojar.

Fondue de Chocolate

Bavaresa de Chocolate con Licor de Crema Irlandesa

6-8 porciones

4	cucharaditas grenetina en polvo
½	taza agua fría
115 g.	(*4 onzas*) chocolate semiamargo
2	tazas agua hirviendo
½	taza azúcar
⅓	taza licor de Crema Irlandesa
¾	taza crema espesa

Suavizar la grenetina en el agua fría.

En baño maría, derretir el chocolate.

Agregar la grenetina, el agua hirviendo, el azúcar y el licor. Apartar hasta que enfríe, sin que cuaje.

Batir la crema. Agregarla en forma envolvente a la mezcla de chocolate enfriado. Verter en un molde. Dejar cuajar de 3 a 4 horas.

Desmoldar y adornar con crema batida, rizos de chocolate o fruta fresca. Servir.

1

Derretir el chocolate en baño maría. Agregar la grenetina disuelta, el agua hirviendo, el azúcar y el licor.

2

Batir la crema y agregarla en forma envolvente a la mezcla de chocolate enfriado.

3

Verter en un molde y dejar cuajar de 3 a 4 horas.

4

Desmoldar y adornar.

Flan de Chocolate y Duraznos

	6 porciones	
⅔	taza jugo de durazno, enlatado	
⅓	taza cacao en polvo	
¼	taza mantequilla	
¼	taza azúcar	
1	huevo	
½	cucharadita vainilla	
1	taza harina	

1	cucharadita polvo de hornear
1	taza rebanadas de durazno, enlatadas

Hervir ½ taza del jugo de durazno, agregar el cacao en polvo y mezclar bien. Dejar enfriar.

Acremar juntos la mantequilla, el azúcar y el resto del jugo de durazno. Agregar el huevo y la vainilla y batir bien.

Cernir juntos la harina y el polvo de hornear.

Lentamente agregar la harina a la mezcla de la mantequilla. Agregar la mezcla del cacao y las rebanadas de durazno.

Colocar en 6 moldecitos para flan ligeramente engrasados.

Calentar una sartén con ⅓ taza de agua. Colocar los moldecitos en el agua.

Tapar y cocer durante 20 minutos. Voltear sobre platos de servicio.

Servir con Salsa de Dulce de Chocolate.

Flan de Chocolate y Duraznos

Pastel de Chocolate y Naranja

8-10 porciones

115 g.	*(4 onzas)* chocolate semiamargo
1	cucharada cacao en polvo
2	cucharadas polvo de hornear
2	tazas harina para repostería, cernida
½	taza mantequilla
1	taza azúcar
⅔	taza jugo de naranja
3	claras de huevo, batidas a punto de turrón

Precalentar el horno a 180 °C (*350 °F*).

En baño maría, derretir el chocolate.

En un tazón, cernir juntos el cacao en polvo, el polvo de hornear y la harina.

En otro tazón, batir la mantequilla con el azúcar hasta que esté muy ligera.

Agregar los ingredientes secos y el jugo de naranja, alternando cantidades de ⅓ cada vez.

Batiendo, incorporar el chocolate derretido. Agregar las claras de huevo en forma envolvente. Ligeramente engrasar y enharinar 2 moldes para pastel de 22 cm. (*9 pulg.*).

Hornear de 20 a 25 minutos. Dejar enfriar 5 minutos. Desmoldar en una rejilla.

Decorar con betún de chocolate.

Mousse de Chocolate

Mousse de Chocolate

4 porciones

1⅓	taza chocolate semiamargo
⅓	taza café negro
1	cucharada mantequilla
2	cucharadas licor Triple Sec
4	huevos
1¼	taza crema para batir

Derretir el chocolate en baño maría. Agregar el café. Apartar del fuego, incorporar la mantequilla y el licor.

Separar los huevos. Agregar las yemas una por una, mezclándolas con el chocolate caliente.

Batir las claras a punto de turrón y agregarlas a la mezcla de chocolate en forma envolvente.

Verter en copas de postre.

Batir la crema y colocar encima de cada porción.

Racimos de Nueces y Chocolate

24-30 racimos

450 g.	(*1 libra*) chocolate dulce
60 g.	(*2 onzas*) mantequilla derretida
½	taza anacardos (*nueces de la India*), en trozos
½	taza nueces, en trozos
½	taza pacanas, en trozos
½	taza cacahuates, sin sal

En baño maría, derretir el chocolate.

Agregar la mantequilla y revolver hasta que se derrita. Incorporar todas las nueces.

Combinar muy bien. Colocar cucharadas copeteadas de la mezcla en un platón forrado con papel encerado.

Refrigerar hasta que se endurezcan.

Fresas con Chocolate y Naranja

Fresas con Chocolate y Naranja

20 piezas

90 g.	(*3 onzas*) chocolate semiamargo
1	cucharada mantequilla derretida
2	cucharaditas licor Triple Sec
20	fresas de tamaño mediano, con tallos

En baño maría, derretir el chocolate.

Apartar del fuego. Incorporar la mantequilla y el licor.

Lavar y secar las fresas.

Pasar por el chocolate las ¾ partes de cada fresa. Colocar en un platón forrado con papel encerado.

Refrigerar. Las fresas deben comerse el mismo día.

Pacanas Cubiertas de Chocolate

12-16 piezas

1½	taza azúcar morena, bien apretada
¾	taza crema espesa
¼	taza mantequilla
115 g.	(*4 onzas*) chocolate semiamargo
1	taza pacanas, en trozos

En una cacerola gruesa, combinar el azúcar y la crema.

Revolviendo constantemente, calentar a 115 °C (*240 °F*) según un termómetro para dulces.

Apartar del fuego, incorporar la mantequilla y el chocolate. Dejar enfriar a 43 °C (*110 °F*).

Incorporar las pacanas.

Colocar cucharadas copeteadas de la mezcla en un platón ligeramente engrasado.

Dejar que se enfríen y se endurezcan.

Pastel de Chocolate

8-10 porciones

½	taza mantequilla
1	taza manteca vegetal
2	tazas azúcar
6	huevos
1	cucharada vainilla
1	cucharada jugo de naranja
1	cucharada jugo de limón
2	tazas harina
1	taza mermelada de chabacano
280 g.	(*10 onzas*) chocolate semiamargo
2	cucharadas mantequilla derretida

Precalentar el horno a 160 °C (*325 °F*).

Batir la mantequilla, la manteca y el azúcar hasta que la consistencia quede ligera y esponjosa.

Incorporar los huevos, uno por uno y batiendo bien. Agregar la vainilla, los jugos y la harina.

Combinar sólo hasta que se incorporen.

Verter en un molde de pan de 28 x 18 cm. (*11 x 7 pulg.*) ligeramente engrasado.

Hornear de 55 a 60 minutos. Sacar; dejar enfriar 5 minutos.

Desmoldar en una rejilla y dejar enfriar.

Calentar la mermelada en una cacerola chica. Hacer un puré suave.

Derretir el chocolate junto con la mantequilla derretida en baño maría.

Untar el pastel ya enfriado con la mermelada. Verter el chocolate sobre el pastel.

Refrigerar hasta que se endurezca el chocolate.

Pay de Chocolate

8 porciones

1½	taza galletas de chocolate, finamente machacadas
¼	taza azúcar
6	cucharadas mantequilla derretida
150 g.	(*5 onzas*) chocolate semiamargo
¼	taza crema espesa
4	huevos, separados y a temperatura ambiente
1	cucharadita extracto de vainilla

Precalentar el horno a 180 °C (*350 °F*).

Mezclar las galletas con 2 cucharadas de azúcar y la mantequilla derretida.

Apretar esta preparación en un molde para pay de 22 cm. (*9 pulg.*). Hornear en el centro del horno durante 6 minutos. Sacar y dejar enfriar.

En baño maría, derretir el chocolate con la crema.

Agregar el resto del azúcar y revolver hasta que quede suave. Dejar enfriar.

Una vez enfriado, agregar en forma envolvente 1 yema de huevo a la vez, incorporándola completamente antes de agregar la próxima. Agregar la vainilla.

Batir las claras de huevo a punto de turrón. Agregar con cuidado y en forma envolvente la mezcla de chocolate a las claras de huevo.

Verter en la pasta de pay enfriada. Refrigerar durante 4 horas.

Pay de Chocolate

Arroz con Leche

6 porciones

1½	taza azúcar
2	tazas leche
1	cucharadita vainilla
2	tazas crema espesa
1½	taza arroz
1	taza pasas
2	cucharaditas canela

Disolver el azúcar en la leche. Agregar la vainilla y la crema. Hervir.

Agregar el arroz. Cocer, tapado, aproximadamente 40 minutos, a fuego lento.

Incorporar las pasas. Verter en un molde poco hondo.

Espolvorear con canela. Refrigerar.

Barras de Chocolate Jennifer

12-16 barras

1	taza dátiles, deshuesados
½	taza pasas de Corinto
½	taza cacahuates, sin sal
1	taza mantequilla de cacahuate, con trocitos
½	taza leche condensada, azucarada
¼	taza azúcar glass
225 g.	(*8 onzas*) chocolate semiamargo
2	cucharadas mantequilla derretida

Picar los dátiles y las pasas. Combinar con los cacahuates, la mantequilla de cacahuate, la leche y el azúcar glass. Dar forma de pequeños puros.

En baño maría, derretir el chocolate con la mantequilla. Pasar las barras de cacahuate por el chocolate.

Colocar en un platón forrado con papel encerado. Refrigerar.

Arroz con Leche

Suflé de Chocolate Helado

6 porciones

3	cucharadas azúcar
2	cucharadas grenetina en polvo
115 g.	(*4 onzas*) chocolate semiamargo
¼	cucharadita sal
6	claras de huevo
2	tazas crema para batir
	rizos de chocolate

En una cacerola, mezclar el azúcar con la grenetina. Agregar el chocolate y derretir a fuego muy bajo.

Revolver hasta que el azúcar se haya disuelto. Agregar la sal y mezclar. Dejar enfriar.

Batir las claras de huevo a punto de turrón. Batir la crema hasta que espese. Añadir las claras a la crema en forma envolvente.

Agregar la mezcla de chocolate en forma envolvente. Verter en un molde para suflé de 8 tazas (*2 L*) y poner un aro de papel de aluminio de 15 cm. (*6 pulg.*) de ancho encima de la mezcla.

Congelar durante 6 horas o toda la noche. Quitar el aro.

Adornar con los rizos de chocolate.

Zabaglione de Chocolate

Zabaglione de Chocolate

4 porciones

6	yemas de huevo
½	taza azúcar
60 g.	(*2 onzas*) chocolate semiamargo
⅓	taza jerez
3	cucharadas crema espesa

En baño maría y a fuego bajo, batir las yemas de huevo con el azúcar hasta que queden espumosas.

Derretir el chocolate en otro baño maría. Agregar el jerez y la crema.

Lentamente verter la mezcla de chocolate en los huevos.

Batir a mano continuamente hasta que la mezcla se espese. Verter en copas de postre.

Servir caliente con fruta fresca.

Barritas de Chocolate Nanaimo

Capa #1   *12-16 barritas*

½	taza mantequilla
¼	taza azúcar
¼	taza cacao en polvo
1	huevo, batido
1½	taza galletas Graham, molidas
1	taza coco, rallado
½	taza nueces

En baño maría, derretir la mantequilla, el azúcar y el cacao en polvo. Agregar el huevo en forma envolvente. Revolver hasta que espese, luego apartar del fuego inmediatamente. Agregar los ingredientes restantes en forma envolvente. Apretar esta preparación en un molde de 22 x 22 cm. (*9 x 9 pulg.*).

Capa #2

½	taza mantequilla
3	cucharadas crema espesa
2	cucharadas de budín de vainilla en polvo
2	tazas azúcar glass

Acremar juntos la mantequilla, la crema y el budín en polvo. Agregar el azúcar en forma envolvente. Batir hasta que la mezcla esté muy ligera. Verter sobre la pasta de galletas.

Capa #3

1	taza chocolate semiamargo
1	cucharada mantequilla

En baño maría, derretir el chocolate. Agregar la mantequilla en forma envolvente. Dejar enfriar. Verter sobre la segunda capa. Refrigerar durante 2 horas. Cortar y servir.

1 Preparar la primera capa, la pasta de galletas, y apretar en un molde.

2 Verter la mezcla del budín sobre la pasta de galletas.

3 Derretir el chocolate en baño maría, dejar enfriar y extender en la segunda capa.

4 Refrigerar durante 2 horas, luego cortar y servir.

Bavaresa de Chocolate

8 porciones

90 g.	(*3 onzas*) chocolate semiamargo
1¼	taza crema ligera
2	huevos, separados
4	cucharaditas grenetina en polvo
2	cucharadas azúcar
1	taza crema para batir

Derretir el chocolate en baño maría. En un tazón chico, mezclar la crema ligera con las yemas de huevo. Agregar el chocolate derretido.

En una cacerola, revolver la grenetina con el azúcar. Revolver hasta que la mezcla empiece a espesarse ligeramente. Incorporar la mezcla de chocolate. Enfriar en el refrigerador sin dejar que cuaje.

Batir las claras de huevo a punto de turrón. Batir la crema hasta que espese. Agregar las claras de huevo a la crema batida en forma envolvente. Con cuidado y en forma envolvente, agregar la mezcla de chocolate. Verter en un molde de 6 tazas (*1,5 L*). Refrigerar durante 3 horas. Desmoldar. Servir con Salsa de Dulce de Chocolate.

Salsa de Dulce de Chocolate

1 taza

½	taza azúcar
1½	cucharada cacao en polvo
⅓	taza agua
1	cucharada mantequilla
½	cucharadita extracto de vainilla

Salsa de Dulce de Chocolate

Mezclar el azúcar, el cacao en polvo y el agua. Calentar hasta la fase de «bolita blanda en el agua», es decir a 120 °C (*250 °F*) según el termómetro para dulces.

Incorporar la mantequilla y la vainilla. Servir con el postre de su preferencia.

Betún de Mantequilla y Chocolate

2½ tazas

90 g.	(*3 onzas*) chocolate amargo
¼	taza mantequilla
2	tazas azúcar glass
½	cucharadita vainilla

Derretir el chocolate en baño maría.

Acremar la mantequilla con 1 taza de azúcar glass.

Agregar la vainilla y el chocolate derretido. Incorporar el resto del azúcar.

Si el betún está demasiado espeso, adelgazarlo agregando un poco de leche hasta obtener la consistencia deseada.

Servir con el postre de su preferencia.

Pudín de Manzana y Pacanas

8 porciones

1	taza harina
1	cucharadita polvo de hornear
1	cucharadita canela
¼	cucharadita pimienta de Jamaica
¼	cucharadita macis
¼	cucharadita sal
¼	taza mantequilla suavizada
1	taza azúcar
1	huevo
2	tazas manzanas, peladas, descorazonadas y en cubitos
½	taza pacanas, en trozos

Precalentar el horno a 180 °C (*350 °F*).

Cernir juntos la harina, el polvo de hornear, la canela, la pimienta de Jamaica, el macis y la sal.

En un tazón grande, acremar la mantequilla con el azúcar.

Agregar el huevo. Batiendo, agregar lentamente la harina. Incorporar las manzanas y las pacanas.

Verter en un molde para pastel de 22 cm. (*9 pulg.*) ligeramente engrasado.

Hornear de 40 a 45 minutos.

Servir con una Salsa de Frambuesas caliente (ver *Salsas*).

Buñuelitos de Manzana

8 porciones

1	taza harina
2	cucharaditas polvo de hornear
1	cucharadita sal
¼	taza azúcar
¼	cucharadita canela
½	taza leche
1	huevo
2	cucharaditas extracto de vainilla
1	cucharada mantequilla derretida
1	taza manzanas, en cubitos
4	tazas (*1 L*) aceite
¼	taza azúcar de canela*

Cernir juntos la harina, el polvo de hornear, la sal, el azúcar y la canela.

Combinar la leche, el huevo, la vainilla y la mantequilla. Incorporar a la mezcla de la harina. Agregar las manzanas y mezclar.

Calentar el aceite a 190 °C (*375 °F*). Dejar caer cucharadas copeteadas de la mezcla en el aceite.

Freír hasta que se doren por todos lados. Escurrir. Espolvorear con el azúcar de canela mientras estén todavía calientes.

* Para hacer azúcar de canela, mezclar ¼ taza de azúcar con 2 cucharaditas de canela.

Tarta de Manzana

8 porciones

1	taza harina cernida
½	taza mantequilla suavizada
1	cucharada azúcar
½	cucharadita cáscara de limón amarillo, rallada
1	pizca sal
1	yema de huevo
1	cucharada agua helada
1	taza azúcar
1	cucharadita canela
4	tazas manzanas, peladas y rebanadas
½	taza mantequilla derretida

Cernir la harina en un tazón. Incorporar la mantequilla suavizada cortándola. Agregar 1 cucharada de azúcar, la cáscara de limón, la sal y la yema de huevo.

Mezclar los ingredientes hasta formar una pasta, usando sólo el agua necesaria.

Formar una bola con la masa. Envolver la masa y refrigerar durante 1 hora.

Extender la masa con el rodillo en una superficie espolvoreada con harina. Extenderla hasta que tenga un diámetro 5 cm. (*2 pulg.*) mayor que el del molde para tarta.

Colocar la masa en el molde. Con las yemas de los dedos, presionarla contra los lados y el fondo del molde. Refrigerar durante 2 horas antes de usar.

Precalentar el horno a 200 °C (*400 °F*).

Mezclar 1 taza de azúcar con la canela. Espolvorear las manzanas. Verter la mantequilla derretida sobre las manzanas y mezclar.

Colocar las manzanas en el molde preparado. Hornear durante 40 minutos.

Pizza de Manzanas

Pizza de Manzanas

	8 porciones
½	receta de masa para pizza (*ver Panes*)
6	tazas manzanas, rebanadas
2	cucharadas jugo de limón
½	taza azúcar morena
1¼	cucharadita canela
¼	taza mantequilla
½	taza pan molido
1	taza queso Cheddar, rallado
1	taza queso Mozzarella, rallado

Precalentar el horno a 230 °C (*450 °F*).

Hacer la masa para pizza de acuerdo con las instrucciones de la receta.

Salpicar las manzanas con el jugo de limón.

Extender la masa con el rodillo hasta formar un círculo de 37 cm. (*15 pulg.*) y colocarlo en una charola de horno engrasada o en un molde para pizza.

Colocar las manzanas sobre la masa. Espolvorear con el azúcar y la canela.

Agregar la mantequilla al pan molido cortándola. Espolvorear las manzanas con esta mezcla.

Esparcir los quesos encima.

Hornear durante 20 minutos o hasta que esté dorada. Servir caliente.

Buñuelitos de Plátano

8 porciones

2	huevos
3	cucharadas azúcar
½	cucharadita polvo de hornear
¾	taza harina
4	plátanos maduros, hechos puré
2	tazas aceite
1	cucharadita canela
3	cucharadas azúcar

Batir los huevos.

Cernir juntos 3 cucharadas de azúcar, el polvo de hornear y la harina. Agregar a los huevos y mezclar. Añadir los plátanos. Mezclar muy bien.

Calentar el aceite a 180 °C (*350 °F*). Dejar caer cucharadas copeteadas de la mezcla en el aceite. Freír hasta que se doren.

Mezclar la canela con 3 cucharadas de azúcar y espolvorear sobre los buñuelitos.

Ensalada de Peras y Duraznos

6 porciones

6	duraznos
6	peras
2	cucharadas jugo de limón
¾	taza azúcar
2	tazas agua
½	cucharadita canela
½	taza jalea de grosella roja
6	hojas de lechuga romana

Pelar y rebanar los duraznos. Descorazonar y rebanar las peras. Colocar los duraznos y las peras en un tazón. Salpicar con el jugo de limón. Refrigerar.

En una cacerola, disolver el azúcar en el agua, agregar la canela y la jalea. Hervir, reducir el fuego y cocer a fuego lento hasta que se haya reducido el líquido a una tercera parte. Dejar enfriar.

Verter la salsa sobre la fruta. Acomodar la fruta sobre las hojas de lechuga y servir.

Cerezas Jubilee

6 porciones

2	latas (*10 onzas cada una*) de cerezas
¼	taza brandy de cereza
2	cucharadas maicena
	helado de vainilla

Escurrir las cerezas. Apartar el líquido. Calentar las cerezas en una cacerola. Flamear con el brandy.

Mezclar la maicena con 1½ taza del líquido apartado. Agregar a las cerezas. Cocer a fuego lento hasta que espese.

Dividir en 6 porciones y servir las cerezas y el jugo sobre 1 bola de helado de vainilla por porción. Servir inmediatamente.

Cerezas Jubilee y Ensalada de Peras y Duraznos

Anillos de Manzanas Secas

2	cucharaditas sal
8	tazas (2 L) agua
2	cucharadas jugo de limón
12	manzanas

Mezclar la sal con el agua y el jugo de limón.

Pelar y descorazonar las manzanas. Rebanarlas en rodajas.

Colocarlas en el agua inmediatamente después de rebanar para evitar su oxidación (decoloración).

Sacar y secar las rodajas. Colocar en charolas en una sola capa.

Meter al horno a 50 °C (120 °F) de 5½ a 6 horas.

Colocar en un recipiente forrado con papel encerado. Guardar en un lugar seco.

Nota : Seguir el mismo procedimiento con peras.

Para rehidratar, remojar de 24 a 36 horas en agua azucarada. Calentar lentamente hasta hervir, bajar el fuego y cocer a fuego lento hasta que estén tiernas.

Pudín de Navidad (Plum-Pudding)

8 porciones

1	taza harina cernida
1	cucharadita polvo de hornear
½	cucharadita sal
¼	cucharadita nuez moscada
¼	cucharadita pimienta de Jamaica
½	cucharadita canela
½	taza mantequilla
1½	taza azúcar morena, bien apretada
2	huevos
1	cucharadita de esencia de ron
1	taza fruta mixta confitada
1	taza manzanas, peladas, descorazonadas y en cubitos
1	taza pasas
1	taza almendras, rebanadas a lo largo y tostadas
1	taza pan molido fino

Cernir juntos la harina, el polvo de hornear, la sal y las especias. Apartar.

En un tazón grande, acremar la mantequilla con el azúcar hasta que quede ligera. Agregar los huevos, uno a la vez, batiendo después de cada adición.

Agregar la esencia de ron. Incorporar la fruta confitada, las manzanas, las pasas y las almendras. Incorporar la harina y luego el pan molido.

Verter en un tazón o un molde de 6 tazas (1,5 L) bien engrasado.

Cubrir con papel encerado engrasado. Doblar el papel alrededor del molde y sujetarlo con una cuerda fina.

Colocar el molde en un recipiente de agua hirviendo sobre la estufa. Cocer al vapor durante 3 horas.

Servir caliente con salsa de ron o de mantequilla escocesa.

Conserva de Chabacanos y Cerezas

8 tazas (2 L)

115 g.	(¼ libra) chabacanos secos
4	tazas cerezas, en mitades y deshuesadas
3½	tazas azúcar
1	cucharadita cáscara de limón amarillo, rallada
2	tazas agua

Picar los chabacanos. Mezclar con las cerezas. Espolvorear con el azúcar, la cáscara de limón y agregar el agua.

Colocar en una cacerola grande. Calentar lentamente hasta que hierva. Hervir durante 20 minutos.

Verter en frascos esterilizados. Sellar.

Fresas Romanoff

Fresas Romanoff

6 porciones

¼	taza brandy de naranja
¼	taza jugo de naranja
2	cucharadas licor Triple Sec
450 g.	(*1 libra*) fresas, limpias
½	taza crema para batir
4	cucharaditas azúcar glass

En un tazón chico, combinar el brandy, el jugo y el licor Triple Sec.

Rebanar las fresas a la mitad. Colocarlas en el líquido. Remojar durante 2 horas.

Batir la crema con el azúcar glass.

Colocar las fresas en copas de postre. Cubrir con la crema batida.

Peras Diana

10 porciones

4	tazas (*1 L*) agua
1½	taza azúcar granulada
2	cucharaditas vainilla
10	peras, peladas

Salsa Diana

½	taza azúcar
142 g.	(*5 onzas*) chocolate semiamargo
¼	taza queso Azul, desmoronado
1	paquete de 125 g. (*4 onzas*) de queso crema, a temperatura ambiente
3	cucharadas licor de Crema Irlandesa
	helado de vainilla

Combinar el agua, el azúcar y la vainilla en una cacerola grande; calentar hasta que hierva ligeramente.

Pelar las peras, cortar una rebanada delgada en la base y descorazonar con la cucharita especial para melón.

Colocar las peras en el líquido en una sola capa y agregar más agua para cubrirlas.

Cocer las peras a fuego lento hasta que estén tiernas al perforarlas con un cuchillo, aproximadamente 20 minutos. Escurrir las peras y guardar 1 taza del líquido.

Salsa : Combinar el líquido reservado, el azúcar y el chocolate a fuego bajo. Cuando el chocolate se haya derretido y que la mezcla esté suave y muy caliente, incorporar los quesos y el licor.

Batir a mano para mezclar muy bien; dejar enfriar. Acomodar las peras en platos individuales con una bolita de helado. Rociar con la salsa.

1

Pelar las peras y cortar una rebanada delgada en la base.

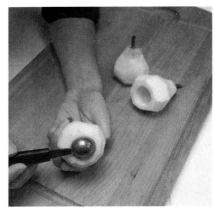

2

Descorazonar las peras con la cucharita especial para melón.

3

Colocar las peras en el líquido en una sola capa y, si es necesario, agregar más agua para cubrirlas. Cocer a fuego lento.

4

Para preparar la salsa, dejar que la mezcla de chocolate se derrita y que la salsa esté suave y muy caliente; luego incorporar los quesos y el licor.

Peras Diana

Fresas con Pimienta

6 porciones

3	cucharadas mantequilla
3	cucharadas azúcar morena
4	tazas fresas frescas, rebanadas
¼	taza aguardiente de fresa
½	cucharadita pimienta, recién triturada
4	tazas (*1 L*) helado de vainilla

En una sartén, calentar la mantequilla y caramelizar el azúcar en la mantequilla, teniendo cuidado de que no se queme.

Agregar las fresas y calentar.

Agregar el aguardiente y flamear. Espolvorear con la pimienta fresca.

Con una cuchara, colocar las fresas sobre el helado. Servir inmediatamente.

Ensalada de Melón

Ensalada de Melón

6-8 porciones

1	melón
1	melón verde
1	melón blanco
1	taza vino de Oporto
1	cucharada pimienta negra, en granos

Cortar los melones y quitarles las semillas. Usando una cucharita especial, sacar bolitas.

Verter el vino de Oporto sobre las bolitas de melón.

Moler la pimienta sobre el melón. Mezclar.

Refrigerar durante varias horas. Servir.

Postre de Plátano y Cerezas

6 porciones

90 g.	(*3 onzas*) grenetina sabor de cereza
2	tazas agua hirviendo
2	tazas cerezas enlatadas, escurridas
3	plátanos, hechos puré
¼	taza azúcar glass
1½	taza crema para batir, batida

Disolver la grenetina en el agua. Refrigerar hasta que cuaje a medias.

Incorporar las cerezas y los plátanos. Refrigerar hasta que cuaje.

Incorporar el azúcar a la crema batida.

Agregarla a la gelatina en forma envolvente. Servir.

Duraznos con Cointreau

Duraznos con Cointreau

4 porciones

4	duraznos
¼	taza jugo de limón
¼	taza azúcar
¾	taza agua
8	clavos
1	raja de canela
¼	taza licor Cointreau

Precalentar el horno a 120 °C (*250 °F*).

Colocar los duraznos en un tazón grande y verter el agua hirviendo sobre ellos. Dejar reposar 2 minutos. Pelar.

Salpicar o frotar con el jugo de limón.

Disolver el azúcar en el agua. Agregar los clavos, la raja de canela y el licor. Calentar hasta que hierva.

Colocar los duraznos en un refractario. Verter el líquido sobre los duraznos. Hornear durante 20 minutos.

Sacar y servir o quitar la canela y los clavos y refrigerar antes de servir.

Mermelada de Cereza, Mermelada de Durazno y Jalea de Uva

Mermelada de Durazno

8 tazas (2 L)

16	duraznos
2	cucharadas jugo de limón
5	tazas azúcar

Hervir los duraznos, algunos a la vez, por 1 minuto. Pelarlos y picarlos. Salpicar con el jugo de limón. Mezclar los duraznos con el azúcar. Calentar hasta que hiervan y machacarlos. Quitar la espuma. Cocer a fuego lento durante 25 minutos.

Verter en frascos esterilizados. Sellar.

Mermelada de Cereza

8 tazas (2 L)

6	tazas cerezas, en mitades y deshuesadas
3	tazas azúcar fina
1	cucharada jugo de limón

En una olla grande, machacar las cerezas.

Agregar el azúcar y el jugo de limón. Hervir y luego cocer a fuego lento durante 30 minutos.

Verter en frascos esterilizados. Sellar.

Jalea de Uva

8 tazas (2 L)

12	tazas uvas (*rojas, negras, verdes*)
¾	taza agua
2	tazas azúcar fina

En una olla grande, colocar las uvas y el agua. Hervir. Machacar mientras se están cociendo. Refrigerar toda la noche. Pasar a través de un cedazo, luego a través de una estopilla. Mezclar 8 tazas (*2 L*) del jugo con el azúcar. Hervir y luego cocer a fuego lento durante 40 minutos. Verter en frascos esterilizados. Sellar.

Mermelada de Durazno y Mandarina

8 tazas (2 L)

12	duraznos
½	taza jugo de limón
6	mandarinas
3½	tazas azúcar

Pelar y deshuesar los duraznos. Rebanar. Marinar en el jugo de limón.

Pelar las mandarinas. Quitar la membrana blanca. Cortar la cáscara en tiritas.

Machacar las mandarinas hasta obtener una pulpa. Mezclar con los duraznos y las tiritas de cáscara.

Agregar el azúcar. Colocar en una cacerola; calentar lentamente hasta que hierva. Cocer a fuego lento durante 20 minutos.

Apartar del fuego y revolver.

Verter en frascos esterilizados. Sellar.

Mermelada de Durazno y Mandarina

Mermelada de Fresa

8 tazas (2 L)

4	tazas azúcar fina
8	tazas fresas, limpias
2	cucharadas jugo de limón

En una olla grande, mezclar el azúcar, las fresas y el jugo de limón. Machacar las fresas hasta obtener un puré.

Colocar sobre el fuego y hervir.

Quitar cualquier espuma cuando suba a la superficie (*la espuma contiene las impurezas*).

Hervir y luego cocer a fuego lento de 30 a 35 minutos.

Verter en frascos esterilizados. Sellar.

Manzanas Encarameladas

8 porciones

2	tazas azúcar
⅔	taza agua
¼	taza mantequilla
3	cucharadas miel de maíz
¼	cucharadita colorante vegetal rojo
8	manzanas

Colocar el azúcar y el agua en una cacerola grande. Calentar hasta que el azúcar se disuelva.

Agregar la mantequilla, la miel de maíz y el colorante vegetal. Calentar a 148 °C (*300 °F*) según el termómetro para dulces.

Calentar a baño maría colocando la cacerola en otra con agua hirviendo.

Ensartar las manzanas en palitos de madera. Pasar las manzanas por el dulce.

Colocar en un platón forrado con papel encerado. Dejar que se endurezcan.

Manzanas Encarameladas

Manzanas Crujientes

6 porciones

6	manzanas grandes, rebanadas
1	cucharada jugo de limón
½	taza azúcar
½	taza galletas Graham, molidas
½	taza anacardos (nueces de la India), en trozos
1	cucharadita canela
2	cucharadas mantequilla
⅓	taza crema espesa

Precalentar el horno a 180 °C (*350 °F*).

Rebanar las manzanas y salpicarlas con el jugo de limón para evitar que cambien de color.

Colocar en un molde para pay de 23 cm. (*9 pulg.*).

Combinar el azúcar, las galletas, las nueces y la canela.

Espolvorear las manzanas con esta mezcla. Esparcir pedacitos de mantequilla. Hornear de 25 a 30 minutos.

Servir caliente con 1 cucharada de crema sobre cada porción.

Crème Brûlée

Crème Brûlée

	6-8 porciones
8	yemas de huevo
¼	taza azúcar
4	cucharaditas maicena
4	tazas (1 L) crema espesa
½	cucharadita canela
1	cucharadita vainilla
1	cucharadita cáscara de limón amarillo, rallada
2	tazas azúcar morena, bien apretada

Batir las yemas con el azúcar y la maicena en una cacerola, a fuego bajo.

Lentamente incorporar la crema. Agregar la canela, la vainilla y la cáscara de limón. Cocer a fuego lento durante 10 minutos, revolviendo constantemente.

Verter en moldes; dejar enfriar. Refrigerar hasta que cuaje.

Caramelizar el azúcar morena.

Desmoldar la crema en platos individuales.

Verter el azúcar caliente y servir inmediatamente.

Flan

6 porciones

1	taza leche
1	taza crema espesa
¼	taza azúcar
¼	taza miel de abeja
4	yemas de huevo
¾	cucharadita vainilla
1	pizca sal

Precalentar el horno a 180 °C (*350 °F*).

En baño maría, calentar la leche y la crema sin dejar que hiervan.

En una cacerola grande, caramelizar* el azúcar y la miel al mismo tiempo.

Agregar la crema caliente al azúcar. Cocer a fuego lento hasta que el caramelo se incorpore.

En un tazón, batir las yemas. Lentamente y poco a poco, incorporarlas a la mezcla de la crema. Agregar la vainilla y la sal.

Verter la mezcla en moldes individuales. Colocar los moldes en un refractario con agua. Cubrir los moldes con papel de aluminio.

Hornear durante 1 hora.

Desmoldar y servir.

* Caramelizar significa derretir el azúcar hasta que tenga un color café dorado.

Dulce de Chocolate con Nueces

12-16 cuadritos

225 g.	(*8 onzas*) chocolate amargo
3	tazas azúcar
¾	taza leche condensada, azucarada
½	taza miel de maíz
3	cucharadas cacao en polvo
¼	taza mantequilla
1	taza nueces, en trozos

Derretir el chocolate en baño maría.

En una cacerola gruesa, mezclar el azúcar, la leche, la miel de maíz y el cacao.

Calentar a 114 °C (*238 °F*) según el termómetro para dulces. Cocer durante 5 minutos.

Apartar del fuego y dejar enfriar a 43 °C (*110 °F*).

Incorporar el chocolate derretido, la mantequilla y las nueces.

Verter en un molde cuadrado de 20 cm. (*8 pulg.*) ligeramente enmantequillado.

Dejar enfriar completamente. Cortar en cuadritos.

Dulce de Papa de la Abuela

4 docenas

1	taza puré de papas, tibio y sin condimentos
½	cucharadita sal
1	cucharada vainilla
8	tazas azúcar glass

Combinar las papas, la sal y la vainilla.

Cernir el azúcar, 1 taza a la vez, encima de las papas. Batir bien después de cada adición.

Amasar bien. Dar forma de bolitas.

Las bolitas se pueden pasar por chocolate derretido.

Dulce de Chocolate con Nueces y Dulce de Papa de la Abuela

Sueño Tropical

8 porciones

1	cucharada grenetina en polvo
1/3	taza agua fría
1	taza pulpa de mango*
1	taza pulpa de papaya*
1/2	taza azúcar
2	cucharadas jugo de limón
1	taza crema para batir

Suavizar la grenetina en el agua fría.

Prensar la pulpa de mango y de papaya a través de un cedazo o pasarla por un moledor de alimentos. Incorporar el azúcar y el jugo de limón.

Calentar el agua con grenetina en una cacerola. Agregar la fruta.

Hervir, luego cocer a fuego lento por 2 minutos y apartar del fuego. Dejar enfriar sin que cuaje.

Batir la crema. Agregar a la mezcla de fruta en forma envolvente.

Verter en 8 copas de postre. Refrigerar durante 3 horas.

Servir con crema batida o adornar con fruta.

* Se puede usar otra fruta, como kiwi, plátano, etc.

Galletas de Chocolate y Almendras

12-18 galletas

2/3	taza azúcar
3/4	taza almendras, peladas y finamente molidas
1/4	taza harina
1	huevo, ligeramente batido
2	claras de huevo
4	cucharadas mantequilla derretida
1/2	cucharadita vainilla blanca
1	cucharada agua
115 g.	(*4 onzas*) chocolate semiamargo

Precalentar el horno a 230 °C (*450 °F*).

Mezclar el azúcar, las almendras y la harina.

Agregar el huevo entero, las claras de huevo y mezclar muy bien. Incorporar la mantequilla, la vainilla y el agua.

Enmantequillar una charola de horno. Con una cuchara, colocar 6 galletas a 8 ó 10 cm. (*3 1/2 ó 4 pulg.*) de distancia.

Hornear durante 5 minutos o hasta que los bordes de las galletas se doren.

Mientras estén calientes, enrollar las galletas en forma de puros. Dejar enfriar.

Derretir el chocolate en baño maría. Pasar una punta de las galletas por el chocolate. Enfriar en el refrigerador.

Natillas de Vainilla

8 porciones

2	cucharadas harina
3/4	taza azúcar
4	huevos
4	tazas (*1 L*) leche muy caliente, pero no hervida
2	cucharaditas extracto de vainilla blanca

Cernir la harina con el azúcar.

En baño maría, mezclar los huevos y agregar el azúcar.

Incorporar lentamente la leche caliente. Agregar la vainilla. No dejar que hierva para evitar que se formen grumos.

Servir caliente o frío, con fruta o bizcocho.

Streusel

8 porciones

1	taza harina
½	taza azúcar morena
2	cucharaditas canela
½	taza mantequilla
1 kg.	(*2¼ libras*) manzanas, peladas, descorazonadas y rebanadas
¼	taza azúcar
½	taza pasas
½	taza almendras, rebanadas a lo largo y tostadas
½	taza mermelada de chabacano

Precalentar el horno a 200 °C (*400 °F*).

Cernir juntos la harina, el azúcar morena y la canela en un tazón.

Incorporar la mantequilla cortándola hasta obtener una pasta grumosa.

Engrasar ligeramente un molde para pastel de 20 x 10 cm. (*8 x 4 pulg.*).

Mezclar las manzanas, el azúcar, las pasas y las almendras.

Colocar esta mezcla en el molde en una capa uniforme. Salpicar con la mermelada de chabacano.

Espolvorear con la mezcla de harina. No apretarla.

Hornear de 40 a 45 minutos, o hasta que se dore.

Servir caliente con natillas.

Streusel

Pasta de Petisú

24 petisús o 12 éclairs

1	taza agua
¼	taza mantequilla
¼	cucharadita sal
1	taza harina cernida
4	huevos

Calentar el agua hasta que hierva. Agregar la mantequilla y la sal. Incorporar la harina.

Cocer hasta obtener una consistencia de puré de papas.

Agregar un huevo a la vez, batiendo bien después de cada adición. Usar según se necesite.

Petisús con Crema

24 petisús

1	receta de pasta de petisú
1	receta natillas de vainilla, cocidas
½	taza azúcar glass

Precalentar el horno a 200 °C (*400 °F*).

En una charola de horno ligeramente engrasada, colocar 1 cucharada de pasta de petisú cada 5 cm. (*2 pulg.*).

Hornear de 20 a 25 minutos, o hasta que se doren. Dejar enfriar.

Cortar los petisús a la mitad. Rellenar con las natillas. Espolvorear con el azúcar glass.

Petisús con Crema

Caramelos de Canela

aproximadamente 24 dulces

1⅓	taza miel de abeja
½	taza mantequilla
1½	taza crema espesa
½	cucharadita canela molida

Combinar todos los ingredientes en una cacerola.

Calentar a 117 °C (*244 °F*) según el termómetro para dulces. Cocer por 2 minutos.

Verter en un molde para pastel de 20 cm. (*8 pulg.*) ligeramente enmantequillado. Dejar enfriar.

Cortar según el tamaño deseado. Envolver en plástico.

Eclairs de Chocolate

12 éclairs

1	receta de pasta de petisú
170 g.	(*6 onzas*) chocolate semiamargo
2	cucharadas mantequilla derretida
3	tazas crema para batir, batida

Precalentar el horno a 200 °C (*400 °F*).

Usando una bolsa de repostería, colocar la pasta de petisú en tiras de 2,5 x 7 cm. (*1 x 3 pulg.*), en una charola de horno ligeramente engrasada.

Hornear de 20 a 25 minutos o hasta que se doren. Dejar enfriar.

En baño maría, derretir el chocolate y agregar la mantequilla.

Cortar los éclairs a la mitad, a lo largo.

Rellenar la parte inferior del éclair con crema batida.

Pasar la parte superior del éclair por el chocolate derretido y volver a juntar las dos partes del éclair.

1

Cortar los éclairs horneados a la mitad y a lo largo.

2

Rellenar la parte inferior del éclair con crema batida.

3

Pasar la parte superior del éclair por el chocolate derretido.

4

Volver a juntar las dos partes del éclair.

Helado de Plátano y Coco

6 tazas (1,5 L)

4	tazas (1 L) crema ligera
¾	taza azúcar
4	plátanos maduros
½	taza coco, en hojuelas

Calentar la crema con el azúcar en baño maría. Dejar enfriar. Machacar los plátanos y mezclar con el coco. Agregar a la crema enfriada.

Congelar de acuerdo con las instrucciones de la máquina para hacer helados.

Helado de Café

4 tazas (1 L)

4	tazas (1 L) crema ligera
3	cucharadas café instantáneo
1	taza azúcar
1	cucharada extracto de vainilla

En baño maría, calentar la crema sin dejar que hierva. Agregar el café, el azúcar y la vainilla. Dejar enfriar.

Congelar de acuerdo con las instrucciones de la máquina para hacer helados.

Helado del Trópico

Helado del Trópico

6 tazas (1,5 L)

2	mangos
1	papaya grande
4	frutas de la pasión *
¼	taza agua
4	tazas (1 L) crema ligera
1	taza azúcar
2	cucharadas jugo de limón

Pelar los mangos y rebanarlos. Sacar la pulpa de la papaya con una cuchara y mezclarla con los mangos.

Sacar la pulpa de las frutas de la pasión con una cuchara, con todo y semillas, y mezclarla con las otras frutas.

Colocar la fruta en una cacerola, agregar el agua y cocer hasta que casi todo el líquido se haya evaporado.

Agregar la crema y el azúcar.

Calentar sin hervir. Dejar enfriar y luego agregar el jugo de limón.

Congelar de acuerdo con las instrucciones de la máquina para hacer helados.

* Es una fruta africana parecida a la pitahaya.

Helado de Chocolate

6 tazas (1,5 L)

1	taza azúcar
1	pizca sal
1	cucharada cacao en polvo
¼	taza agua
60 g.	(*2 onzas*) chocolate amargo
4	tazas (*1 L*) crema ligera
1	cucharadita extracto de vainilla

Disolver el azúcar, la sal y el cacao en polvo en el agua. Agregar el chocolate y derretir en baño maría. Lentamente agregar la crema y calentar. Apartar del fuego y dejar enfriar. Agregar la vainilla. Congelar de acuerdo con las instrucciones de la máquina para hacer helados.

Helado de Chocolate con Nueces y Malvaviscos

6 tazas (1,5 L)

1	receta de helado de chocolate
⅓	taza nueces, picadas
⅓	taza chispas de chocolate
⅓	taza malvaviscos miniatura

Cuando el helado de chocolate esté a medio hacer en la máquina, agregar en forma envolvente las nueces, las chispas de chocolate y los malvaviscos, y luego terminar de congelar.

Helado de Chocolate con Nueces y Malvaviscos

Helado de Vainilla

4 tazas (1 L)

2	tazas crema ligera
½	taza azúcar fina
1	pizca sal
4	yemas de huevo
2	cucharaditas vainilla
1	taza crema para batir

Combinar la crema ligera, el azúcar, la sal, las yemas y la vainilla.

Cocer en baño maría de 25 a 30 minutos o hasta que la mezcla esté muy espesa. Dejar enfriar.

Incorporar la crema para batir. Congelar de acuerdo con las instrucciones de la máquina para hacer helados.

Nieve de Limón

2 tazas

6	cucharadas azúcar
1	taza agua
½	taza jugo de limón

Combinar todos los ingredientes.

Calentar hasta hervir; hervir durante 5 minutos. Dejar enfriar.

Congelar en la máquina para hacer helados de acuerdo con las instrucciones.

Si no se tiene máquina para hacer helados, colocar la mezcla en un molde poco hondo; colocar el molde en el congelador.

Revolver una o dos veces mientras se está congelando.

Cuando la mezcla esté congelada a medias, colocarla en el tazón de la batidora y mezclar hasta que quede como puré.

Regresar al congelador para que termine de congelarse.

Nieve de Uva

2 tazas

½	taza jugo de uva concentrado
1	taza agua

Mezclar el jugo de uva concentrado con el agua.

Congelar en la máquina para hacer helados de acuerdo con las instrucciones o seguir las instrucciones para la Nieve de Limón.

Nieve de Piña

3½ tazas

¼	taza azúcar
1	taza agua
2	tazas jugo de piña

Hervir el azúcar en el agua durante 5 minutos.

Agregar el jugo de piña y hervir durante 5 minutos. Dejar enfriar.

Congelar en la máquina para hacer helados de acuerdo con las instrucciones o seguir las instrucciones para la Nieve de Limón.

Sorbete de Limón

3½ tazas

½	taza jugo de limón verde
½	taza azúcar
2	tazas leche

Mezclar el jugo de limón con el azúcar y hervir durante 2 minutos. Dejar enfriar.

Agregar la leche.

Congelar de acuerdo con las instrucciones de la máquina para hacer helados.

Sorbete de Mandarina y Frambuesa

6 tazas (1,5 L)

1½	taza jugo de mandarina
1½	taza jugo de frambuesa
2	tazas azúcar
2	tazas leche

Hervir los jugos con el azúcar durante 7 minutos. Dejar enfriar.

Agregar la leche. Congelar de acuerdo con las instrucciones de la máquina para hacer helados.

Nieve de Limón, Nieve de Uva y Nieve de Piña

Pay de Almendras

2 pays de 22 cm. (9 pulg.)

Pasta

2	tazas harina para repostería
2	cucharaditas polvo de hornear
¼	cucharadita sal
½	taza azúcar
1	taza mantequilla
1	huevo
1	cucharadita cáscara de limón amarillo, rallada

Relleno

4	tazas almendras, finamente molidas
4	tazas azúcar glass
2	claras de huevo
½	taza licor de Amaretto
⅔	taza mermelada de frambuesa

Pasta : Cernir juntos los ingredientes secos en un tazón. Incorporar la mantequilla cortándola hasta obtener una pasta grumosa.

Batir el huevo con la cáscara de limón. Incorporar a la pasta.

Dividirla en 2 partes iguales. Extender la pasta con el rodillo sobre una superficie ligeramente espolvoreada con harina hasta obtener dos círculos de 30 cm. (*12 pulg.*).

Colocar en dos moldes de pay de 23 cm. (*9 pulg.*). Rizar los bordes. Refrigerar hasta que se vayan a usar.

Precalentar el horno a 180 °C (*350 °F*).

Relleno : Mezclar las almendras, el azúcar, las claras de huevo y el licor.

Extender la mermelada de frambuesa en el fondo de cada pasta de pay. Con una cuchara, colocar el relleno de almendras encima.

Cubrir los bordes con papel de aluminio.

Hornear de 55 a 60 minutos o hasta que estén dorados. Refrigerar antes de servir.

Pay de Durazno con Pasta de Merengue

6 porciones

4	tazas duraznos frescos, en rebanadas
2½	tazas azúcar fina
½	cucharadita crémor tártaro
6	claras de huevo
1	cucharadita vainilla blanca
1	cucharadita maicena

Precalentar el horno a 105 °C (*225 °F*).

Espolvorear los duraznos con ½ taza de azúcar. Apartar.

Añadir el crémor tártaro a las claras de huevo y batirlas a punto de turrón.

Poco a poco y batiendo, agregar el resto del azúcar.

Agregar la vainilla. Con una cuchara, colocar el merengue en un molde de pay de 23 cm. (*9 pulg.*) cubriendo bien el fondo y los lados.

Hornear el merengue de 15 a 20 minutos. Dejar que se enfríe y se endurezca.

Escurrir el líquido de los duraznos y apartarlo.

Verter los duraznos sobre el merengue. Batir la maicena con el líquido de los duraznos.

Calentar en una cacerola chica hasta que espese.

Verter sobre los duraznos y servir.

Pay de Queso con Arándanos

8 porciones

170 g.	(*6 onzas*) queso crema
2	huevos
2	cucharadas crema espesa
1	cucharadita cáscara de limón amarillo, rallada
4	tazas arándanos, frescos o congelados
1	pasta para pay (ver *Pay de Manzana a la Antigua*)
1	cucharada jugo de limón
¼	taza jugo de manzana
1	taza azúcar
2	cucharadas maicena

Precalentar el horno a 180 °C (*350 °F*).

Suavizar el queso crema. Batir los huevos. Batiendo, agregarles el queso crema.

Agregar la crema.

Añadir en forma envolvente la cáscara de limón y 2 tazas de arándanos. Verter en la pasta del pay.

Hornear durante 30 minutos. Sacar.

En una cacerola, agregar las 2 tazas de arándanos, el jugo de limón, el jugo de manzana, el azúcar y la maicena. Mezclar muy bien.

Calentar a fuego bajo hasta que espese.

Verter sobre el pay. Refrigerar durante 3 horas.

Pay de Manzana a la Antigua

Pasta

8 porciones

¼	taza agua
1	huevo
1	cucharadita vinagre
2	tazas harina
¼	taza mantequilla fría
¼	taza manteca fría
½	cucharadita sal

Relleno

5	manzanas, peladas, descorazonadas y rebanadas
½	taza azúcar
¼	cucharadita pimienta de Jamaica
¼	cucharadita canela
1	cucharada mantequilla

Precalentar el horno a 200 °C (*400 °F*). Mezclar el agua, el huevo y el vinagre. Colocar la harina en un tazón. Agregarle la mantequilla y la manteca cortándolas. Agregar la sal. Incorporar el líquido. Mezclar hasta obtener una textura grumosa. Dividir en dos. Colocar la masa en una superficie ligeramente espolvoreada con harina. Extender la masa con el rodillo hasta formar dos círculos de 30 cm. (*12 pulg.*). Colocar un círculo en un molde para pay de 23 cm. (*9 pulg.*). Mezclar las manzanas, el azúcar y las especias. Colocar la mezcla en la pasta del pay. Esparcir pedacitos de mantequilla. Colocar el otro círculo de masa sobre el relleno. Meter el borde de este círculo debajo del borde de la pasta inferior. Rizar para sellar. Con un pequeño cuchillo, hacer varias hendiduras en la pasta de arriba para permitir que el vapor se escape. Hornear durante 40 minutos o hasta que la pasta se dore.

Pay de Plátano con Crema

2 pays

2	pastas para pay (ver *Pay de Manzana a la Antigua*)
3	tazas leche
⅔	taza azúcar
3	yemas de huevo
1	cucharada harina
1	cucharada mantequilla
1	cucharada maicena
6	tazas plátanos rebanados
2	cucharaditas extracto de plátano
1	taza crema para batir

Precalentar el horno a 200 °C (*400 °F*).

Forrar dos moldes de pay de 23 cm. (*9 pulg.*) con las pastas. Picar el fondo y los lados con un tenedor.

Hornear de 8 a 10 minutos.

Calentar la leche y el azúcar juntos. Batiendo, incorporar las yemas.

Mezclar la harina, la mantequilla y la maicena. Agregar esta mezcla a la leche y calentar lentamente hasta que espese.

Agregar los plátanos y el extracto. Verter la mezcla en las pastas de pay. Refrigerar.

Batir la crema y decorar los pays con rosetas de crema.

Pay de Plátano con Crema

Pastel de Navidad

12-16 porciones

450 g.	(*1 libra*) cerezas marrasquino, en mitades
450 g.	(*1 libra*) piña confitada
450 g.	(*1 libra*) fruta mixta confitada
450 g.	(*1 libra*) pasas
450 g.	(*1 libra*) pacanas, en trozos
4	tazas harina
1½	cucharadita sal
½	cucharadita polvo de hornear
2	cucharaditas canela
½	cucharadita pimienta de Jamaica
½	cucharadita nuez moscada
1	taza mantequilla
2	tazas azúcar morena, bien apretada
6	huevos
½	taza melaza
4	cucharaditas esencia de ron
4	cucharaditas esencia de naranja
1	taza miel líquida o ron

Precalentar el horno a 150 °C (*300 °F*).

Mezclar las frutas con las pacanas.

En un tazón, cernir juntos la harina, la sal, el polvo de hornear y las especias.

Apartar 2 tazas de harina. Mezclar el resto de la harina con la mezcla de la fruta.

Acremar la mantequilla con el azúcar. Agregar los huevos uno por uno, batiendo después de cada adición. Incorporar la melaza y las esencias.

Lentamente agregar la harina apartada.

Enmantequillar ligeramente un molde en forma de corona o un molde de pan grande.

Verter la mitad de la mezcla. Cubrir con la mitad de la fruta. Agregar la mitad de la mezcla restante, y luego la fruta restante. Terminar vertiendo el resto de la mezcla sobre la fruta.

Hornear durante 3½ horas.

Sacar y dejar enfriar 10 minutos antes de desmoldar.

Mientras está todavía caliente, untar con la miel o el ron. Continuar untando hasta que todo el líquido se haya utilizado.

Pastel de Mantequilla

8 porciones

1	taza manteca vegetal
½	taza mantequilla
3	tazas azúcar
6	huevos
3	tazas harina
½	cucharadita canela
½	cucharadita polvo de hornear
½	cucharadita sal
1	taza crema ligera
2	cucharaditas extracto de vainilla

Precalentar el horno a 160 °C (*325 °F*).

Acremar juntos la manteca, la mantequilla y el azúcar.

Agregar los huevos uno por uno; batir después de cada adición.

Cernir juntos la harina, la canela, el polvo de hornear y la sal.

En forma envolvente, incorporar la harina a la mezcla de la mantequilla alternando con la crema, en cantidades de ⅓ cada vez.

Añadir la vainilla y revolver.

Verter en un molde de pan engrasado y hornear durante 1¼ hora.

Verificar si ya está cocido.

Pastel de Navidad

Baklava

12 porciones

10	hojas de pasta hojaldrada extra fina
¾	taza mantequilla derretida
1½	taza almendras, rebanadas a lo largo
1	taza miel de abeja
2	tazas agua
2	tazas azúcar
2	cucharaditas canela

Precalentar el horno a 180 °C (*350 °F*).

Colocar una hoja de pasta en un molde engrasado.

Untar con mantequilla. Cubrir con ¼ de taza de almendras.

Repetir el proceso 7 veces.

Colocar el resto de las hojas de pasta encima, después de haber untado cada una con mantequilla.

Hornear durante 65 minutos.

Combinar la miel, el agua, el azúcar y la canela. Revolver hasta que el azúcar se disuelva.

A fuego mediano, calentar hasta que hierva. Hervir durante 3 minutos.

Verter sobre la pasta. Cortar y dejar que la pasta se empape en el jarabe.

Baklava

Dulce de Cacahuate

1,5 – 1,8 kg. (3½ – 4 libras)

3	tazas azúcar
1	taza miel de maíz
1	cucharada mantequilla
½	taza agua
1	cucharadita sal
5	tazas cacahuates, sin sal
3	cucharadas bicarbonato

Mezclar el azúcar, la miel de maíz, la mantequilla, el agua y la sal en una cacerola.

Calentar a 121 °C (*250 °F*) según el termómetro para dulces.

Agregar los cacahuates y calentar a 149 °C (*300 °F*).

Agregar el bicarbonato y revolver bien.

Verter la mezcla en un molde engrasado extiéndola para que tenga 0,5 cm. (*¼ pulg.*) de espesor. Dejar enfriar.

Romper en pedazos.

Brownies

Brownies

36 brownies

340 g.	(¾ *libra*) chocolate semiamargo
¼	taza miel de abeja
½	taza mantequilla
1	taza azúcar
2	huevos
1	cucharadita vainilla
½	taza + 1 cucharada harina
¼	cucharadita polvo de hornear
1	pizca sal
3	cucharadas crema espesa
¼	taza nueces, en trozos

Precalentar el horno a 180 °C (*350 °F*).

En baño maría, derretir la mitad del chocolate e incorporar la miel.

Batir la mitad de la mantequilla con ¼ de taza de azúcar hasta que quede ligera y esponjada. Agregar los huevos uno por uno. Agregar ½ cucharadita de vainilla. Incorporar el chocolate derretido.

Cernir juntos la harina, el polvo de hornear y la sal. Agregar a la mezcla cremosa.

Verter en un molde de pastel cuadrado de 23 cm. (*9 pulg.*), ligeramente enmantequillado.

Hornear de 20 a 25 minutos. Dejar enfriar.

En una cacerola, mezclar el resto del azúcar y de la mantequilla con la crema. Hervir.

Agregar el resto del chocolate, las nueces y la vainilla. Revolver hasta que el chocolate se derrita.

Verter sobre los brownies. Cortar en cuadros.

Betún de Chocolate

2½ tazas

½	taza miel de maíz, ligera
6	cucharadas agua
5	cucharadas mantequilla
1	paquete de 300 g. (*10 onzas*) de chispas de chocolate

Combinar la miel de maíz, el agua y la mantequilla en una cacerola.

Hervir rápidamente, revolviendo hasta que la mantequilla se derrita.

Apartar del fuego, agregar las chispas de chocolate y dejar enfriar a temperatura ambiente.

Verter sobre el pastel.

Pastel de Queso Estilo Nueva York

12-14 porciones

Pasta

3½	tazas galletas Graham, molidas
1	cucharada canela
¼	taza mantequilla derretida

Relleno

5	paquetes de 250 g. (*8 onzas*) de queso crema, a temperatura ambiente
2	tazas azúcar
1½	taza crema espesa
2	cucharadas jugo de limón
1	cucharada vainilla
4	huevos, a temperatura ambiente
1½	taza crema agria

Pasta : Combinar los ingredientes para la pasta del pastel. Apretarlos en el fondo y los lados de un molde desarmable de 25 cm. (*10 pulg.*). Refrigerar.

Precalentar el horno a 160 °C (*325 °F*).

Relleno : Batir el queso crema con el azúcar hasta que esté suave. Agregar la crema, el jugo de limón y la vainilla; batir para mezclar muy bien. Agregar los huevos uno por uno, batiendo bien después de cada adición. Incorporar la crema agria.

Verter la mezcla en la pasta preparada y hornear hasta que el centro esté cuajado, aproximadamente 90 minutos. Apagar el horno y abrir un poco la puerta.

Después de 30 minutos, sacar y pasar a una rejilla para que se enfríe. Refrigerar toda la noche. Servir con fruta fresca o salsa de fruta.

1

Combinar los ingredientes de la pasta y apretarlos en el fondo y los lados de un molde desarmable.

2

Para hacer el relleno, batir el queso crema con el azúcar hasta que quede suave. Agregar la crema, el jugo de limón y la vainilla; mezclar bien.

3

Agregar los huevos uno por uno, batiendo bien después de cada adición.

4

Verter la mezcla en la pasta preparada y hornear.

Pastel de Queso Estilo Nueva York

Pastel de Queso de Chocolate, Moka y Menta

Pastel de Queso de Chocolate, Moka y Menta

12-14 porciones

Pasta

3	tazas galletas de chocolate, finamente machacadas
1	cucharadita cacao en polvo, sin azúcar
3	cucharadas mantequilla derretida

Relleno

1 ¼	taza chispas de chocolate de menta
5	paquetes de 250 g. (*8 onzas*) de queso crema, a temperatura ambiente
1 ½	taza azúcar granulada
⅓	taza café cargado
1	taza crema para batir
4	huevos
1	taza crema agria

Precalentar el horno a 180 °C (*350 °F*).

Pasta : Combinar las galletas, el cacao en polvo y la mantequilla.

Apretar esta mezcla en el fondo y los lados de un molde desarmable de 25 cm. (*10 pulg.*), enmantequillado; apartar.

Relleno : Derretir las chispas de chocolate; apartar.

Batir el queso crema con el azúcar hasta que esté suave. Batiendo, incorporar gradualmente el café y la crema.

Agregar los huevos uno por uno, batiendo bien después de cada adición.

Incorporar la crema agria y el chocolate derretido.

Verter la mezcla en el molde preparado y hornear durante 75 minutos.

Apagar el horno y abrir un poco la puerta.

Después de 30 minutos, sacar y pasar a una rejilla para que se enfríe. Refrigerar toda la noche.

Pastel Selva Negra

10-12 porciones

1¾	taza harina para repostería
½	taza cacao en polvo
1	cucharadita bicarbonato
½	cucharadita sal
¼	cucharadita polvo de hornear
½	taza mantequilla
1¼	taza azúcar
2	huevos
¼	taza kirsch o brandy de cereza
¾	taza agua tibia
3	tazas crema para batir
3	tazas cerezas
2	tazas chocolate, rallado

Precalentar el horno a 180 °C (*350 °F*).

Cernir juntos la harina, el cacao en polvo, el bicarbonato, la sal y el polvo de hornear.

Batir la mantequilla con el azúcar hasta que esté muy ligera. Agregar los huevos uno por uno.

Mezclar el licor con el agua. En forma envolvente, incorporar el líquido a la mezcla cremosa alternando con la mezcla de la harina, en cantidades de ⅓ cada vez. Enmantequillar ligeramente y espolvorear con harina 2 moldes redondos de 23 cm. (*9 pulg.*). Repartir la mezcla por igual en los dos moldes.

Hornear de 25 a 30 minutos. Sacar y dejar enfriar 10 minutos. Refrigerar.

Batir la crema. Colocar las cerezas sobre un pastel.

Colocar un poco de crema batida sobre las cerezas.

Pastel Selva Negra

Cortar el segundo pastel en dos, horizontalmente, para obtener dos capas. Colocar una capa encima del primer pastel. Untar un poco de crema batida.

Colocar la segunda capa de pastel encima. Decorar con el resto de la crema batida y el chocolate rallado.

Nota : Se puede endulzar la crema agregando 1 taza de azúcar glass después de batirla.

Pastel de Chocolate Alemán

8-10 porciones

Pastel

¼	cucharadita sal
1	cucharadita bicarbonato
2½	tazas harina para repostería
225 g.	(*8 onzas*) chocolate alemán
½	taza agua hirviendo
1	taza mantequilla
2	tazas azúcar
4	yemas de huevo
1	cucharadita vainilla
1	taza crema espesa
4	claras de huevo

Precalentar el horno a 180 °C (*350 °F*).

Cernir juntos la sal, el bicarbonato y la harina. Derretir el chocolate en el agua hirviendo.

Batir la mantequilla con el azúcar hasta que esté muy ligera. Agregar las yemas de huevo una por una.

Incorporar el chocolate derretido y la vainilla. Agregar la harina y la crema, alternando cantidades de ⅓ cada vez.

Batir las claras de huevo a punto de turrón. Incorporarlas cuidadosamente y en forma envolvente a la mezcla.

Enmantequillar ligeramente 3 moldes de pastel redondos de 20 cm. (*8 pulg.*).

Hornear de 35 a 40 minutos.

Dejar enfriar 10 minutos antes de desmoldar.

Relleno

1¼	taza azúcar morena
½	taza azúcar
1⅓	taza miel de maíz
⅓	taza mantequilla
1	taza leche condensada
½	cucharadita vainilla
2	tazas nueces, en trozos

Combinar los dos tipos de azúcar y la miel de maíz. Calentar en una cacerola gruesa.

Hervir a 118 °C (*245 °F*) según el termómetro para dulces.

Agregar la mantequilla, la leche, la vainilla y las nueces.

Regresar a 118 °C (*245 °F*).

Verter el relleno sobre cada capa de pastel. Colocar las capas una sobre la otra.

Escarcha

225 g.	(*8 onzas*) chocolate semiamargo
½	taza mantequilla

En baño maría, derretir el chocolate.

Agregar la mantequilla. Verter sobre el pastel y refrigerar.

Servir el pastel una vez que la escarcha esté cuajada.

Galletas de Avena

4 docenas

2	tazas harina
1	cucharadita polvo de hornear
1	cucharadita bicarbonato
1	cucharadita sal
1	taza manteca vegetal
1	taza azúcar morena, bien apretada
1	taza azúcar
2	huevos
1	cucharadita vainilla
2½	tazas avena de cocimiento rápido

Precalentar el horno a 180 °C (*350 °F*).

Cernir juntos la harina, el polvo de hornear, el bicarbonato y la sal. Apartar.

Batir la manteca con los dos tipos de azúcar hasta que esté ligera y esponjada.

Agregar los huevos uno por uno, mezclando bien. Incorporar la vainilla.

Agregar gradualmente los ingredientes secos a la mezcla de la manteca. Incorporar la avena.

Dar forma de bolitas y colocarlas en una charola de horno engrasada, dejando un espacio de 5 cm. (*2 pulg.*) entre cada una.

Hornear de 10 a 12 minutos.

Galletas de Mantequilla

2 docenas

1¾	taza harina
½	cucharadita polvo de hornear
½	cucharadita bicarbonato
½	taza mantequilla
1	taza azúcar
1	huevo
1	cucharadita vainilla
¼	taza leche

Precalentar el horno a 190 °C (*375 °F*).

Cernir juntos la harina, el polvo de hornear y el bicarbonato. Apartar.

Batir la mantequilla con el azúcar hasta que quede muy ligera.

Agregar el huevo y mezclar bien; incorporar la vainilla.

Añadir gradualmente la mezcla seca a la mezcla de la mantequilla. Incorporar lentamente la leche.

Dejar caer cucharadas de la mezcla en una charola de horno engrasada, dejando un espacio de 5 cm. (*2 pulg.*) entre cada galleta.

Hornear de 8 a 10 minutos.

Galletas de Mantequilla

Galletas Fáciles

2 docenas

½	taza mantequilla
⅔	taza azúcar
1	huevo
2	tazas harina
⅓	cucharadita bicarbonato
½	cucharadita canela
½	cucharadita nuez moscada
1	pizca de sal

Acremar la mantequilla con el azúcar. Agregar el huevo. Agregar el resto de los ingredientes.

Mezclar bien y dar forma de rollo; envolver en papel encerado.

Refrigerar de 4 a 6 horas o congelar.

Precalentar el horno a 180 °C (*350 °F*).

Desenvolver el rollo y cortar en 24 rodajas.

Hornear en una charola de horno ligeramente enmantequillada, durante 15 minutos.

Bebidas

Preparar una buena bebida es verdaderamente un arte, pero no es necesariamente complicado. Con toda probabilidad, ya le habrán servido una mala bebida en algún restaurante. Eso ha sido, sin duda alguna, porque el cantinero había descuidado medir los ingredientes con exactitud. Siempre hay que medir y mezclar cuidadosamente y los resultados serán perfectos.

Este capítulo contiene recetas para las bebidas alcohólicas y no alcohólicas más populares. Disfrútelas pero con moderación.

El vino en la cocina y en la mesa

1. Cocine con el mismo tipo de vino que servirá con la comida.

2. Desconfíe de los vinos clasificados como vinos para cocinar. Contienen un alto porcentaje de sal y por lo tanto, darán un sabor salado a sus platillos en vez del deseado.

3. No sustituya vino por jugo de uva en las recetas. Aunque el alcohol se queme durante el cocimiento, el vino tiene un sabor distinto.

4. No sirva vinos con platillos agrios o que contengan vinagre, como las ensaladas.

5. Las bebidas con un alto contenido de alcohol son útiles para flamear los platillos, pero es necesario tener cuidado. Nunca se debe verter el alcohol directamente de la botella y al encender la llama, incline el plato en dirección opuesta a usted y a sus invitados.

Selección del Vino para la Comida

	Blanco	Rosado	Tinto	Espumoso	Jerez
Entremeses	seco semidulce dulce	seco semidulce	semidulce	semidulce	seco dulce Oporto Madera
Patés	seco semidulce	seco semidulce	muy seco (con pescado) seco semidulce		
Sopas	seco semidulce dulce		semidulce		seco semidulce dulce Oporto Madera
Pescados y Mariscos	seco semidulce	seco semidulce	seco	seco semidulce	
Aves	seco semidulce dulce	seco semidulce	muy seco seco semidulce	seco semidulce	
Caza	seco		muy seco seco semidulce		
Carne de Res	seco semidulce	seco semidulce	muy seco seco semidulce		
Carne de Cordero			muy seco seco semidulce		
Carne de Ternera	seco semidulce		muy seco seco		
Carne de Cerdo	seco semidulce	seco semidulce	muy seco seco semidulce		
Postres	semidulce dulce	dulce		semidulce dulce	semidulce dulce Madera

Café Moka y Café de Almendras California

Café Moka

6 porciones

1	taza chocolate semiamargo, rallado
1¼	taza crema espesa
3	tazas café caliente, recién hecho
⅓	taza miel de abeja
2	cucharaditas vainilla
1½	taza crema para batir, batida

Derretir el chocolate en baño maría. Agregar la crema espesa, el café, la miel y la vainilla. Calentar por 5 minutos.

Verter en 6 tarros para café. Cubrir con crema batida.

Café Vandermint

1 porción

½	taza (4 onzas) café
1 cl.	(¼ onza) licor Crema de Cacao
3,5 cl.	(1¼ onza) licor Vandermint
¼	taza crema espesa
1	cucharada chocolate dulce, rallado

Verter el café y los licores en un tarro para café. Cubrir con crema batida y chocolate rallado.

Café de Almendras California

2 porciones

¼	cucharadita extracto de almendra
1½	taza café caliente
2	bolas de helado de chocolate

Mezclar el extracto con el café. Verter en 2 tarros para café. Cubrir con una bola de helado de chocolate. Servir.

Café Brûlot

4 porciones

1	limón amarillo
1	naranja
20	clavos
4	rajas de canela
⅓	taza (*3 onzas*) brandy
⅓	taza (*3 onzas*) Grand Marnier
4	tazas (*1 L*) café cargado, recién hecho

Rallar la cáscara de limón. Pelar la naranja en una espiral larga.

Mezclar los clavos, la cáscara de limón y las rajas de canela en una pequeña sartén de mesa. Colocar sobre llama suave.

Calentar un cucharón en la llama. Verter el brandy y el Grand Marnier en el cucharón caliente.

Ensartar la cáscara de la naranja en un tenedor. Sostener la cáscara de la naranja encima de la sartén.

Verter lentamente los licores sobre la cáscara mientras estén flameando.

Agregar el café y cocer a fuego lento durante 5 minutos.

Colar, verter en tazas pequeñas (demi-tasses) y servir.

Té Herbario

1 porción

¾	taza (*6 onzas*) agua fría
1¼	cucharadita de hierbas o especias de infusión, tales como: anís, albahaca, canela, clavo, diente de león, frambuesa, fresa, hinojo, jengibre, jinseng, lavándula, limón, mejorana, menta, nuez moscada, regaliz, romero, rosa, sasafrás, saúco, trébol, zarzaparrilla

Té de Arándano

Calentar el agua hasta que hierva.

Colocar las hierbas o las especias en una tetera precalentada.

Verter el agua hirviendo. Dejar reposar de 3 a 5 minutos. Pasar por un colador de té. Servir.

Té de Arándano

1 porción

¾	taza (*6 onzas*) té negro caliente, recién hecho
⅛	taza (*1 onza*) licor de Amaretto
⅛	taza (*1 onza*) licor de arándano

Verter el té sobre los licores en una copa para brandy. Servir inmediatamente.

Chocolate Francés

4 porciones

43 g.	(1½ onza) chocolate semiamargo
3	cucharadas miel de maíz
2	cucharadas agua
¼	cucharadita vainilla
1	taza crema ligera
2	tazas leche

En baño maría, derretir el chocolate. Agregar la miel de maíz, el agua y la vainilla.

En una cacerola, calentar la crema y la leche. Batiendo, agregar la mezcla de chocolate. Servir caliente.

Té Helado con Limón

6-8 porciones

6	tazas (1,5 L) agua
1	cucharadita clavo, molido
1	cucharadita canela
3	cucharadas té negro
4	cucharadas jugo de limón
½	taza azúcar

Hervir el agua y agregar todos los otros ingredientes.

Hervir durante 3 minutos. Pasar por un colador de té. Refrigerar. Servir sobre hielo.

Ponche Hawaiano

1 porción

½	taza jugo de mango
¼	taza jugo de naranja
¼	taza jugo de piña
1	rebanada de piña fresca
1	cucharadita granadina

Verter los jugos sobre ¼ taza (2 onzas) de hielo picado en un vaso grande para bebidas.

Verter la granadina sobre los jugos. Adornar con la rebanada de piña.

Malteada de Chocolate y Menta

4 porciones

½	taza azúcar
2	tazas leche
1	cucharada cacao en polvo
1	cucharadita extracto de menta
2	tazas helado de chocolate

Disolver completamente el azúcar en la leche. Incorporar el cacao en polvo y el extracto de menta.

Batiendo, agregar el helado. Servir la malteada muy fría.

Refresco de Uva

1 porción

⅓	taza jugo de uva concentrado, azucarado
⅔	taza agua mineral

Verter el jugo de uva sobre ¼ taza (2 onzas) de hielo picado en un vaso grande para bebidas.

Verter el agua mineral sobre el jugo. Servir.

Ponche Especial

10-12 porciones

4	tazas (1 L) agua mineral o agua de Seltz
2	tazas jugo de naranja
2	tazas jugo de piña
2	tazas jugo de arándano agrio
2	tazas jugo de uva blanca

Mezclar todos los ingredientes. Servir sobre hielo picado en vasos altos.

Refresco de Uva, Té Helado con Limón y Ponche Especial

Ruso Negro

1 porción

2 cl.	(¾ *onza*) vodka
2 cl.	(¾ *onza*) Kahlúa
1	cereza marrasquino

Verter los licores sobre hielo en un vaso oldfashion. Adornar con una cereza.

Cuba Libre

1 porción

3,5 cl.	(1¼ *onza*) ron oscuro
½	taza (*4 onzas*) refresco de cola
1	gajo de limón verde

Verter el ron y el refresco de cola en un vaso jaibolero lleno de hielo.

Exprimir el limón y colocarlo dentro de la bebida.

Palo Dulce

1 porción

2 cl.	(¾ *onza*) Pernod
2 cl.	(¾ *onza*) anisete
¼	taza (*2 onzas*) crema ligera
1	clara de huevo

En la licuadora, mezclar todos los ingredientes junto con hielo picado durante 1 minuto.

Colar y verter en una copa para vino.

Sol Californiano

1 porción

⅓	taza (*3 onzas*) jugo de naranja fresco
⅓	taza (*3 onzas*) vino rosado
⅛	taza (*1 onza*) licor de durazno

Verter el jugo, el vino y el licor en una coctelera con hielo picado.

Agitar bien, colar y verter en una copa para champaña.

Manhattan

1 porción

3,5 cl.	(1¼ *onza*) whisky de centeno canadiense
1,5 cl.	(½ *onza*) vermut dulce
1,5 cl.	(½ *onza*) vermut seco
1	cereza marrasquino

Verter el whisky y los vermuts sobre hielo en un vaso oldfashion. Adornar con la cereza.

Harvey Wallbanger

1 porción

3,5 cl.	(1¼ *onza*) vodka
⅓	taza (*3 onzas*) jugo de naranja
1,5 cl.	(½ *onza*) Galliano

En un vaso alto lleno hasta la mitad con hielo, verter el vodka y el jugo.

Agregar el licor Galliano.

Kir Royale

1 porción

2/3	taza (*6 onzas*) champaña
1,5 cl.	(*½ onza*) licor de zarzamora
1,5 cl.	(*½ onza*) casis

En una copa para champaña, verter el champaña, el licor de zarzamora y el casis.

Revolver y servir.

Gin Fizz

1 porción

½	cucharadita azúcar
3 cl.	(*1 onza*) jugo de limón amarillo
3 cl.	(*1 onza*) jugo de limón verde
3,5 cl.	(*1¼ onza*) ginebra
¼	taza (*2 onzas*) soda o agua mineral

Disolver el azúcar en los jugos de fruta.

Verter la ginebra y los jugos en una coctelera con hielo picado. Revolver.

Colar y verter en una copa de coctel. Agregar la soda o el agua mineral. Servir.

Daikiri

1 porción

½	cucharadita azúcar
3 cl.	(*1 onza*) jugo de limón amarillo
3 cl.	(*1 onza*) jugo de limón verde
3,5 cl.	(*1¼ onza*) ron
1	cereza marrasquino

Disolver el azúcar en los jugos.

Verter los jugos y el ron en una coctelera.

Agitar bien, colar y verter en una copa de coctel.

Adornar con la cereza.

Kir Royale y Gin Fizz

Bloody Mary

1 porción

1	rebanada de limón verde
½	cucharadita sal de apio
3,5 cl.	(1¼ onza) vodka
⅓	taza (3 onzas) jugo de tomate
¼	cucharadita salsa inglesa
	gotas de salsa Tabasco
1	pizca de sal
1	pizca de pimienta
1	tallo de apio

Frotar el borde de un vaso jaibolero con la rebanada de limón, luego pasarlo por la sal de apio. Llenar el vaso con hielo.

Verter el vodka y el jugo. Agregar las salsas, la sal y la pimienta. Revolver. Adornar con el tallo de apio.

Sangría

6-8 porciones

4	tazas (1 L) vino tinto
½	limón amarillo
6	duraznos, pelados y rebanados
1	naranja, en mitades
½	limón verde
2	tazas jerez dulce

Combinar todos los ingredientes en una jarra. Refrigerar durante 4 horas.

Servir la sangría muy fría sobre hielo.

Planters Punch

1 porción

3,5 cl.	(1¼ onza) ron Myers
⅛	taza (1 onza) jugo de naranja
⅛	taza (1 onza) jugo de piña
1,5 cl.	(½ onza) jugo de limón verde
½	cucharadita granadina
1	rebanada de naranja
1	cereza marrasquino

Verter el ron y los jugos en un vaso alto lleno hasta la mitad con hielo picado. Verter la granadina encima para que flote.

Adornar con la rebanada de naranja y la cereza.

Zombie

1 porción

2 cl.	(¾ onza) ron claro
2 cl.	(¾ onza) ron Myers
2 cl.	(¾ onza) ron oscuro
⅛	taza (1 onza) jugo de limón amarillo
⅛	taza (1 onza) jugo de naranja
⅛	taza (1 onza) jugo de limón verde
½	cucharadita granadina
1,5 cl.	(½ onza) brandy de cereza
1	cereza marrasquino

Verter los tres tipos de ron así como los jugos sobre hielo picado en un vaso grande para zombie.

Verter la granadina y el brandy sin revolver para que floten. Adornar con una cereza.

Tequila Sunrise

1 porción

3,5 cl.	(1¼ onza) tequila
¼	taza (2 onzas) jugo de naranja
⅛	taza (1 onza) jugo de limón
½	cucharadita granadina
1,5 cl.	(½ onza) crema de casis

En un vaso corto para collins, colocar ¼ taza (2 onzas) de hielo picado.

Verter el tequila, el jugo de naranja y el jugo de limón sobre el hielo. Al final, verter la granadina y la crema de casis.

Sling

1 porción

3,5 cl.	(1¼ onza) licor*
⅛	taza (1 onza) jugo de limón verde
⅛	taza (1 onza) jugo de limón amarillo
¼	taza (2 onzas) jugo de naranja
1,5 cl.	(½ onza) brandy de cereza
½	cucharadita granadina

Mezclar el licor y los jugos en un vaso alto lleno hasta la mitad con hielo picado.

Al final, verter el brandy y la granadina sin revolver para que floten.

* Hay tres tipos de bebidas «Sling» : Singapur, Bombay y Shanghai. La mezcla es la misma; lo que varía es el licor.
Singapur : ginebra
Bombay : ron
Shanghai : whisky de centeno

Sling, Planters Punch y Sangría

Microondas

Todos los hornos de microondas vienen con su propio manual de instrucciones y éstas deben seguirse estrictamente. Es una cuestión de seguridad y por lo tanto, cuando usted tenga alguna duda, consulte el manual.

Siempre use utensilios proprios para microondas cuando cocine en un horno de este tipo. La mayoría de los utensilios de cocina que se compran hoy en día llevan una etiqueta indicando si se pueden o no usar en el horno de microondas. Sin embargo, si tiene dudas acerca de algún recipiente, haga la siguiente prueba : Ponga el recipiente en el horno de microondas. Llene con agua, hasta la mitad, una taza de vidrio y póngala dentro del recipiente. Prenda su microondas a la intensidad ALTA por 30 segundos. Toque el recipiente. Si todavía está frío, se puede usar en el horno. Sólo el agua y la taza deben estar tibias. Nunca use metal en su microondas a menos que las instrucciones digan específicamente cómo hacerlo de una manera segura. Lo mismo se aplica al papel de aluminio. El metal y el papel de aluminio nunca deben tocar la puerta o las paredes del horno.

La potencia eléctrica de los hornos de microondas varía entre 350 y 750 watts. Note que las recetas de este capítulo han sido establecidas en función de un horno de 600 watts.

Verduras en Microondas

	Cantidad	Intensidad	Minutos	Nota
Alcachofas	1	ALTA	4 - 4½	frescas, con agua
Berenjena	1	ALTA	6	fresca o 4 tazas, picada
Betabeles	450 g. (*1 lib.*)	ALTA	15	frescos, con agua
Brócoli	450 g. (*1 lib.*)	ALTA	8	fresco, con agua
Brócoli	300 g. (*10 onzas*)	ALTA	10	congelado, con agua
Calabacitas	450 g. (*1 lib.*)	ALTA	8	frescas, en mitades, con mantequilla
Calabaza	450 g. (*1 lib.*)	ALTA	8	fresca, en mitades, con mantequilla
Cebollas	450 g. (*1 lib.*)	ALTA	7	frescas, con mantequilla
Champiñones	450 g. (*1 lib.*)	ALTA	7	frescos, con mantequilla
Chícharos	300 g. (*10 onzas*)	ALTA	7	congelados, sin agua
Chícharos	900 g. (*2 lib.*)	ALTA	7	frescos, con agua
Chirivías	450 g. (*1 lib.*)	ALTA	7	frescas, con agua
Col	450 g. (*1 lib.*)	ALTA	6	fresca, una mitad
Coles de Bruselas	225 g. (*½ lib.*)	ALTA	5	frescas, con agua
Coliflor	1	ALTA	7	entera, fresca
Ejotes	450 g. (*1 lib.*)	ALTA	11	frescos (incluyendo los frijoles lima)
Ejotes	450 g. (*1 lib.*)	ALTA	15	congelados (incluyendo los frijoles lima)
Elotes	6	ALTA	7	frescos, con agua
Elotes	4	ALTA	11	congelados, sin agua
Espárragos	450 g. (*1 lib.*)	MEDIANA	16	frescos, cortados, con agua
Espárragos	225 g. (*½ lib.*)	ALTA	8	congelados, con agua
Maíz en granos	300 g. (*10 onzas*)	ALTA	6	congelado, con agua
Papas	1	ALTA	3½	«al horno»; agregar 3 min. por cada papa adicional
Zanahorias	4	ALTA	7	frescas, enteras, picadas, rebanadas
Zanahorias	300 g. (*10 onzas*)	ALTA	8	congeladas, con agua

Carne en Microondas

	Cantidad	Intensidad	Minutos
Hamburguesas	4 por 450 g. (*1 lib.*)	ALTA	6
Hamburguesas, congeladas	4 por 450 g. (*1 lib.*)	ALTA	10
Carne de Res/estofado*	675-900 g. (*1½ – 2 lib.*)	ALTA	20
		BAJA	60
Bistec de Paletilla**	675-900 g. (*1½ – 2 lib.*)	MEDIANA	70– 80
Asado de Paletilla	1,3-2,2 kg. (*3 – 5 lib.*)	MEDIANA	27 por 450 g. (*1 lib.*)
Asado de Puntas de Filete	1,3 kg. (*3 lib.*)	MEDIANA	24 por 450 g. (*1 lib.*)
Asado de Lomo		MEDIANA	16 por 450 g. (*1 lib.*)
Puntas de Filete			
		MEDIANA	18 por 450 g. (*1 lib.*)

* La carne de res para estofado se cuece en dos etapas, la primera a intensidad ALTA, la segunda etapa a intensidad BAJA.

** Todos los asados deben cocerse en una bolsa especial para microondas o bien cubiertos. Todos los tiempos mencionados son para asados cocidos a término medio. Reduzca el tiempo 2 minutos por cada 450 g. (*1 libra*) para carne roja y aumente 2 minutos por cada 450 g. (*1 libra*) para carne bien cocida. El uso de una sonda térmica es recomendado. Deje reposar 15 minutos antes de trinchar.

Aves

	Intensidad	Tiempo
Pollo cortado en 9 piezas*	ALTA	17 minutos
Pollo cortado en 4	ALTA	13 minutos
Pollo cortado en 2	ALTA	15 minutos
Pollo entero	MEDIANA-ALTA	8 minutos por 450 g. (*1 lib.*)
Pavo entero**	MEDIANA	12 minutos por 450 g. (*1 lib.*)

* Las piezas de pollo deben ser reacomodadas dos veces durante el tiempo de cocción.

** El pavo debe ser cocido en una bolsa especial para microondas. Aumente el tiempo 8 minutos por cada 450 g. (*1 libra*) si no usa bolsa.

Cerdo

	Intensidad	Tiempo
Asado de Filete	MEDIANA	18 minutos por 450 g.(*1 lib.*)
Asado de Lomo	MEDIANA	18 minutos por 450 g.(*1 lib.*)
Jamón cocido	MEDIANA	11 minutos por 450 g. (*1 lib.*)
Jamón sin cocer	MEDIANA	17 minutos por 450 g. (*1 lib.*)

Nota : Los tiempos para los asados de lomo y de filete son para asados de 1,3 kg. (*3 libras*) y más, cocidos en bolsas especiales para microondas. Agregue 1 minuto por cada 450 g. (*1 libra*) si no usa bolsa. Deje reposar 15 minutos antes de trinchar.

Mariscos

	Cantidad	Intensidad	Tiempo
Almejas, Mejillones	6	ALTA	4 minutos
Patas de Jaiba	450 g. (*1 lib.*)	ALTA	6 minutos
Colas de Langosta	450 g. (*1 lib.*)	ALTA	6 minutos
Langosta entera	900 g. (*2 lib.*)	ALTA	12 minutos
Callos de Hacha	450 g. (*1 lib.*)	ALTA	6 minutos
Camarones pelados	450 g. (*1 lib.*)	ALTA	5 minutos

Nota : Las conchas de las almejas y de los mejillones se abrirán cuando los moluscos estén cocidos.

Si dobla la cantidad de patas de jaiba, aumente el tiempo en 50%.

Las colas de langosta deben ser cocidas en cantidades de 450 g. (*1 libra*) a la vez.

Cuando esté cociendo una langosta entera, agregue ½ taza de líquido.

Asado de Lomo de Res

8 porciones

2	cucharadas salsa soya
2	cucharadas salsa inglesa
1	cucharadita mostaza en polvo
¼	taza jerez
½	taza caldo de res
¼	cucharadita pimienta
¼	cucharadita paprika
½	cucharadita sal
2,2 kg.	(*5 libras*) lomo de res

Salsa : Mezclar la salsa soya, la salsa inglesa, la mostaza, el jerez, el caldo y los condimentos.

Verter en una cacerola. Cocer a fuego lento en la estufa, reduciendo lentamente la cantidad de líquido a una tercera parte.

Amarrar la carne con una cuerda. Colocarla en un trípode. Acomodarlo en un refractario para microondas de 30 x 20 x 5 cm. (*12 x 8 x 2 pulg.*).

Untar la carne con la salsa. Cubrir con papel encerado. Cocer en horno de microondas a intensidad MEDIANA durante 1¼ hora, untando con la salsa cada 15 minutos. Dejar reposar 10 minutos.

El asado estará a término medio. Si se quiere rojo, reducir el tiempo de cocimiento 15 minutos. Si se quiere bien cocido, aumentar el tiempo 12 minutos. El tiempo de reposo es el mismo.

Si se usa una sonda térmica, encajarla en el centro de la carne y programar la temperatura a 49 °C (*120 °F*) para una carne roja, a 57 °C (*135 °F*) para una carne a término medio y a 68 °C (*155 °F*) para una carne bien cocida.

Carne de Res a la Bordelesa

6 porciones

1 kg.	(*2¼ libras*) bistec de redondo, cortado en rebanadas de 2,5 cm. (*1 pulg.*)
2	cucharadas mantequilla
115 g.	(*4 onzas*) champiñones pequeños
2	cucharadas médula de res, finamente picada
¼	taza chalotes, picados
2	cucharadas maicena
½	taza vino Bordeaux
2	tazas Salsa Española (ver *Salsas*)
1	cucharada perejil, picado

En una cazuela de 12 tazas (*3 L*), colocar la carne, la mantequilla, los champiñones, la médula y los chalotes.

Mezclar la maicena con el vino. Incorporar a la Salsa Española. Verter sobre la carne.

Tapar y cocer en horno de microondas a intensidad MEDIANA durante 25 minutos, revolviendo cada 5 minutos. Reducir a DESCONGELAR y cocer durante 10 minutos.

Dejar reposar 5 minutos. Espolvorear con el perejil.

Carne de Res y Brócoli

4 porciones

4	cucharadas salsa soya
½	taza jerez
2	cucharadas azúcar morena
½	cucharadita jengibre
1	cucharadita maicena
225 g.	(*½ libra*) carne de res cruda, en rebanadas delgadas
225 g.	(*½ libra*) brotes de brócoli

Mezclar la salsa soya, el jerez, el azúcar, el jengibre y la maicena.

Acomodar la carne y el brócoli en una cazuela de 8 tazas (*2 L*). Verter la salsa sobre la carne y tapar.

Cocer en horno de microondas a intensidad ALTA durante 4 minutos. Revolver y cocer por 4 minutos más.

Dejar reposar, sin destapar, durante 5 minutos.

Chuletas de Cordero a la Naranja

Escalopas de Ternera

6 porciones

2	tazas pan molido fino
¼	taza tocino, picado
1	cucharadita cáscara de naranja, rallada
2	cucharadas perejil, picado
1	cucharadita perifollo
½	cucharadita sal
¼	cucharadita pimienta
1	huevo
6	escalopas de ternera de 115 g. (*4 onzas*) cada una
⅓	taza mantequilla
¼	taza harina
1	cebolla, finamente picada
2	tazas caldo de pollo
1	cucharadita paprika

Mezclar el pan molido, el tocino, la cáscara de naranja, los condimentos y el huevo.

Untar las escalopas con la mezcla y enrollar. Sujetar con palillos de dientes.

Calentar una charola para microondas a intensidad ALTA durante 8 minutos. Colocar la mantequilla en la charola.

Dorar la carne en la mantequilla, durante 1 minuto a intensidad ALTA. Dar vuelta a la carne y repetir. Sacar los rollos de carne.

Agregar la harina en la charola. Cocer por 1 minuto a intensidad MEDIANA.

Incorporar la cebolla, el caldo y la paprika. Regresar la carne a la charola.

Cocer en horno de microondas a intensidad MEDIANA durante 40 minutos.

Chuletas de Cordero a la Naranja

4 porciones

1	cucharada cáscara de naranja, rallada
⅔	taza caldo de pollo
½	taza jugo de naranja
⅓	taza brandy de naranja
1	cucharada maicena
1	cucharada azúcar
2	cucharadas vinagre
8	chuletas de cordero de 2,5 cm. (*1 pulg.*) de grueso

Mezclar la cáscara de naranja, el caldo, el jugo, el brandy y la maicena.

Disolver el azúcar en el vinagre. Verter en una cazuela de 8 tazas (*2 L*). Cocer en horno de microondas a intensidad ALTA durante 4 minutos, o hasta que quede caramelizado. Agregarle la mezcla del caldo. Acomodar las chuletas en el líquido.

Tapar y cocer en horno de microondas a intensidad MEDIANA de 40 a 45 minutos. Dejar reposar 5 minutos.

Pollitos al Jerez

4 porciones

2	pollitos Rock Cornish
2	cucharadas mantequilla
¼	cucharadita sal
¼	cucharadita pimienta
¼	cucharadita paprika
¼	cucharadita perifollo

Salsa

¼	taza mantequilla
¼	taza cebolla, finamente picada
1	taza champiñones, rebanados
2	cucharadas harina
¼	taza jerez
1	taza caldo de res
1	taza tomates, sin semillas y picados
½	cucharadita paprika
½	cucharadita perifollo
½	cucharadita sal
¼	cucharadita pimienta

Cortar los pollitos a la mitad. Colocar en un refractario para microondas de 30 x 20 x 5 cm. (*12 x 8 x 2 pulg.*).

Untarlos con la mantequilla y los condimentos. Cubrir con papel encerado.

Cocer en horno de microondas a intensidad MEDIANA durante 20 minutos. Dejar reposar mientras la salsa se cocina.

Salsa : Calentar la mantequilla en una cazuela de 8 tazas (*2 L*). Agregar la cebolla y los champiñones.

Revolver y cocer en horno de microondas durante 3 minutos a intensidad ALTA. Agregar la harina y revolver; cocer en horno de microondas durante 1 minuto a intensidad MEDIANA.

Incorporar el jerez, el caldo, los tomates y los condimentos.

Cocer en horno de microondas a intensidad MEDIANA durante 6 minutos. Revolver cada minuto.

Alas de Pollo Nueva York

2-3 porciones

1 kg.	(*2¼ libras*) alas de pollo, sin puntas
¼	taza aceite
1	cucharadita salsa Tabasco
1	taza Salsa de Especias Cajun (ver *Salsas*)

Acomodar las alas en un refractario para microondas de 30 x 20 x 5 cm. (*12 x 8 x 2 pulg.*).

Untarlas con el aceite. Cubrir con papel encerado. Cocer en horno de microondas a intensidad ALTA durante 5 minutos.

Mezclar la salsa Tabasco con la Salsa de Especias Cajun. Untar a las alas de pollo.

Cubrir con papel encerado. Cocer en horno de microondas a intensidad ALTA por 5 minutos más. Servir.

Pollo Asado con Salsa de Ajo y Miel

4 porciones

1	pollo de 1 kg. (*2¼ libras*)
1	cucharada mantequilla derretida
1	cucharadita sal
½	cucharadita paprika
¼	cucharidita pimienta
1	taza Salsa de Ajo y Miel (ver *Salsas*)

Colocar el pollo en un refractario para microondas de 30 x 20 x 5 cm. (*12 x 8 x 2 pulg.*).

Untarlo con la mantequilla derretida. Espolvorear con los condimentos. Cubrir con papel encerado. Encajar la sonda térmica en el muslo.

Cocer en horno de microondas a intensidad MEDIANA-ALTA durante 1¼ hora o hasta que la temperatura de la carne llegue a 88 °C (*190 °F*).

Verificar si ya está cocido. Escurrir el jugo. Guardarlo si se desea.

Dejar reposar 10 minutos, untando el pollo varias veces con la Salsa de Ajo y Miel.

Suprema de Pollo con Cerezas

Suprema de Pollo con Cerezas

	6 porciones
6	pechugas de pollo de 170 g. (*6 onzas*) cada una
2	tazas caldo de pollo
2	cucharadas azúcar
⅓	taza jerez
1½	taza cerezas de lata, deshuesadas, con el líquido
¼	taza jugo de naranja
¼	taza mermelada de grosella roja
1	pizca canela
1½	cucharada maicena
2	cucharaditas cáscara de naranja, rallada

Acomodar las pechugas de pollo en una cazuela de 12 tazas (*3 L*). Verter el caldo de pollo sobre las pechugas.

Tapar y cocer en horno de microondas a intensidad MEDIANA-ALTA durante 10 minutos. Escurrir el caldo.

En un tazón, disolver el azúcar en el jerez.

Agregar 1 taza del líquido de las cerezas, el jugo de naranja, la mermelada, la canela y la maicena. Mezclar bien. Verter sobre el pollo.

Agregar las cerezas y la cáscara de naranja.

Cocer en horno de microondas a intensidad MEDIANA-ALTA durante 8 minutos. Dejar reposar 5 minutos.

Cazuela de Jamón

4 porciones

1	cucharada mantequilla
¼	taza cebolla, en cubitos
¼	taza apio, en cubitos
3	tazas jamón, en cubitos
3	huevos, batidos
1	taza leche
¾	taza galletas saladas, machacadas
2	tazas queso Cheddar, rallado
½	cucharadita pimienta
½	cucharadita paprika
½	cucharadita albahaca
½	cucharadita sal

En una cazuela de 12 tazas (*3 L*), colocar la mantequilla, la cebolla y el apio. Cocer en horno de microondas a intensidad ALTA durante 1 minuto.

Agregar el jamón.

Mezclar los huevos, la leche, las galletas saladas, el queso y los condimentos. Verter sobre el jamón.

Tapar y cocer en horno de microondas a intensidad MEDIANA-ALTA de 15 a 16 minutos. Dejar reposar 5 minutos.

Asado de Cerdo

8 porciones

2,2 kg.	(*5 libras*) lomo de cerdo
1	cucharada mostaza en polvo
1	cucharadita sal
½	cucharadita pimienta
1	cucharadita romero
1	cucharadita ajedrea
2	cucharadas salsa soya
1	cucharada agua
1	cucharadita salsa inglesa
3	cucharadas miel de abeja

Quitar el exceso de grasa a la carne. Frotar con la mostaza y espolvorear con los condimentos.

Colocar la carne en una bolsa especial para microondas o en una charola para microondas con ½ taza de agua y cubrir con papel encerado.

Si se usa una sonda térmica, encajarla en el centro de la carne. Cocer en horno de microondas a intensidad MEDIANA durante 1½ hora.

Mezclar la salsa soya, el agua, la salsa inglesa y la miel. Untar al asado durante el tiempo de reposo de 20 minutos.

Carne de Cerdo Agridulce

6 porciones

1 kg.	(*2¼ libras*) carne de cerdo deshuesada, picada en cubos de 2,5 cm. (*1 pulg.*)
1	cebolla, rebanada
¼	taza salsa soya
1	cucharada salsa inglesa
2	tazas trozos de piña, con el jugo
½	cucharadita sal
½	cucharadita jengibre
½	taza azúcar morena
¼	taza vinagre
¼	taza maicena
¾	taza castañas de agua, escurridas y en cubitos
1	pimiento verde, rebanado
6	tazas arroz cocido, caliente

En una cazuela de 12 tazas (*3 L*), colocar la carne, la cebolla, la salsa soya, la salsa inglesa y el jugo de piña; apartar ¼ de taza de jugo.

Espolvorear la sal y el jengibre; revolver bien. Tapar y cocer en horno de microondas a intensidad MEDIANA durante 30 minutos. Revolver después de 15 minutos.

En un tazón, mezclar el jugo apartado, el azúcar morena, el vinagre, la maicena, la piña y las castañas. Verter sobre la carne.

Tapar y cocer en horno de microondas a intensidad MEDIANA-ALTA durante 15 minutos. A los 8 minutos de estarse cociendo el guiso, incorporar el pimiento verde. Dejar reposar 8 minutos. Servir sobre el arroz.

Carne de Cerdo con Chícharos Mangetout y Almendras

4 porciones

450 g.	(*1 libra*) carne de cerdo magra, en rebanadas delgadas
3	cucharadas aceite
2	tazas chícharos mangetout
2	tazas yogurt natural
¼	taza jerez
1	cucharada curry en polvo
1	taza almendras, rebanadas a lo largo y tostadas
4	tazas arroz cocido, caliente

Colocar la carne en una cazuela de 8 tazas (*2 L*). Verter el aceite sobre la carne. Tapar y cocer en horno de microondas a intensidad MEDIANA durante 5 minutos.

Agregar los chícharos mangetout y cocer en horno de microondas a intensidad MEDIANA-ALTA durante 2 minutos.

En un tazón chico, mezclar el yogurt, el jerez, el curry en polvo y las almendras.

Verter sobre la carne. Tapar y cocer en horno de microondas a intensidad ALTA durante 3 minutos.

Dejar reposar 5 minutos. Verter sobre el arroz.

Carne de Cerdo con Chícharos Mangetout y Almendras

Costillas en Barbacoa Estilo Cajun

2 porciones

1 kg.	(*2¼ libras*) costillas de cerdo
1	cucharadita sal
½	cucharadita pimienta
1½	taza Salsa de Especias Cajun (ver *Salsas*)

Colocar las costillas en una cazuela de 8 tazas (*2 L*). Condimentar con la sal y la pimienta.

Tapar y cocer en horno de microondas a intensidad ALTA de 22 a 25 minutos. Escurrir el exceso de grasa.

Verter la salsa sobre las costillas. Tapar y cocer en horno de microondas a intensidad MEDIANA de 8 a 10 minutos más.

Jambalaya

6 porciones

½	taza aceite
4	dientes de ajo, finamente picados
1	cebolla, en cubitos
2	tallos de apio, en cubitos
1	pimiento verde, en cubitos
1	taza arroz sin cocer
450 g.	(*1 libra*) salchichas italianas picantes, picadas en cubitos
1	taza pollo cocido, en cubitos
1	taza camarones, pelados y desvenados
3	tazas caldo de pollo
1	taza tomates, picados
½	taza cebollitas de Cambray, picadas
½	cucharadita pimienta de Cayena
¼	cucharadita pimienta
¼	cucharadita tomillo
¼	cucharadita orégano
¼	cucharadita albahaca
1	cucharadita sal
¼	cucharadita paprika
3	cucharadas perejil, picado

En una cazuela de 12 tazas (*3 L*), calentar el aceite por 30 segundos a intensidad ALTA.

Agregar el ajo, la cebolla, el apio y el pimiento verde. Cocer en horno de microondas a intensidad MEDIANA durante 6 minutos.

Agregar el arroz y revolver. Cocer en horno de microondas a intensidad MEDIANA durante 4 minutos.

Agregar las salchichas, el pollo y los camarones.

Verter el caldo; agregar los tomates y las cebollitas. Incorporar los condimentos.

Tapar y cocer en horno de microondas a intensidad MEDIANA durante 30 minutos.

Lenguado Relleno en Salsa Mornay

6 porciones

1	cebolla, picada
¼	taza apio, picado
½	taza mantequilla derretida
1	huevo
1	pizca tomillo
1	pizca albahaca
1	pizca perifollo
¼	cucharadita paprika
¼	cucharadita pimienta
½	cucharadita sal
2	tazas pan molido fino
6	filetes de lenguado de 170 g. (*6 onzas*) cada uno
2	tazas Salsa Mornay (ver *Salsas*)

En una cazuela de 4 tazas (*1 L*), colocar la cebolla, el apio y la mantequilla; sin tapar, cocer en horno de microondas a intensidad ALTA durante 1 minuto.

Mezclar el huevo con los condimentos. Añadir a las verduras e incorporar el pan molido.

Colocar el relleno en los filetes y enrollar.

Colocar los filetes, con el pliegue hacia abajo, en una cazuela de 12 tazas (*3 L*).

Verter la Salsa Mornay sobre el pescado. Tapar. Cocer en horno de microondas a intensidad MEDIANA de 12 a 15 minutos.

Girar la cazuela un cuarto de vuelta cada 5 minutos. Dejar reposar de 4 a 5 minutos.

Camarones al Curry

6 porciones

⅓	taza aceite
1	cebolla, en cubitos
1	pimiento verde, en cubitos
2	tallos de apio, en cubitos finos
1	diente de ajo, finamente picado
2	tazas tomates, picados
⅓	taza puré de tomate
1	taza caldo de pollo
½	cucharadita sal
2	cucharadas curry en polvo
1 kg.	(2¼ *libras*) camarones, pelados y desvenados

En una cazuela de 12 tazas (*3 L*), calentar el aceite en horno de microondas a intensidad ALTA por 30 segundos. Incorporar la cebolla, el pimiento verde, el apio y el ajo. Cocer en horno de microondas a intensidad MEDIANA durante 5 minutos.

Incorporar los tomates, el puré de tomate, el caldo de pollo y la sal. Cocer en horno de microondas a intensidad MEDIANA durante 2 minutos.

Añadir el curry en polvo y los camarones. Revolver y tapar. Cocer en horno de microondas a intensidad MEDIANA durante 5 minutos.

Dejar reposar 3 minutos. Servir.

Camarones al Curry

Ensalada Caliente de Callos de Hacha

4 porciones

1	taza callos de hacha, cortados a la mitad
1	cucharada mantequilla derretida
¼	taza vermut blanco
2	cucharadas aceite de oliva
¼	cucharadita ajo, finamente picado
1	pizca sal y pimienta
4	tazas espinacas, sin tallos y lavadas

En un pequeño refractario para microondas, combinar los callos de hacha y la mantequilla; tapar y cocer en horno de microondas a intensidad ALTA durante 1 minuto.

Agregar el resto de los ingredientes, menos las espinacas, tapar y cocer en horno de microondas a intensidad MEDIANA-ALTA durante 2 minutos.

Dejar reposar 2 minutos. Dividir las espinacas en 4 porciones y verter la mezcla sobre las espinacas. Servir inmediatamente.

Omelette Denver

Omelette Denver

2 porciones

3	cucharadas mantequilla
¼	taza jamón, finamente picado
2	cucharadas cebollita de Cambray, en cubitos
3	cucharadas pimiento verde, en cubitos
3	huevos, separados
½	taza mayonesa
2	cucharadas agua
½	taza queso Cheddar, rallado

En un tazón chico, colocar 1 cucharada de mantequilla, el jamón, la cebollita y el pimiento verde. Cocer en horno de microondas a intensidad ALTA durante 1½ minuto. Escurrir la mantequilla.

Batir las claras de huevo hasta que se formen picos blandos.

Mezclar perfectamente las yemas de huevo, la mayonesa y el agua. Con cuidado y en forma envolvente, incorporar esta mezcla a las claras de huevo.

En un molde de pay para microondas de 22 cm. (*9 pulg.*), derretir 2 cucharadas de mantequilla a intensidad ALTA por 30 segundos. Inclinar el molde para que la mantequilla cubra toda la superficie.

Verter la mezcla de huevos sobre la mantequilla. Cocer en horno de microondas a intensidad MEDIANA de 6 a 8 minutos.

Cubrir con la primera mezcla y espolvorear con el queso.

Cocer en horno de microondas a intensidad MEDIANA durante 2 minutos.

Doblar rápidamente en dos con una espátula. Colocar en un plato de servicio.

Quiche de Tocino, Queso y Cebollitas

6 porciones

½	receta de pasta para pay (ver *Pay de Manzana con Pasta de Galletas*)
4	huevos
½	taza queso Cheddar mediano, rallado
115 g.	(*4 onzas*) tocino, en cubitos y cocido
3	cebollitas de Cambray, finamente picadas
½	taza crema espesa
1	pizca paprika
¼	cucharadita sal

Forrar un molde de pay para microondas con la pasta. Untar con 1 huevo batido. Cocer en horno de microondas a intensidad ALTA durante 4½ minutos.

Espolvorear la pasta con la mitad del queso. Cubrir con la mitad del tocino y la mitad de las cebollitas.

Batir los huevos con la crema. Condimentar.

Verter los huevos en una cazuela y cocer en horno de microondas a intensidad MEDIANA-ALTA de 7 a 8 minutos. Revolver cada minuto.

Verter en la pasta de pay. Espolvorear con el resto del queso, del tocino y de las cebollitas.

Cocer en horno de microondas a intensidad MEDIANA-ALTA de 6 a 7 minutos. Dejar reposar 5 minutos antes de servir.

Desayuno de Queso y Camarones

4 porciones

4	huevos
½	taza crema espesa
1	pizca pimienta
1	pizca paprika
¼	cucharadita sal
1	taza camarones pequeños
½	taza salsa de tomate
½	taza queso Havarti, rallado
6	triángulos de pan tostado*

Mezclar los huevos, la crema y los condimentos. Verter en una cazuela de 6 tazas (*1,5 L*). Tapar con una hoja de envoltura de plástico y cocer en horno de microondas a intensidad ALTA durante 4 minutos.

Destapar, revolver y cubrir con los camarones, la salsa y el queso. Cocer en horno de microondas a intensidad MEDIANA-ALTA durante 5 minutos.

Colocar el pan tostado alrededor. Dejar reposar 2 minutos.

* Para hacerlos, quitar la corteza a las rebanadas de pan, tostarlas y cortarlas en diagonal.

Desayuno de Queso y Camarones

Cazuela de Calabacitas y Tomates

4 porciones

1	calabacita mediana, en cubitos
2	tazas tomates, picados y escurridos
¼	cucharadita perifollo
¼	cucharadita albahaca
¼	cucharadita orégano
¼	cucharadita tomillo
½	cucharadita pimienta
1	cucharadita sal
1	taza crema agria
1½	taza queso Cheddar mediano, rallado

En una cazuela de 12 tazas (*3 L*), colocar una capa de calabacitas y una capa de tomates.

Espolvorear con los condimentos. Cubrir con la crema agria.

Espolvorear con el queso. Tapar y cocer en horno de microondas a intensidad ALTA durante 10 minutos. Dejar reposar 2 minutos.

Coliflor con Salsa de Mantequilla y Naranja

4 porciones

1	coliflor, en brotes
½	taza agua
⅓	taza jugo de naranja
2	cucharadas vermut seco
¼	taza mantequilla sin sal
	cáscara de 2 naranjas, rallada
1	pizca nuez moscada

Colocar la coliflor en una cazuela de 8 tazas (*2 L*). Verter el agua en la cazuela.

Tapar y cocer en horno de microondas a intensidad MEDIANA-ALTA durante 15 minutos. Voltear la coliflor después de 7 minutos.

Mientras la coliflor se está cociendo, colocar el jugo de naranja y el vermut en una cacerola.

En la estufa, reducir este líquido a una tercera parte. Batir la mantequilla y agregarla al líquido sin dejar de batir. No recalentar. Agregar la ralladura y la nuez moscada.

Escurrir la coliflor. Acomodar en un platón.

Verter la salsa sobre la coliflor. Servir.

Cazuela de Espárragos

4 porciones

450 g.	(*1 libra*) espárragos
4	huevos duros, rebanados
1	taza galletas saladas, finamente machacadas
1	taza queso Cheddar, rallado
¼	cucharadita pimienta
¼	cucharadita sal
1	taza crema espesa
1	taza almendras, rebanadas a lo largo y tostadas

En una cazuela de 12 tazas (*3 L*), colocar una capa de espárragos y una capa de huevos. Espolvorear con las galletas saladas y el queso.

Condimentar y verter la crema sobre el queso. Tapar.

Cocer en horno de microondas a intensidad MEDIANA durante 15 minutos.

Destapar, dejar reposar 4 minutos y espolvorear con las almendras.

Cazuela de Calabacitas y Tomates y Cazuela de Espárragos

Papas a la Crema

4 porciones

1½	taza crema ligera
3	cucharadas perejil, picado
1	cucharadita sal
½	cucharadita pimienta
6	tazas papas, en rebanadas delgadas
1	cebolla, en cubitos finos
2	tazas queso Havarti, rallado
¼	taza mantequilla

Mezclar la crema, el perejil, la sal y la pimienta.

Colocar capas de papas y de cebollas en una cazuela de 12 tazas (*3 L*).

Espolvorear el queso. Verter la crema. Esparcir pedacitos de mantequilla.

Tapar y cocer en horno de microondas a intensidad ALTA durante 15 minutos.

Destapar y cocer en horno de microondas a intensidad ALTA durante 4 minutos. Dejar reposar 3 minutos.

Champiñones con Estragón

4 porciones

450 g.	(*1 libra*) champiñones
3	cucharadas mantequilla
3	cucharadas aceite
3	dientes de ajo, finamente picados
2	cucharaditas estragón seco

Lavar los champiñones y cortarlos a la mitad.

En una cazuela de 8 tazas (*2 L*), cocer en horno de microondas la mantequilla, el aceite y el ajo juntos durante 1 minuto a intensidad MEDIANA-ALTA.

Incorporar los champiñones. Cocer en horno de microondas a intensidad MEDIANA-ALTA durante 5 minutos.

Revolver cada minuto. Espolvorear con el estragón. Servir.

Arroz Español

4 porciones

¼	taza mantequilla
1	cebolla, en cubitos finos
1	pimiento verde, en cubitos finos
1	taza arroz sin cocer
1	cucharadita sal
½	cucharadita paprika
½	cucharadita chile en polvo
¼	cucharadita pimienta
2	tomates, picados
2	tazas caldo de pollo

En una cazuela de 4 tazas (*1 L*), calentar la mantequilla en horno de microondas a intensidad ALTA por 30 segundos.

Agregar la cebolla y el pimiento verde. Cocer en horno de microondas a intensidad MEDIANA durante 4 minutos.

Agregar el arroz, los condimentos, los tomates y el caldo. Revolver, tapar y cocer en horno de microondas a intensidad ALTA durante 15 minutos. Esponjar con un tenedor.

Arroz Pilaf con Almendras

4 porciones

¼	taza mantequilla
1	cebolla, en cubitos finos
¼	taza pimiento verde, en cubitos finos
1	diente de ajo, finamente picado
¼	taza pimiento morrón enlatado, en cubitos finos
½	taza champiñones, rebanados
1½	taza arroz de grano largo, sin cocer
3	tazas caldo de pollo, caliente
1	taza almendras, rebanadas a lo largo y tostadas

En una cazuela de 8 tazas (*2 L*), colocar la mantequilla, la cebolla, el pimiento verde, el ajo, el pimiento morrón, los champiñones y el arroz.

Revolver, tapar y cocer en horno de microondas a intensidad MEDIANA durante 5 minutos. Revolver una vez y agregar el caldo de pollo.

Tapar y cocer en horno de microondas a intensidad MEDIANA durante 14 minutos. Revolver una vez mientras se está cociendo.

Destapar y espolvorear las almendras. Revolver y dejar reposar 5 minutos.

1

En una cazuela, colocar la mantequilla, la cebolla, el pimiento verde, el ajo, el pimiento morrón, los champiñones y el arroz. Revolver, tapar y cocer en horno de microondas a intensidad MEDIANA durante 5 minutos.

2

Revolver una vez, agregar el caldo de pollo, tapar y cocer en horno de microondas a intensidad MEDIANA durante 14 minutos.

3

Revolver una vez mientras se está cociendo.

4

Destapar, espolvorear las almendras, revolver y dejar reposar 5 minutos.

Pastel de Zanahoria

6 porciones

1	taza harina
½	cucharadita sal
1	cucharadita canela
¼	cucharadita pimienta de Jamaica
¼	cucharadita nuez moscada
1	cucharadita polvo de hornear
¼	taza mantequilla
¼	taza aceite
½	taza azúcar
2	huevos
2	zanahorias medianas, ralladas
1	manzana, rallada
½	taza pasas
½	taza nueces, picadas

Cernir juntos la harina, la sal, las especias y el polvo de hornear.

Acremar juntos la mantequilla, el aceite y el azúcar.

Añadir los huevos uno por uno. Agregar la mezcla de la harina en forma envolvente.

Incorporar las zanahorias, la manzana, las pasas y las nueces.

Colocar en un molde de vidrio de 25 x 15 cm. (*10 x 6 pulg.*).

Cocer en horno de microondas a intensidad BAJA durante 7 minutos, y luego a intensidad ALTA durante 4 minutos. Verificar si ya está cocido. (Un palillo introducido en el centro del pastel debe salir seco.)

Picar toda la superficie del pastel con un tenedor.

Desmoldar el pastel de inmediato sobre una rejilla y dejar enfriar. Untar con la escarcha.

Escarcha

¼	taza mantequilla
½	taza queso crema
1	cucharadita vainilla
1	cucharada cáscara de naranja, rallada
2	tazas azúcar glass
2	cucharadas jugo de naranja

Acremar juntos la mantequilla y el queso crema.

Añadir la vainilla y la cáscara de naranja.

Batiendo, agregar el azúcar y el jugo.

Untar el pastel.

Pay de Manzana con Pasta de Galletas

6 porciones

Pasta

1½	taza galletas Graham, molidas
¼	taza mantequilla derretida
¼	taza azúcar
1	cucharadita canela

Combinar los ingredientes. Apretarlos en un molde de vidrio para pay de 22 cm. (*9 pulg.*).

Relleno

1	taza azúcar
½	cucharadita canela
½	cucharadita nuez moscada
5	manzanas grandes, peladas, descorazonadas y rebanadas
½	taza pasas
½	taza pacanas, en trozos

Mezclar el azúcar con las especias. Espolvorear las manzanas con esta mezcla. Incorporar las pasas y las pacanas. Rellenar la pasta del pay.

Cubierta

½	taza mantequilla
1	taza harina
¾	taza azúcar morena

Agregar la mantequilla a la harina cortándola. Incorporar el azúcar. Espolvorear sobre el pay.

Cocer en horno de microondas a intensidad ALTA de 8 a 10 minutos.

Girar el molde un cuarto de vuelta cada 2 minutos mientras se está cociendo el pay, luego dejar reposar 4 minutos.

Pay de Almendras y Malvaviscos

Pasta

6 porciones

1¼	taza galletas Graham, molidas
¼	taza mantequilla derretida
¼	taza azúcar

Combinar todos los ingredientes. Apretarlos en un molde de vidrio para pay de 22 cm. (*9 pulg.*). Cocer en horno de microondas a intensidad ALTA durante 1½ minuto. Refrigerar.

Relleno

2	cucharaditas grenetina en polvo
½	taza crema espesa
225 g.	(*8 onzas*) chocolate semiamargo
1½	taza crema para batir
½	taza almendras, en trozos y tostadas
2	tazas malvaviscos miniatura

Suavizar la grenetina en la crema. Verter la crema y 170 g. (*6 onzas*) del chocolate en una cazuela de 8 tazas (*2 L*). Cocer en horno de microondas a intensidad ALTA durante 4 minutos. Revolver cada minuto.

Refrigerar hasta que esté espeso pero no duro.

Picar el resto del chocolate en pedacitos.

Batir la crema hasta que espese e incorporarla al chocolate derretido en forma envolvente.

Incorporar las almendras, los malvaviscos y los pedacitos de chocolate.

Verter en la pasta de pay. Refrigerar durante 1 hora. Servir.

Pay de Almendras y Malvaviscos

Pay de Chocolate y Menta

6 porciones

Pasta

1½	taza galletas de chocolate, desmoronadas
¼	taza mantequilla derretida
¼	taza azúcar

Combinar todos los ingredientes. Apretarlos en un molde de vidrio para pay de 22 cm. (*9 pulg.*).

Relleno

¾	taza leche
3	tazas malvaviscos miniatura
1	cucharadita extracto de menta
8	gotas de colorante vegetal verde
1	taza chocolate, rallado

En un tazón para microondas de 8 tazas (*2 L*), combinar la leche y los malvaviscos. Cocer en horno de microondas a intensidad ALTA durante 2 minutos.

Incorporar el extracto de menta y el colorante vegetal. Verter en la pasta de pay.

Refrigerar de 3 a 4 horas. Decorar con el chocolate rallado.

Panquecitos de Arándanos

12 panquecitos

1¼	taza harina
1	cucharada polvo de hornear
¼	cucharadita sal
3	cucharadas mantequilla
¾	taza azúcar
2	huevos
½	taza leche
1	cucharadita vainilla
1	taza arándanos (bien escurridos si son de los congelados)

Cernir juntos la harina, el polvo de hornear y la sal.

Acremar la mantequilla con el azúcar.

Agregar los huevos uno por uno, batiendo bien después de cada adición.

Agregar la harina en forma envolvente y alternando con la leche, en cantidades de ⅓ cada vez.

Agregar la vainilla. Incorporar los arándanos.

Verter en un molde para panquecitos propio para microondas.

Cocer en horno de microondas a intensidad ALTA de 3½ a 4 minutos para 6 panquecitos y doblar el tiempo para 12.

Panquecitos de Plátano

12 panquecitos

1¼	taza harina
1	cucharada polvo de hornear
1	pizca sal
⅓	taza mantequilla
1	taza azúcar
2	huevos
3	cucharadas crema agria
¾	taza puré de plátanos

Cernir juntos la harina, el polvo de hornear y la sal.

Batir la mantequilla con el azúcar hasta que esté esponjada.

Agregar los huevos uno por uno. Incorporar la crema agria y los plátanos. Agregar la harina y revolver.

Verter la mezcla en un molde para panquecitos propio para microondas, llenando los moldecitos sólo hasta las ¾ partes. Cocer en horno de microondas a intensidad MEDIANA durante 3½ minutos.

Verificar si ya están cocidos. (Un palillo introducido en el centro de los panquecitos debe salir seco.)

Mientras estén todavía calientes, espolvorear los panquecitos con azúcar de canela.*

Budín de Nuez

4 porciones

2	cucharadas grenetina en polvo
2	tazas crema ligera
½	taza azúcar
4	yemas de huevo
¾	taza chispas de mantequilla escocesa
1	taza crema para batir, batida
¾	taza nueces, en trozos

Suavizar la grenetina en la crema ligera. Batiendo, incorporar el azúcar, las yemas de huevo y las chispas de mantequilla escocesa.

Cocer en horno de microondas a intensidad ALTA durante 4½ minutos. Revolver cada 1½ minuto.

Refrigerar hasta que esté espeso pero no cuajado.

En forma envolvente, agregar la crema batida y las nueces. Refrigerar durante 1 hora.

NOTA : El tiempo mencionado es para 6 panquecitos. Doblar el tiempo si se utilizan 2 moldes a la vez.

* Para hacer el azúcar de canela, mezclar ½ taza de azúcar con 2 cucharaditas de canela.

Budín de Dulce de Menta y Chocolate

Budín de Dulce de Menta y Chocolate

6 porciones

2	cucharadas grenetina en polvo
2	tazas leche
½	taza azúcar
1	pizca sal
5	yemas de huevo
½	taza chispas de chocolate
½	taza dulces de menta, machacados
1	taza crema para batir, batida

Suavizar la grenetina en la leche. Batiendo, incorporar el azúcar, la sal y las yemas de huevo.

Verter en un refractario para microondas de 8 tazas (*2 L*).

Cocer en horno de microondas a intensidad ALTA durante 4½ minutos. Revolver cada 1½ minuto.

Refrigerar hasta que esté espeso pero no cuajado.

En forma envolvente, incorporar las chispas de chocolate, los dulces y la crema batida. Refrigerar durante 1 hora.

Index

*Recetas para Microondas

Recetas para Microondas

* *Recetas para Microondas*

Index De Microondas